DUKU

读库

1204

主编 张立宪

新星出版社 NEW STAR PRESS

DUKU1204

杨以磊 绘　　　　　编号：1204

DUKU1204
2012.8.6

DUKU1204
· 目录 ·

I

人穷智不短

陈一鸣

穷是一种困境，不管缺的是什么，都是穷。

　　六平方米的平房里住着一家三口，孩子一天天长高，躺床上一伸腿就蹬到墙，不得不蜷着身子睡。要让孩子伸展双腿睡个囫囵觉，怎样既不"私搭乱建"，又能把屋内空间扩出十几厘米？艺术家宋冬展示了一种匪夷所思的解决方案：紧贴房子临街的外墙慢慢砌起一堵新的墙，砌好了，再从屋里把旧的墙悄悄拆掉。不能有太大动静，一切要以日积月累的方式进行，完成这一工程，耗时大约两年，屋子多出了十几厘米的进深。

　　在宋冬看来，这种解决方案展现了穷人的智慧，充满机智、狡诈、周旋和无奈。人没有权利占有公共空间，情急之下，就借助墙的权利让双腿得以舒展。

　　借助"墙权"达成"人权"，宋冬称之为"借权"。事实上，能

1

让人"借权"的东西不只是墙、废砖烂瓦、废旧轮胎、大衣柜、自行车、床、门窗、塑料瓶子、煤球、白菜，甚至一棵树、一群鸽子，都能借人以权利。

宋冬把多年收集的这些"废品"一股脑搬进艺术殿堂，布置成他的个展，名为《穷人的智慧》。

向灾难借权利

借墙占地，这种方法从何而来？"多着呢！我住过的每个胡同、大杂院，很多人家用这个方法。不只是借墙占地，'借物占地'也比比皆是，胡同和大杂院的街道为什么越来越狭窄？原因就在于此。"宋冬说。

进入《穷人的智慧》展厅，迎面头一件作品是"与树共生"。床中间长出一棵树，和《贫嘴张大民的幸福生活》里表现的一样。树是不允许随便砍的，树拥有周围的空间，于是没有地方睡觉的人就借住在了树的空间里。

宋冬见识过不止一座"树房子"，还见过"树灶台"、"树箱子"。"树箱子"在北京尤多，一抱粗的树，四周用板子围起来，再加个顶，就是一个存储物品的大箱子。

然后是"与鸽共生"。平房顶上的鸽子笼，上半截是木头格子的鸽舍，底下的逼仄空间里摆着床铺。胡同里的房顶不允许私搭乱建，但可以养鸽子。房子里实在没有地方住，怎么办？聪明人就先搭一个大大的鸽子笼，养起鸽子来，过两年，慢慢把家里东西存上去，再过两年，人也住进去，又过两年，鸽子少一点。时间长了，这个"人鸽共生"的蜗居也就被默认为一间屋子。人的居住权利，就这么借鸽子的名义讨来。

"借景"曾是一种美学手段。宋冬总是举拙政园的例子：以园子主人的身份，还没有在园中建塔的资格，文徵明设计时就巧妙地把园外已经有的塔"借"到园景中来。穷人的"借权"，虽能用艺术的审视归纳出一种美学，但在当事人的生活里只是一种无奈，是解决具体困难的努力。

五十二张单人、双人的木板床，在一片单独的空间里，被宋冬搭成弯弯曲曲的迷宫，观众穿行其间，一不小心就会撞到脑袋。床的迷宫，灵感来自胡同生活以及地震见闻。"胡同中十平方米挤着三代人，床必须摞起来，才能有生存的空间。这种窘境和生存方式却保住了一家人的性命，1976年的唐山大地震让这家人逃过了房塌的浩劫。"

宋冬经历的唐山地震，先是大家都把床搬到体育场去住，众多的床集中在一起，搭起了稳固的防震棚。局势稳定一些，就回到院落，但还不敢住在自己简陋的房子里，就在院子里搭一些地震棚。后来国家下令，把胡同里占地搭的棚子全拆掉，可是已经到手的居住空间，再收回去就太难了。"所以大家慢慢约定俗成，形成了所谓的平衡，你家占这么多，他家占这么多，就成了弯弯曲曲的大杂院。"

居住空间是人本应有的权利，却需要向树、向鸽子"借"来，但宋冬说，这都不是最无奈的。最无奈最沉重的，是"借助"灾难方能享有的权利。

"为什么汶川地震之后，我们才想起加固教学楼？孩子的生存权，家长的安全感，必须借助这样一场自然的、人为的灾难才能获得吗？"借权于灾难的例子，宋冬说起来滔滔不绝："就拿北京地铁四号线的扶梯事故来说，遇难的那个十三岁男孩来北京，就是为了看看故宫、天安门和动物园，那天他哪怕睡懒觉都不会赶上那场灾难……但如果那个时间我带我的孩子去动物园，我就是那个痛不欲生的父亲。为什么我们非要借助人的生命和人为的灾难，才能获得追问质量和黑幕的权利？我们能不能不必借助灾难就享有安全感？"

最抽象的一件作品，是由十几扇大衣柜的前脸围成的一个圈，名为"圈地运动"。观众进入圈内，前后左右全是镜子和衣柜门。宋冬这样解释："在圈内打开每一扇柜门，你会觉得你只是打开自己的衣柜，对面的空间全是你的；关上衣柜门，你会觉得圈内的空间全是你的。你觉得'整个世界属于我'，其实什么都不是你的。"

更多的展品一眼看上去更像临时摆放在地上的建筑脚料、生活废品：两个轮胎上码着没腿的沙发，一辆旧三轮车，一个窗框子做成的箱子里码放着大白菜，一堆砖头上站着一辆自行车……

《穷人的智慧》筹备了六年，是2005年宋冬《物尽其用》的延续。那个展览所用，是母亲存了一辈子舍不得扔的旧物，共有一万多件。

在传统的文字历史中，史家更习惯留存"脊梁"的事迹和话语，民众往往被弃之如敝屣。"物尽其用"是母亲的实物日记，存的就是敝屣，弃之如弃命。展览后，宋冬发誓把这些物件像保存历史一样保存下来。为一万多件旧物获取存放空间的智慧，仍然来自母亲。她过去积攒的东西，有的存放在屋子里，有的存放在院子里，甚至防空洞里。

一张纸的七重用途

2002年8月，宋冬的父亲骤然辞世。一向开朗的母亲陷入极度痛苦中，一天到晚一言不发，不出门也不看电视。每天早上醒来，她就鼓捣自己平生积攒下来不舍得扔的东西。旧鞋、旧衣服、老肥皂，摊开来放在地板、沙发、空床上，摆着摆着就忽然泪如雨下。

再这样下去，母亲就与世隔绝、与人隔绝了，她把平时存放的不舍得扔的东西装满了整个房间和所有的台面。宋冬和姐姐焦虑万分却又束手无策，最后想了个办法，送母亲去南方旅游散心，趁她不在家扔掉一些东西，免得她回到家里又睹物思人。没想到，母亲一回家，看到整洁的房间，并没有高兴起来。当她发现自己的"收藏"忽然少了很多，很是生气，顿时恢复沉默，瘫坐在沙发里以泪洗面。

宋冬失眠了。如何才能让全家，尤其是母亲摆脱痛苦呢？整夜思考的结论是——孝顺孝顺，顺者为孝。他跟母亲说，妈，您摆弄这些东西能够开心，那就摆弄吧。可是您能告诉我为什么这样做吗？母亲回答："你爸一走，我就怕这个房子空。"

宋冬明白，母亲是让旧物的"满"弥补人走的"空"。他开始了他的"物尽其用"计划：陪母亲一起整理。

整理从合并同类项开始。一家人几十年来穿过的旧鞋，有的藏在床底下，有的收在鞋柜里，还有的存在大杂院的水缸中，从缠足女人的小鞋到当下时尚的款式，几乎就是老百姓的物质历史。他们把所有的鞋都归置到一处。宋冬发现自己八年前扔掉的一双旧鞋竟然还在家里，是母亲跟着他捡回来的，她觉得鞋只不过是咧了嘴，缝一缝粘一粘，完全可以继续穿。

又不是买不起新鞋，为什么非要缝补旧的？母亲的回答是"物尽其用"，这是她那代人的生活哲学。一张纸怎么用，才算真正的物尽其用？母亲曾这样告诉他：先是写字、画画；之后空白地方可以当草稿纸，记记账目，做做备忘；不能写字了，给孩子折纸玩；折纸玩完了，还能包东西；包完东西擦桌子；擦完桌子可以擦地；擦完地之后，还可以晾干，冬天用来生火。

宋冬一直和母亲生活在一起，他以为自己对母亲的生活态度非常了解，当年听到这一张纸的七重用法，他还是小小地吃了一惊。

每样旧物，母亲都能讲出一段故事。收拾一堆肥皂时，母亲随口说了一句，这都是当年的肥皂，你结婚时我送给你，你还不乐意。宋冬这才想起当时自己漫不经心的回答："妈，现在都用洗衣机了，这肥皂跟石头似的怎么用啊？"

有几块肥皂比宋冬自己的年龄都大，这么多年母亲一直留着。姐姐也想起母亲怀着宋冬时说的话，"等冬子长大了我就告诉他，怀你的时候就开始给你留肥皂了"，百感交集。宋冬对母亲说，以后咱们不但不扔东西，能卖的也不卖了，饮料瓶子、旧报纸什么的，全留着！

母亲问，留着做什么？宋冬说，留着做展览，就叫《物尽其用》。

2005年10月，母亲赵湘源和儿子宋冬的当代艺术展《物尽其用》在北京七九八艺术区开幕。展区中一行霓虹灯大字对着天空：

爸，别担心，我们和妈都挺好。

闪烁的霓虹灯下面，是母亲一生舍不得扔的一万多件旧物。

观众如堵，感慨万千。宋冬把家里的沙发搬到展览现场，母亲坐在那里，跟有兴趣的观众拉家常，讲述真正的"老百姓自己的故事"。展览结束，母亲结识了一大群老人，她不仅恢复了开朗，甚至比以前还要乐观。在宋冬看来，《物尽其用》是为父亲和母亲做的，这是一场完美的"中国式救赎"——天堂的幸福太缥缈，尘世的幸福才触手可及。

不仇富，也尊重贫穷

"我妈是不扔，我是收集。"宋冬说。为了《穷人的智慧》，他开始频繁出入拆迁工地、二手市场，专收没人要的那些破烂儿。如今"藏品"数目是多少，宋冬也不清楚，好在他有一个巨大的工作室，平时东西就储存在那里。八岁的女儿"儿儿"把父亲的这些藏品当成玩具，快快乐乐，穿梭其间。

宋冬自幼学习画画，父亲毕业于清华大学，本想学机械或建筑设计，却被分配到暖通专业，因此他希望宋冬考进清华大学，"学正经的建筑设计"。宋冬喜欢纯艺术，1985年考入了北京师范学院（今首都师范大学）美术系，日后虽然功成名就，但父亲总是有那么一点遗憾。

迷上装置艺术之后，宋冬跟父亲说，这不也是建筑吗？有材料，有空间，只是小一点儿罢了。

装置艺术使宋冬接通了父亲的精神血脉，《物尽其用》之后，又接通了母亲的精神血脉。尽管从事最前卫的艺术，但宋冬从行为到言谈都充满纯纯的中国味，喜欢禅宗，喜欢西藏。不过宋冬认为，《物尽其用》和《穷人的智慧》反映的是全人类的共同处境，绝不仅仅属于中国。

《物尽其用》曾在几个国家巡展，宋冬带着母亲全球游走。尽管语言不通，各国观众的反响一样热烈。"各国都有经历过苦难的人，大家都能理解'物尽其用'。中国、印度、巴西、美国……各国穷人的智慧、穷人的美学都是息息相通的，这是共同人性，而不是专属中国的'国民性'。"宋冬说。

母亲总是告诫宋冬，咱们都是穷人，血管里流着穷人的血。宋冬也自称穷人，并做着表现穷人的艺术。他对物质匮乏的记忆十分深刻：他刚出生时的房子是五点八平方米，他的第一张床就是个装衣服的箱子，这些他都没有印象，是母亲讲给他听的。五六岁时，全家搬进一处十几平方米的房子。"那个房子地面是花瓷砖，我一进门就躺地上了。我记得特别清楚。"宋冬说。

其实从社会阶层和生活水准上讲，宋冬家族至少三代前就不能算是"穷人"了。外祖父是国民党军官，父母都是学建筑的大学生。父亲虽然下过干校，但回到北京后工作顺风顺水，退休后仍被聘为专家；母亲曾参加过毛主席纪念堂的建筑概预算工作，崇文门菜市场是她独立完成概预算的。

宋冬所谓的"穷"是广义的穷。不仅自己是穷人，所有人都是穷人，你总有缺少的东西，穷是一种困境，不管缺的是什么，都是穷。物质匮乏是穷，才思枯竭也是穷，良心不安更是穷。不仅仅中国穷，全人类都穷。整个地球越来越穷，因为资源越来越少。

贫穷也有不容鄙视的，甚至伟大的一面。譬如名为《胡同：穷人的广场》的作品，在狭长甬道两边摆放着无数破烂儿，勾勒出越来越少见的胡同气氛，砖瓦、水缸，废线轴当板凳，破水槽种花草。"这其实是平民的广场。我们拥有太多的广场，但那个广场我们不能干这个不能干那个。在胡同里我们就可以，可以散步，可以聊天，可以娱乐，可以干很多事。"

他认为不应该仇富，更不能鄙视贫穷。贫穷是伟大的，穷则思变。

宋冬近乎执拗的，对贫穷怀有极大的尊重感。"《穷人的智慧》像是一座无形的纪念碑，纪念包括我自己在内的每个穷人。"他说。2009年，宋冬的母亲为了救一只被困在大树上的小鸟遇难辞世。去世前这几年，她是在自信与自豪中度过的。

2005年，宋冬的妈妈赵湘源在家中收拾东西。

宋冬把家里的沙发搬到展览现场，母亲坐在那里。

《物尽其用》展览现场。

宋冬的妈妈赵湘源与姐姐宋慧在展览现场收拾床上的衣服。

《物尽其用》展览的一万多件旧物令观众感慨万千。

《物尽其用》中"食"的部分。

各种各样的酒。

老式的高压锅。

《物尽其用》中"用"的部分。宋冬爷爷的柜子。

爸爸宋世平做花盆用的自己手工做的模具。

妈妈赵湘源下放劳动做油工时用的刷子。

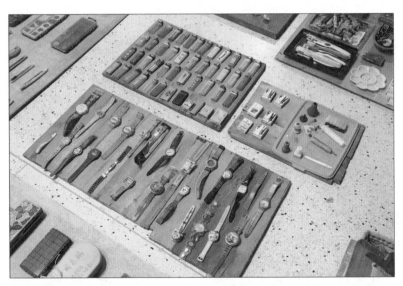

表和打火机。

宋冬儿时的小铁车。

笔。

盆。

暖瓶。

花盆。

玩具。

毛巾。

书。

塑料袋。

塑料空瓶和广告袋。

泡沫塑料。

喂流浪猫用的快餐盒。

电唱机。

椅子。

鸟笼。

广告袋。

肥皂。

用小肥皂头捏成的肥皂。

牙膏皮。

《物尽其用》中"衣"的部分。

衣柜。

爸爸宋世平和妈妈赵湘源的背心。

妈妈赵湘源的棉裤。

宋冬五岁时的海军装。

《物尽其用》中"住"的部分。

2006年，宋冬和母亲赵湘源获光州双年展大奖。

《穷人的智慧：宋冬馆之大杂院》，2010年11月，威尼斯双年展展览现场。

《穷人的智慧之"与树共生"》。

《穷人的智慧之"与灾难共生"》。

《穷人的智慧之"圈地运动"》。

《穷人的智慧之"与鸽共生"》。

《穷人的智慧之"大白菜"》。

《穷人的智慧之"胡同：穷人的广场"》之一。

《穷人的智慧之"胡同：穷人的广场"》之二。

《穷人的智慧之"胡同：穷人的广场"》之三。

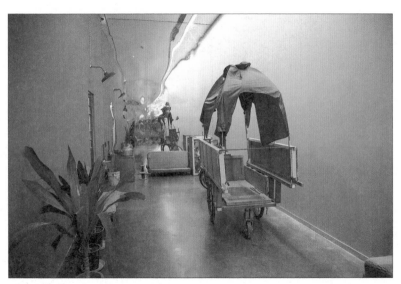

《穷人的智慧之"胡同：穷人的广场"》之四。

《穷人的智慧之"胡同：穷人的广场"》之五。

《穷人的智慧之"胡同：穷人的广场"》之六。

《穷人的智慧之"胡同：穷人的广场"》之七。

《穷人的智慧之"胡同：穷人的广场"》之八。

《穷人的智慧之"胡同：穷人的广场"》之九。

本文图片均由宋冬提供。

"孩纸们"

王小妮

2011年上课记。

2011年秋季学期，我加了一门新课，开通微博，领到四个专业三百八十一名大二学生的名单。

这篇"上课记"写得慢，材料太多又散乱，很多不能使用，很多细节源于友谊和信任，只适于永久保留在我和他们之间。越切近地相互认识，越觉得陷在其中，感情起伏复杂。很多名字有意隐去，是听了同学的意见，不能为了真实性让他们有丝毫的不自在。

"吃货"

别人喊九零后"脑残"，而他们自称"孩纸们"，"孩纸"这两个字给我的直觉是：孱弱像纸，一捅就破。每次去上课，跟随他们浩浩荡荡，涌满从学生宿舍到教学楼的道路。习惯了到教室门口停顿一下，里面电风扇轰轰轰当头疯转，每次进门都忍不住想"磨刀霍霍向少年"。

少年们这时候在干吗？一进教室，最先见到的场景是吃零食，前几年没这么明显。一个女生告诉我：老师，到了我们九零后，每隔两年就是又一代。这么说他们是最被催命的一代。按两年一代算，从美国人何伟写《江城》到今天，大学生已经天翻地覆了六七代，眼前的正是"吃货"一代。

曾经带着偏见，以为"蛀书虫"总比"吃货"听起来更舒服更积极向上吧，"吃货"相当于最后的投降，退回动物本能。看看中国的大中小各级学校已经成了垃圾食品集散地，害人和被害的"共荣圈"。

真想问他们，能不能稍稍"高尚"一点，不要自称"吃货"吧。直到有同学在微博私信里告诉我："老师，告诉您我为什么是吃货：除了好吃的真的美味，现在我愈发觉得，什么都不可靠，人心更不可靠，只有吃到肚里的东西才可靠——但现在吃的也不可靠了——呵呵。"这话在一瞬间帮我找到了我和"吃货"们之间的共同点。

饥饿让人吃东西，空虚也让人吃东西，这些小生命是需要经过吃的过程，得以获得饱满充实的质感。比起其他，只有"吃"这个最本能的行为使他感到生命的安全可控，由"吃饱"获得自己的最后藏身处。

开学没几天就是教师节，收到一件可爱的礼物，写有"生于九零年代"的搪瓷水杯，很怀旧的款式，他们用班费买的。回送他们一本三联版的《七十年代》。

和我上大学时候相比，现在的"吃货"们更敢于直接表达自己。教室一角，几个同学议论军训。一个女生认为军训很好，她的集体意识和身体都在军训时得到锻炼。一个男生马上反驳：这个我不同意。另一个女生也急于插话参与辩论。

刚开学是军训季，有人困惑：有次看到大一的孩子们整齐地走正步，竟然看得呆进去了，仿佛有什么安全感在里面。

有人说：折腾人摧毁人的工具中，军训是最轻量级的，大学里人踩人才是最可怕的。

有人质疑一门课：老师在讲台上激情澎湃地说在战场上，要杀人如麻，绝不手软，六亲不认，心狠手辣，这才是好将军！骇然了我……要这么豪放么？

北大学生齐唱"化学歌"竟然没一个笑场，我很奇怪，他们的解释是：无数次排练，对唱什么歌词早没感觉了，就是唱呗，说不定唱好了将来有好处呢。

对于教育制度，有同学说：有时觉得，千万学生都像这被囚禁在玻璃器皿中安静的孩子。我们没有太多的余地转身，只能默默接受属于我们的越来越稀少的自由气息。出口在哪里，我们心里没有底，四周都是看不见但摸得着的铜墙铁壁。可当我们从梦想的执念中探出头来，学会迎合这世界欲求的目光时，是真的成长还是内心的退化和损坏？

也有人说：我不知道我们的教育到底是去除蒙蔽，还是增加蒙蔽。我只知道这段日子，我的心都要空了。

对于考试，他们说：如果是喜欢的，考不好我会愧疚，不喜欢的，连应付考试也懒得看，有时候如果不是不想让父母失望伤心，情愿用零分表达自己的厌恶。究竟谁开了我们的课？

外文专业老师开的诗歌赏析课临近结束，老师请同学提问，有同学过后回忆说：我站起来说了我对这首诗的理解，但是我被狠狠地驳回了。我只是讲讲我的理解，而老师认为我是对他的讲解提出质疑。解读诗歌，有必要这样吗？我认为外院最人文的老师，还是看不起学生的智慧……

有人说：我们还年轻就得老成地接受这个既定的命运，怎么可能不绝望，谈什么希望理想积极乐观。虽然也的确是这样，不知道怎么跟自己交代。

有人说：不知道为什么就是很难高兴了，觉得自己身心沧桑历尽。

对于未来，有人说：看一眼未来，然后装死，行尸走肉。

也有人告诉我：老师，我在高中的成人仪式上曾立下豪言，要创立非官方的教育慈善机构。当时还被班主任笑话了。现在，我觉得更有必要坚定自己的决心……我会一步步向着目标前进的。

期末考试，教室里死静。一个女生写得正投入，一粒粒染过的小红指甲在纸面上簌簌滑行，又好看，又轻佻。二十岁的年纪，本是轻盈美妙，不该太多的沉重，他们却过早地沉重了。想想我二十岁，正在农村插队，动物一样活着，身边的人们不只迷茫，还自暴自弃，还毫无辨识力地坚信大喇叭里宣讲的一切。今天的九零后们心里却早跟明镜儿似的，他们看这世界很简单，它就是两大块：一个是要多强大有多强大的社会，另一个是渺小的孤零零的他自己。碰到扛不过的强大阻力后，他自然退却，直接退回靠饱胀感去知会的这个自身。个体和社会，就是这样分离割裂着，他很知道他和那个庞大东西绝非一体，这也许就是两年更替一代人的不可抗拒的收获。

出路和担当，似乎无关，但是无担当就将彻底无出路。读过食指诗歌《相信未来》的那个中午，大二的王蕾随我离开教学楼。她问我：老师你相信未来吗？我说：我不信。她说：我信，我什么也没有，只有拼未来。

12月22号放学，遇到两个女生在宿舍路边摆纸箱卖苹果，三块一个，当时很少有人过问。到12月24号下午再出门，学校变成了"苹果校园"，到处是捧着苹果乐滋滋走在路上的学生，各种夸张的包装，把苹果打扮得耀眼可爱。校门口一戴小红帽男生摆了苹果档位，卖九块一个了。

碰到一同学，我问她非吃苹果不可吗，明天的苹果不是照样甜？

她说，那就不同了。

中文的蒋茜告诉我：老师啊，我们中学时候就这样了，到平安夜都要抢苹果，抢了不马上吃，一到半夜，一片的嗑苹果声，把我都给嗑醒了，你说得多大声啊，这就是习俗，求个平安啊。

所谓平安夜，他们都要信信"苹果教"。原以为是年轻人追求洋时尚，再想，或者是不愿意漏掉任何祈福的机会，靠啃苹果祝福自己，他们不觉得这形式幼稚好笑，除非你能马上给他们一个真正可信赖的信仰。

不啃苹果的时候，就啃火腿肠巧克力，总要有目标，总要握住个离自己最近的"抓手"。英语四六级考试刚散场，有人在去吃饭的路上发微博说：哈哈，六级，明年我会再来的。

生活需要填充物，过去是十二年的学习考试，现在是吃东西，明天可能是报名考各种证书。不然，没什么能证明他这条生命还存在着。这么多年的教育制度训练了这个庞大的群体，条件反射般的言不由衷者，表面百依百顺唯唯诺诺的背后，也许包藏着一个随时可能塌掉的内心，一批一批在深夜的黑咕隆咚里啃苹果的孩纸们。

过去没特别留意过学生的早餐问题。早上七点四十的课，七点起床，路边随便买早餐带着，走路用掉二十分钟，刚刚来得及赶到教室。早上的课，我几乎什么都没吃就赶着去上课的。铃响后，常有学生在书桌下面藏着吃的，隔一会儿偷吃一口，被我看见了，马上静止，鼓着嘴收起手端坐。我说，摆到桌面上好好吃吧，不用掖藏，我不喜欢一个堂堂正正的人偷偷摸摸。说了几次，没明显效果，依旧有人偷着吃。他们大约属于三种情况：

怕老师或怕巡视的督导，尽管我早申明了一旦督导出现，还有我呢。

有人已经铭记了，教室里不能吃东西，即使不挨骂，自己也不习惯。

有人背后议论：你们还真吃啊，老师就是那么一说！惯性思维让他们坚信：凡老师说出来的一律口是心非，是圈套或假话。

有个早上，再次强调我的态度：下面吃着，上面说着，像一家人一样，我感觉很好。

有人接话说：督导可不是这么说的。

即使不怕我，他们必须怕督导。搬出惩治者，我就没办法了。

有去过台湾宜兰交换学习的同学说，台湾的老师遇到早上的课，会带上自己做的三明治给学生们分吃，吃不完的还能打包带走。而已经保研到厦大的一个同学说，听说在武汉大学上课吃东西要罚款的。

每年有机会去台湾的学生大约只占学生总数的百分之一，派出之前百查千选，都是信得过的好学生。我认识的一个学生没通过校内面试，竟然是因为没答出本校成立于哪一年。就我的观察，台湾游学一个学期回来的，个个都有明显变化，更开放更个性舒展。

不断扩招并校，学生数量猛增，中午一下课，学生们多夺门而出。听说午餐要排长队，占去太多休息时间，十一点半的下课铃，就是冲出教学楼，抢占有利排队位置的召集令。十月开始，我把中午下课时间提前大约十分钟，取消课间十分钟休息，我连续上课，他们可以自由出入，早十分钟就能确保他们排在前面，吃上热饭热菜，对"吃货"们这样更人性。我想我不怕督导。

海子专题课刚结束，我还在回家路上，收到同学的短信说，她还没能理解透海子的诗。我请她别急慢慢理解，马上就收到回复，无论如何没想到是这样的回复：吃上热腾腾的面了，什么都忘了，老师要不要来一碗？

我来了认真，问她：念一个菜谱，是否比念一首诗更受同学们的欢迎？

她回答：哈，在热腾腾的面前，什么都忘记……

过几分钟，也许是发觉了我的认真，她又回复：如果是川菜系的菜谱，我很难引起共鸣，吃东西让人短暂忘却悲伤。我喜欢读跟我感受恰好重合的诗，不管谁写的。

最后这句话让我感到她不是盲目的追星者，我回她：得理解一下你这说法。

她马上连续发来几条：老师啊……那木有什么深刻内涵；我不是调剂来的中文，所以我真心喜欢一些文字，比如歌词，我也真心喜欢吃；其实老师你不是那种诗人，你挺注重现实情况的，你转发的微博，我用电脑的时候就有看，我感觉感性和理性结合，诗人才能存活；可能我还幼稚，不能体会你们内心的情感，个人感受，呵呵；我觉得活着很重要，把感觉表达出来也很重要，不然憋得慌，活着就表达呗。

看这一串半自言自语，我心里好笑，想她是吃完了一碗热面，有了饱胀的幸福感，重新回到了形而上。比起空着肚子讨论诗，显然她更真实，我喜欢这样。

早知道很多贵州四川重庆乡村里的孩子上学是经常不吃午餐的。有人说小时候饿过，以后怎样吃都感觉不到饱。而"吃"也随着这些孩子的长大，成了他们中间的一个敏感词，享用垃圾食品也是要有经济实力的。不知道"吃货"是否和曾经长久积累的匮乏缺亏相关，从而沉淀成了基因记忆，但知道"吃"，有时候是乡愁、欲望、温暖、安慰的全部。只有把所有这么多重的含义都联系在一起，才有助于更多地理解"吃货"一代。所以我说，"读书重要还是吃饭重要，吃饭重要。义愤重要还是吃饭重要，还是吃饭重要。"

那个下午很热，被我的学生约去对刚入校的2011级新生讲点什么。大太阳下面，几个被叫做学长学姐的都到了，是学生会干部请的。学生会也不全是头脑僵化一成不变的，今年请来的人多是不念经的。一进教室是例行的热烈鼓掌，满满当当直挺挺坐了一屋子，很少懈怠溜号的，表面上看像真拍手真呼应，其实说的听的，各自飘移。

上来演出小节目的新同学跟刚走出蜡像馆的蜡像一样，又紧张又僵硬，眼神呆滞无法定睛。他们之前都是怎么过来的哦。原准备介绍几本书和几部电影，临时决定放弃，气场不对。

轮到大三同学介绍交换去台湾的见闻，然后有已经保研的同学呼吁解散中国式的学生会，下面没什么反应，刀枪不入地坚持着。如果这是一个校外人士来讲座，一定很失望，进而下结论：现在的九零后实在太差，连对话的可能都没有。而大学里的讲座偏偏多是拉"傻乎乎"的大一新生充数。

不到一小时的新生见面会，鼓掌，主持，讲话，答疑，表态，各环节都像排练好的木偶剧。

这就是中国又一批年轻人大学生活的开始，是摆脱曾经捆绑他前十几年生命的开始。不敢胡乱猜测那些挺直如机器人的小脑袋里都在想什么和曾经想过什么，我敢说，他们可不是表面看上去那么傻。

一个学期后，一年后的他们一定不一样。生命本能自会让他们各自分离成活蹦乱跳的个体，虽然一下子还没舒展开。无论靠自己的努力还是被动的获取，大学四年只要能让他们确立一个独自的自己，就算功成。

2009年起，考进这所海岛大学已经越来越难，考生分数已经要达到一本了，它正在攒劲儿想登临知名大学之列，可这和每个具体的学生有哪些切近的关系？有同学说关系大了，"二一一"了，好就业啊。有人说，二一一，那还有"九八五"呢。我心里想，居然全是枯燥的数字代号，一点创意也不想有。

大三的学生尹泽淞说，新生问他：学长我很迷茫啊。

尹说：我都大三了，我还迷茫呢。

迷茫和"吃货"都是高校里的常态，走向不迷茫和坚定的必然准备期。

关爱

九月底一次课间休息，她直直走过来说：老师能给我带什么书看吗？恰好手边新买的书都分发出去传递了。再上课，带去提前还回来的刘香成影像集《中国1976-1983》，买这本书的初衷是为新时期诗歌课做背景阅读的。

她接过书轻翻一下就抬起头，白皙又缺血色的脸上满是失望：老师还有书吗？哦，她的意思是要看厚重的"字"，而不是随便递给她一本"画"。我说下次带给她。

很快收到她的短信，说她很痛苦，家里遇到了事情，睡眠不好。我简要地回她说：好好休息，下课路上可以跟我一起走。下课时候，我和三五个同学一起，她始终拿一卷报纸，跟在旁边，大家分头散去吃午饭了，只有她跟着我，好像并不想说什么。走着走着到楼下，我说今天只有我一个人在家，想上楼吗？她说好哇。上楼，已经过了十二点。我说一起吃饭吧。她说好哇，但是老师我可很能吃的。我说看你脸色太白了，不会是有贫血吧？她说有点，但是没事的，身体很结实的。动手做饭，她说她会切菜，在旁边看一眼就知道，她属于笨手笨脚的，但是兴致很好。她说她奶奶老是说她不能这么切菜，老是骂她，她偏不听，她爱怎么切就怎么切。我没说什么，由她切。直到吃过饭，面对空盘子，她才开始说，显然这是闷在心里很久了的。

小学四年级的时候，母亲去世了，在湖南乡下。而她的爸爸现在也得了重病，她说她这些天好痛苦。她是老二，家里还有姐姐正在江苏读大四，本来准备考研，现在家里出了事，不知道能不能考了。

小学一二年级时候她是没有课本的，因为没交学费。没课本也没什么感觉，反正是就知道玩的小孩子。她的老师什么课都教，数学语文都是他，手里拿根棍子随时扬起来打学生，是当地最硬的木头。她比划着，我没法儿想出那是多么坚硬的木棍子。那老师经常打经常打。到期末老师喊她不能上课了，回家取钱交了学费再来。她跑回家，母亲正生病在床，母亲说没钱，让她回学校去，回学校老师还是赶她快回家取钱。就这样她两头跑，反正是两头乱跑。父亲也不给钱，他很少拿钱回家的。这样，她就没去学校也没参加期末考试。

三年级了，好像是家里给交学费，她又能去上学了。老师很厉害，能一会儿上课一会儿做饭一会儿自己回家干点儿活，让小孩子们自学。老师的女儿也在这个班上，自然成了这个班的王，什么都说了算，支配同学，人人都怕她，因为她能整人。老师女儿会命令一个女孩子去河边打一碗水，结果打水回来迟到了，被老师打了一顿。三年级的时候，这老师不教他们了，换了新老师，马上，大家全都不理老师的女儿了。

后来她学习不错，但是，奶奶总是打她，她曾经想过自杀，不想活了，但是想想死也很害怕。五年级，遇到一个二十多岁的语文老师，非常好，上课可以自由发言，教室的一角放上他自己的书，大家都可以看。是在那时候，她看到了《格林童话》、《安徒生童话》、《阿凡提的故事》。

每天上学要走十里路，走一个半小时，每次走都是很渴很渴。

我问：没有水壶？

她说：没有啊，没水壶，哪个同学都没有。

每天中午带米和菜在学校做午饭。放学回来的路上她就举着一本童话看，一边走一边看。她起身学给我那个姿势，侧面单手举着书。说到欢快的事，又吃过了饭，脸色红润多了，她说：那时候就是走路我也能看书。遇到了好老师，每天都感觉好，走路也是直直的，可精神了。一次走在路上，遇上一对夫妻，那阿姨说，这个孩子是不是当班长的啊，这么精神！她马上说是啊。其实她不是班长。但是听到陌生人的夸奖，她真高兴，从此就更爱看书。这位好老师之后又换了一个好老师，也是讲语文的，因为考试成绩不理想，很快被调去教数学了。

她变得很喜欢上学。湖南农村下雪的晚上，路很滑，放学回家不知道要走多久，到家的时候奶奶已经睡觉了。那时候村子里也很少人看电视，只有一家人有电视，那家男的总是打女的，打得那个狠啊，经常满街追着打，人们也追着劝。结果总是很荒诞，男的被一帮男的拉走，女的被一帮女的拉走，后来就一伙伙地聊上天了。这时村子里的孩子就这边那边地在中间跑啊跑。

上初中第一天的早上，她穿了一套绿色连衣裙。那条绿裙子被她描述的，好像就是昨天的事，好像是人间最美的华服。出门才走十分钟，路边杂草上的露水把可爱的裙子全打湿了，全身都湿透了，她被追跑回家，换了旧衣裤，再用塑料膜把自己全包住，才去报到。那个绿裙子真好看，她连连说。从此，每天上学都要先用塑料膜把自己包严，走二十多分钟山路，然后把塑料膜卷起，寄存在路边一人家，再走大路，从此再没穿过那条绿裙子。

上初中后，学校不让带米了，要求直接交钱统一吃食堂，这样一个月要好几十块。交不上啊，太贵了，她只好和班上一个女生两人合吃一份饭只交一份钱。后来，两个人再遇到总是非常非常后悔：我们两个都没长到一米六，都怪当时太傻，天天吃不饱能长高吗。

她说，初中三年的记忆就是吃不饱。初中以后是两个字"饿"和"冷"。高中住校，从来没用过热水洗头发，冷水，头发很长到了腰，冷水冰得头皮都麻了。从那时候到现在，她一直特别怕冷。

来和我说话那天是十月下旬了，她说一会儿就去买厚棉被。忽然她反问我：一般会以为我要买便宜的吧，不是，我喜欢买不那么差的东西，有时候我也看看别人买的。她的意思大约是，别人买差的东西，她不喜欢，她瞧不上便宜东西。几天后，收到她的短信，说头疼睡不着，买的棉被难道是黑心棉，熏人头疼。

来上大学，才是她第一次坐火车：学生谁没事儿坐火车啊，以前看过火车，没坐过。也看见过飞机，没见过飞机起飞，只是见到飞机在天上，高高的。

她的意识很跳跃，会突然说，老师，跳楼多疼啊。

我说，你还没去过湖南以北吧。她说是啊，没去过的地方太多了。我说，来上学见到了海，可你还没见过草原，没见过雪山，没见过的多着呢。

她说：是。我还非常喜欢穿别人的衣服，那没什么，干净就行呗。

说到爸爸的生病，她说城里人的医疗百分之八十报销，乡下的人百分之三十，家里欠了很多钱。好几万。

一旦爸爸走了，她希望能到处看看，似乎已经在期待那轻松和新生。她说未来就是她和姐姐，应该生活得很不错。

进家门是中午十二点，送她离开是下午三点四十。她要去校外很远地方追要做家教时对方欠她的九十五块钱。第二天，我问她钱要到了吗。她说没有，家长没在家，虽然之前是约好了的。

出门时，展开路上卷着的报纸，她问：老师看了这期的《南方周末》吗？是10月20号的报，真实版的《盲井》：《一个瘸腿前矿工的杀猪生意》。她说想介绍这文章给老师。我买过那份报，已经看了。她又问，老师看过《盲井》？我说看过。她稍稍迟疑问：会不会太血腥？我说，没让人受不了的镜头。她把报纸重新卷起来。我送她一本《2008年随笔选》，补偿她对"画册"的失望。我说多看点高兴的书吧，她的眼睛忽然亮一下说：我看了学校图书馆，有《格林童话》。

听着很重的脚步声下楼去。前一次她失望于刘香成影像集的时候，我曾经想过带《夹边沟纪事》给她，听了她的故事，改送她一本温和的书。

生病，缺钱，打骂。七八岁因为交不上学费被支使得在学校和家之间来回跑，随后挨饿挨冻，看着村人的家庭暴力演变成男男女女聊成一团。就是这些碎片构成了她早期的人生记忆。

期末，又碰见她，向我介绍几本科幻杂志，下学期她准备选修宇宙探秘课程。

她说有一次上课看一只蚂蚁，她故意让脚一动不动，看蚂蚁上不上她的脚，蚂蚁最后选择离开了。她说，这只蚂蚁看我的脚就是泰山啊。忽然她又跳话题说：你以为我会沉在其中吗？

能感到她非常敏锐强烈的自卫和自尊。我说：我遇到事情的办法是写，她说她的办法是"吃"。我说，不怕吃胖吗。她说她能控制。

2011年圣诞节刚过，黄菊说想来串门，再不来说说话就怕很难见老师了。哦，她大四了。黄菊坐在沙发上，和三年前相比，沉稳端庄舒展多了。我确信不只是一堂接一堂上课让她变化。

隔了三年，知道了2008年深秋她忽然离校回家的原因，也知道那个晚上慌慌张张给我打电话的是班上一辽宁同学。黄菊的高考志愿填报的就是"戏剧影视专业"，身边没人说得清戏剧影视学的是什么，她以为学这个将来能当新闻记者。从家乡陕西汉中来海南，也是她平生第一次坐火车。诗歌课上说到海子十五岁考上北京大学是他第一次坐火车，课后很多学生都对我说，如果不是这么远来上大学，根本没机会坐火车，甚至没机会见到火车，不学习去乱逛，那不成了盲流？

黄菊进大学读了两个月，发现学的东西不是她想要的，茫然又失望，决定回去复读重考。并没和人多商量，她自作主张离校，上了回汉中的火车。回到乡下的家，又陷入新的更大的失落，她决定返校。黄菊离校出走，在家里停留一星期，又回来了，说明她既随性，也很有主见。多少人迷迷糊糊混过大学四年，而她始终想掌握自己的命运。

说到父亲的艰难，他靠经营小水果摊，供出她和哥哥两个大学生。现在哥哥已经在苏州就业，而她也要找工作了。我无意问一句：你妈妈做帮手吗？"妈妈"两个字一说出来，她就流眼泪了。母亲在她九岁时候去世，她说当时太小了，不知道失去母亲意味着什么。而她从九岁开始就成了那个农村家庭事实上的"主妇"。哦，我想到她大一时候交上来的纸条，她喜欢的电影是《背起爸爸上学》。

一个九岁的小姑娘，对她的爸爸和上初中的哥哥宣布，从今以后，在这个家里谁也不许叹气。"才那么大，我就懂这个了。"她说。

现在，每到她父亲生日，她都会打电话陪他闲聊一个多小时。挂断电话，赶紧提醒她哥哥给父亲打电话，顺便叮嘱该怎样怎样哄老人家。

她说：父亲五十多了，我告诉他，现在你就负责爱护好身体，我一找到工作就接你进城享福。

隔了一会儿，她又说：我从小就没得到过爱，可现在就要付出爱了。

黄菊在大学里的前三个暑假都没有回家，分别去了深圳、杭州和西安打工。她正计划着2012年的寒假也不回家，去云南转转，边打工边旅游。说到在一个陌生城市找一份工作，她的口气很自信：找个工作不难。

来深圳那次，她隐瞒了大学生身份，应聘去一家生产电插线板的工厂做了一个月，认识了很多流水线上的女工，年纪都比她还小，人都很好很单纯。刚进厂前几天，手生，完成不了任务量，很多女孩围过来帮忙。工厂加班多，从早上六点工作到晚上十点，她认为并不太累。她发现有个小姑娘的工资条上每月都比别人多发二百块。她问为什么，小姑娘很平静地说自己的工种有污染，可能损害健康。才加二百块，就做接触有毒物质的工作，她说。

在插线板厂做到就快开学了，黄菊结束了"潜伏"。或许她真有做记者的天赋。

像去年的同学晏恒瑶一样，黄菊也跟我说她家乡的美：真是可以盖别墅啊。现在的人家新起房子，都是学城里人做出独立的厨房和卫生间。

我和她都说，一定要保住乡村的房子和土地，那才是她的根。

73

几天后，有和黄菊同班的同学听说黄菊来过我家，有点认真地说：黄菊是我们班上最沉默的人，她能对你说，一定是信任你。

很久都没法忘掉黄菊的话：从小就没得到过爱，可现在就要付出爱了。

中国乡村留守儿童的官方公布数字是五千八百万，这其中能够靠悬梁刺股考上大学的当然是少数。而根据2012年4月16日《南方都市报》刊发文章的统计：城市子女考入重点大学的机会是农村子女的三点一倍，在一般本科学校的录取率也是农村子女的一点四倍。越是声望地位高的大学，农村子女越难进。我每天面对的学生中，留守儿童的比例相对高，从2010年起，我避免在学生中搞数据调查，这涉及他们的自尊。有些人在作业里很直接地说出自己的感受。

下面是五段作业摘抄：

在我很小的时候父母便外出打工了，因此我的童年是辗转于亲戚家度过的，说实话，寄人篱下的感觉并不怎么好受……

我出生在非常贫困的家庭，姐妹多，所以从小便被送到离家千余里远的四川，跟外公外婆一起生活……六岁的时候，妈妈把我接回了家，当时心里除了对外公外婆的思念，便是对"家"的恐惧了……

如果我没有赡养爸爸的义务只要养活我自己就够了，我宁愿做一个农民，或不经意之间，发现我养的猪是双眼皮，多神奇啊。

希望爸爸过得好一点，现在他一个人守着空荡荡的家，一想我就很难过，我还希望以后我可以挣到钱，给他买一堆衣服……神啊，我想做一个高大的男人！（女生）

一个人的成长，除了生理的体格发育成熟外，也包括心灵人格发展成熟，能够不怕别人的打击批判，能够自我肯定，人格独立，自主无私，不求回报地爱别人，这样坚强的成长力量从何而来？我们的身体成长的力量由物质资源提供而来，心灵的成长力量则由感情资源得来，我们需要充分地被爱，长大后才能够有力量去爱别人……这社会太过冷漠，太过残酷，太令人伤感，这社会需要反省，"仁者"存在，却不"爱人"。

留守乡村孩子们读书的十二年，比城里孩子多了另一种残酷，很少被父母爱。小动物本该由它们的上一代孕育并紧紧相随学习生存的基本技能和伦理，他们该被"拉扯大"，而不是独自长大，这甚至超越了道义责任，限度低到不过是遵循动物本能。每个生命都该享用领受这份关爱后才逐渐独立，成为一个成熟的新生命。而今天很多学生的童年记忆里，对父母的印象缺失，勉强把他们带大的是隔代的老人。黄雀母子间嘴对嘴的哺乳之情没有了，他们的幼时记忆里掠过的多是阴影。

为生计为养家为孩子读书，农民工奔忙委曲于城市，反又把自身的苦痛压力都转换成了对子女的厚望，渴望他们"高考登科"而得到足够多的回馈补偿，起码能给自己长久的艰辛付出挽回些颜面。有的同学假期见到日夜想念的父母，总要被追问成绩，听说有的大学把成绩单寄给大学生的家长，要求他们签上字再寄回学校。显然，这是中国学校的管理办法。

得不到来自父母的爱，留给他们的更多的只剩了自己爱自己和兄弟姐妹间的爱。有个刚毕业的同学告诉我，她给去年考上大学的妹妹写了一份"万言书"，总结自己的大学四年，告诉妹妹该怎样读大学。

2012年春天，已经毕业了的邓伯超说起小他五岁的妹妹，父母都不在身边，眼看着妹妹长大，上了五年级，他这个哥哥去书店买了一堆《生理知识》给她，告诉她好好看。邓伯超说，没办法啊，父母太远了，这些事谁管？后来听说妹妹的学校开了生理课，他赶紧嘱咐妹妹，别的课都可以不听，这个课才是最有用的。当时邓伯超十七岁，妹妹十二岁。

本该由母亲们完成的事情，现在都缺失了，这自称五千年历史的文明古国，以往有过这样的"兄妹教育史"吗？

听说，我的学生中有个女生不喜欢图书馆，大家都认为她太古怪。见到好些人全都围着一张桌子坐，人和人那么面对面，她就难受。她问，人为什么要去图书馆？大家都觉得一个大学生连图书馆都不去，真是不求上进。但是，这个小女生的故事被大家知道的其实只是冰山一角，人们不一定有耐心去听故事的全部：她是被家境贫困的养父母带大，从小到大，养母总想阻止她这个女孩读书，而她一再努力只为争得读书的机会。成长的经历让她一直怕人，人多会让她不安和焦虑。

熊培云在《一个村庄里的中国》中说到了"家教"，家教的重要当然尽人皆知，可是它在今天的乡村，几乎失去了全部可操作性，变成了空洞过时的一个古词汇。怎样有礼怎样修身怎样仁爱，包括怎样有坐相有站相都失去了讲述人和讲述的意义。

有个成语叫"视同己出"，新生命出自于自己，很重要。古人很懂，今人似乎不在乎了，长久地使亲生的骨肉分离，让他们之间的关系成了出资人和回报者，维系基本感情的部分被抽离掉。空的家，空的乡村，情感和约束全都缺失，怎么能凭空让人生出做人行事的"底线"。如果这个底线就是吃饱穿暖，当它也受到挑战的时候，是否底线可以再下调，是否这下调空间是无限的，一个正常平静安宁的社会是不是能够持久地接受和容忍这样不断调低底线地去运行。

旧链条断了，突然冲到面前的是信息爆炸的时代，眼前是无奇不有的电脑和老迈的奶奶，当然电脑正确，奶奶落伍。老人们不会告诉孙辈使用谷歌搜索，那她就彻底过时了，她的所有唠叨都是束缚都丧失了说服力。卢小平的奶奶告诉他，看老师不能空着手，但他爸爸可能没机会对他说什么，他爸爸远在他乡，没可能告知到这些旧礼数，他爸爸也许正被城市搅动得心烦意乱，只念记着卢小平尽快毕业尽快赚钱。情感的维系就快断得一干二净，双方各有委屈，各有理由，城里孩子被溺爱，乡下孩子被离弃，高考和就业双重压力无比残酷地压在头顶，有些孩子孤独，自私，暴戾，都是被压抑的正常反应。

城市的孩子同样好不了多少，一个学生在作业里说：

很抱歉我把烦恼带给你，我现在只是想找个地儿吐吐不快。也不是说我母亲不好，但从小她就严格要求我，小学数学考九十八分，差两分满分，她都叫我跪二十分钟搓衣板，一没考好，就骂我，给我脸色看。其他方面对我挺好的，我感觉成了她的工具。她养我长大，把我当成她的炫耀工具。现在就是她一味要求我做我不喜欢的事，让我考公务员，不尊重我的想法。我和她一沟通，就又讽刺又闹，说白养我，说我不知道社会怎么怎么的……从不支持我和她不同的观点，我经常觉得家里不温馨，但我还是爱我母亲的，她这样下去，我怕我会恨她。但如果我恨她，我可能会后悔……母亲只有一个……

而从农村借住在城市学校的学生这么说：

我高三跟一帮城市孩子在一起学习，不管学习还是生活，都不如他们，自己就像一个土里土气的家伙，尽管努力，实在也学得吃力，就是学不好。想想我的求学之路，我觉得我是被压制得有点抑郁的。

一个年轻人怎样自然地获得正面的仁慈的善的力量，并依此在今天的现实获得自我拯救，是真正的大问题。

微博世界

8月17号，我开通了新浪微博，直接原因是为秋季开学后跟学生们对话做准备，也希望能做他们的扩展阅读。整个2011年的9月到12月，每发出一条微博，总会下意识地把学生们当作预想的读者。四个月以"转同学们"的名义，发了一百三十条和历史教育相关的微博。

被我关注的人，大约一半是我的学生，他们会介绍很多感兴趣的给我，漫画歌曲视频纪录片书籍，张绍刚和刘俐俐的视频就是他们告诉我的。

开微博一个月后，发现它的体量之大，完全是一条滚滚的洪流，学生们能真加入进来的很少。有人要外出打工，有的因校园网络实在太慢根本无心上网，有人整天忙着玩游戏，有的死磕考研，微博离他们无限遥远，也因为他们看不到微博为他们显现立竿见影的功用。曾遇到一个喜欢音乐的老师，建议她开个微博，找自己喜欢的音乐更方便。没想她变了脸色：可不玩那个！好像玩微博的必是异类。有的学生也会说微博不是人人都开的，说话间明显透出距离感和排斥。当北上广的年轻人有半数开了微博，风吹到这个海岛，就不足十分之一了。前者拿它获取信息，后者还停留在追时尚。

这条洪流足够大，足够涌流翻腾，足够吞没任何一个人。

有个学生，平时在校园里遇到他总是美滋滋的，有点小领袖的范儿。一天，踌躇满志地告诉我他开微博了。一星期过去，又碰见他，多了点愤愤不平，说微博这东西毁人，让他感觉不公平，话语权依旧在强势者手里。

我留意了学生们的微博，没有加V的，用真实姓名的大约五十个里有一个，他们多关注两类人：身边的同学和微博大鳄——韩寒任志强姚晨成龙之类。在这个虚拟空间里，一个年轻人的自我常常被缩小到几乎不存在，甚至比现实生活本身还难寻公平。一旦进入微博，一个普通人的自我感觉比真实的自己还渺小，会感觉更明显的被轻视。除了偶尔去仰视一下名人，无论做什么都是石头坠海。他这滴水，和微博世界的滚滚洪流之间唯一的共同点，顶多都叫液体而已。凡是微博上大事汹涌的时候，他们作为被喊成"早晨八九点钟的太阳"的一族，经常是最慢知道，最感觉与己无关的。虚拟世界和现实世界都不得进入，都设有门槛，他们只好退避回身边的小圈子，再次自我边缘化。他能关注的，只剩了转发励志口号，听听歌，背几句歌词，约饭，小声骂骂老师，在角落里用圈子暗语说俏皮话。社会的封闭，人和人之间的不友善，也使他们不愿被洪流裹挟，只渴求容纳自身的一个小空间，世界变得越小越好，只装下他和三几好友就成。

刚开微博不久，见一同学上微博发照片，说校园里遍地长满某种野花，不知道是什么花。我随手回复说：是含羞草啊。一句含羞草带来十几条陌生人的转发。这学生后来说，老师一转，把我这儿变得这么热闹！从那以后，开始小心和留意，慎重转发评论学生的微博，尽量不扰动他们小角落的安宁。其实，本意里是更希望二十岁的人挺身而出的。

有个同学直接对我说："带着面具和您交谈我会更自在一点。"一年来，我和她时常有对话，已经习惯了，并不想在现实中一个个对应她们分别是谁。

另一次在微博里看到一句话，说得很机敏，发现说话人就是我们学校的，加了关注。马上收到她的私信：老师你不认识我，我不是很优秀的……从来不被老师注意到。她说是我去年的学生。有时候在微博遇见会聊几句。考英语四六级那个阴沉的下午，路过校内网球场，有人正斜着穿过练习场朝我走近，能感觉到她是加快了步子直奔我过来，手上抱着一大叠书本。

她说：老师，我就是微博上的×××啊。

她报出微博上的名字。马上，我们就像已经认识了很久很久。

微博也让更多的年轻人在面具下面表现出从来没有过的大胆和真实。选人大代表的时候，有人发微博说："班上某些人一人投了二十多票？别人不care这个，可是我care。我十九岁了，不知选举为何物，我着实被恶心到了。"

有个学生，从小到大都被认为作文不行，不会堆积好词好句，从来没得到过老师的认可，灰溜溜地长大。直到有了微博，自己说话给自己听，有时候忽然觉得"我写的东西会把我自己吓到"，原来自己也可以很了不起。

微博，这个没老师的世界，带给人们过去没有的自信。这地方没人纠正他的遣词造句，肆意给他打叉，任由人自由畅快地表达。我在广告班的课上说，微博就是一所大学，就是广告学校，这个"学堂"好啊。

刚毕业不久的一个学生被公司无理辞退，追讨欠薪时又被老板打，实在气不过，我发了条求助微博，大约四小时里，有二十一个不相识的人从不同的城市回应她，愿意帮助她安排工作。最后她成功地换了新城市和新职业。

2011年12月23号中午，整个学期的课程结束，我发了一条微博：

今天结束了最后一课，一个始终依从本性的偏离者能够在这海岛上连续七年和年轻人对话，居然做成了唯一一次主动的建设性的事儿，获得远超过付出。感谢。本是为这学期和学生交流而开的微博，感谢。

教室里的课程结束，但微博还在，他们一个个的头像都还笑着画着胡须做着鬼脸，电脑右下角跳蹦着的红色长框还会出现他们的留言。虚拟世界带来的不只是信息，信任和情谊，还将有远超出我们预想的其他。试着把我关注的近百个学生的日常微博拼合起来，看到一幅有点夏加尔风格的画，跟随气流漂移着，透着半任性半纯净的一群小人儿们。

洪流中的大鳄鱼们，该想办法俯身接纳这些小水滴，听他们在说什么，也多对他们说点什么，别以为他们什么都不懂。起码说说亲历过的旧事，抵充那鬼死的自以为大的教科书，小水滴们的轻盈欢快和时不时冒出来的大超越也是会吓到大鳄的。

多本书的传递

12月17号，正看学生作业，看进去了，很不想中断，这时候接到一位去年教过的学生电话，有点急切想来坐坐。陪她说了一阵闲话，并没搞懂她想说什么，原以为会说说毕业后的选择。送她走后，一直在想，她说她从来没离开过海岛，不是因为缺钱，她强调出游是要有心情的。想她实在不准备去看看岛外的世界，也应该读过一些课外书吧。没多想，第二天发短信问她都读过哪些书。恰巧碰上英语四六级考试，她在考场，说晚上给我电话。下面是我们之间能回忆起来的对话：

我问，想知道你平时喜欢看什么书。

她说，平时不看什么，小说啊什么的，没什么耐心看厚厚的书。平时做做题目，逻辑的，思维的，对数学更热衷，我信奉"用理性战胜感性"。

我问，书不只是有小说，还有其他各种各样的书。

她说，老师要我列出来吗？

我说，是啊，昨天你走了，我在想一个人不能够到处走走，最好能多看看书，书是能够告诉人很多的。

她说，平时也有看啊，看看杂志啊，《青年博览》啊什么的。接着又说，老师怎么还想着这事呢。

我说，昨天你走了，我就一直想，你或者抽空看看书会感觉充实，这是一种习惯。

她说，老师我小时候也知道一些感人的故事啊，要问书名，就一本也说不出来，我没从头到尾看过一本书。你知道这社会多浮躁啊，书也是很浮躁的，书都是一期一期的吗？书店现在也很浮躁，摆在书店的都是为人处世之类的书。

一期一期，她说的应该是期刊杂志。我说，你可以上网去找书。

她说，网上的书都是很简单的，再说，看书也就是个手段。

我说，我还是觉得看书是一种习惯。

她说，我以后再找时间静下来好好思考吧，看书是要受性格受环境影响的，没有那么好的心情看不下来的。

发现她很难听得进去了，不准备让她感到压迫，我说，其实你说平时缺少朋友，也没去过岛外，有个好的补偿办法，就是看书。

她说，我会的，老师。

挂断电话，反复掂量这件事，一个即将读满大学四年的年轻人，没有读过一本说得出名字的完整的书，这该归罪谁。断续想了几天，也在检讨自己，不能强加爱好给别人，应该尊重不同人的不同选择，她可以不喜欢读书，未来也许自会找到别的爱好。但是，如果她的成长经历中能有美妙的阅读感受，或者她就不像现在这样有局限和缺少朋友吧。

两个女生来做客，看到桌上的一本《公元1919往事回首》。一个说："现在我也喜欢看这些古一点的书，里面都是有事情的。"说过这话，却并没去翻开那本书，也没问到书的内容。

总有人责难现在的大学生过于浮躁不读书。就我知道，部分学生没有读书习惯的原因，在于他们的童年时候，学校和家庭没提供过任何阅读的机会，除了必须熟读的教科书。一个女生闲聊中说这个寒假回家一定要完成两个心愿，其中之一是教她母亲识字。

我确实很吃惊，因为这学生成绩和悟性都很不错，我问：你母亲不识字?

她说:是啊,老妈小时候家里穷,又是女孩子,女孩不识字的多啊,我要教老妈识字,她就能自己看韩剧了。

旁边另一位女生也插上来说:我老妈也是不识字的啊。

她们一个是福建人,一个是湖南人。或者她们的童年连接触课外书的机会都没有,所以,在责难年轻人不阅读之前,也许可以多问一句多听一句,是什么原因使他们不读书。

新生入学,先预交一千块钱做书本费,四年的一次性收了。海岛上炎热的九月初,迎面见一群学生抱书经过,书真不少,抱在胸前相当于五到六块红砖的高度。我问,是新生吧。多人同时点头。他们从六七岁起就抱教科书,抱了十二年,到了大学一下子又抱这么多。如果他从不知道来自书的缤纷瑰丽,凭什么会无端地热爱书。书里有什么,知识、历史、真相、趣味、思索、胡思乱想,能换钱吗?不能。一言以蔽之,不能换钱有什么用?他们之前的求学经历一律以有用没用、能不能被考试为标准,和这些没关系的书一律看做无用,除非那是一本答案,一本藏宝图。

2011年交给他们传递的书有《老课本·新阅读》、《民国老课本》、齐邦媛《巨流河》、杨显惠《夹边沟纪事》、北岛等编《七十年代》、梁鸿《中国在梁庄》、高尔泰《寻找家园》、十年砍柴《进城走了十八年》、刘香成《中国1976-1983》、北岛《城门开》。

有几个细节要写下来:当我说到《巨流河》的时候,排名想看的学生太多,吴康从教室后排站起来说,他愿意个人买一本《巨流河》加入班上的传递。才大二的吴康平时沉静,看过他写的一些想法,大学里有这样一类男生,内心亢奋激昂。

杨晗还给我《中国在梁庄》,问她感觉,她说还行。我说我个人不喜欢这本书里的抒情部分。杨晗马上隔着两排桌子伸过手来:握手握手!表示意见相同的赞许。如果她来个NBA似的庆贺,非把我撞倒不可。

刚开学不久,没最后下决心把《夹边沟纪事》交给他们传递,我说正犹像有一本书是不是可以给你们看，反而招来兴致。我说这可不是一本轻松的书。杨晗举起手臂说：我是重口味！引得大家一片笑。过些天，再问杨晗，她说书传给陈小荣了，说完叹气。蒋茜在一旁说，她看了一段就不敢再看了，想起爸爸对她说的四川老家在六十年代，家人吃观音土的事儿，实在受不了了。说这话的时候，眼泪就在她的大眼睛里涌着，我马上换了别的话题。

《夹边沟纪事》整整传递了十五个星期，最后一次课，他们把它还回来。重新回到我手上的是一本变得又旧又厚的书，四个边角都破了，都用透明胶带反复粘贴过，它饱经沧桑后回来了。记得2010年，董铮铮看过《夹边沟纪事》当晚发来短信说，心里难受，正抱着腿发着抖坐着。董看的和这个厚重的粘贴本不是同一本，后者是我买的第五本，前四本都送了人，现在手边只剩厚重破旧的这一本。2012年4月见到杨显惠先生，他说送我一本，我赶紧说去网上买很方便，不用麻烦寄。有机会要把被九零后们翻破的这本带给杨先生，请他签上名字。

郑纪鹏推荐给我《十四家：中国农民生存报告（2000-2010）》。董铮铮推荐我吴念真的《这些人，那些事》。零散收到读书笔记，最多的是写《巨流河》，于是，建议中文的最后一次课上，加一段对这本书的自由讨论。事先没落实谁会发言，只听蒋茜在下课路上讲过读后感，没想到讨论的时候连续六人一个紧接一个发言，没一个念稿子的，都是口头发言，滔滔不绝，下面同学有接话有反驳有人马上说不同意见。

寒假里，收到蒋茜发来的在四川老家的调查，她开始关心自家的历史渊源了。他们也在积淀他们自己的《巨流河》。

我们身上的暴戾

过去从没想过，深恨暴戾的我身上同样藏着暴戾。明确意识到它存在，是2008年春天在广州广外一次规模不大的座谈会上，会后问了那个敢于大胆质疑的女生，她叫郭巧瑜，广外本科学生。后来跟她有过通信，有机会向她检讨我身上的戾气。从那时起，有意地留心检点和反省，不以身份年龄音量气势去压制弱小。

9月9号说新闻，随口把美国华裔航空小姐的遇难说成了"牺牲"，话一出口，马上意识到用词不对，而更准确贴切的词没有及时跳出来。我把这个听来像口误的过程跟他们说了："牺牲"二字直接从我的潜意识里溜出来，就像有大学生忽然说他家三代贫农一样，曾经的年代对每个人都影响至深。曾经的词语和意识里，不是正确就一定是错误，没有中性没有空间余地和弹性。正面的死亡就是壮烈牺牲，负面的死亡就是无耻灭亡，我的脱口而出就是一例。

能感觉到他们还没法立刻理解我的用意，不过这很正常，未来会有漫长的时间和实例供他们理解回味，我要先把出现口误背后的原因告诉给他们。

或者喜滋滋，或者心事重重，每个学生坐在下面的心理基点都不同。有人告诉我，大家私下说，老师总讲些冷冰冰的历史。我说，因为这是被称作"新时期诗歌"出现的大背景，没有这些冷冰冰，这些诗是不会自己跳出来的。肖婷在课间里说，家里人很少提那个年代的事，这等于揭伤疤，毕竟是很远的事儿了，她伯伯就是插队知青，也不太讲过去。但是，同是大二的贺如妍要求给大家讲讲"文革"，准备了很多图片和文字资料做成PPT，她的角度是，一个女儿怎么可以违背人之常情揭发批判自己的父亲。一个文弱小女孩的角度和炯炯的眼神。下面拷贝的是她加的短评：

"文革"期间，那些被压抑的亲情。没有个人，没有个人的家庭，柔软的亲情哪里敌得过汹涌的"革命"热情。特别是在那些父母被打倒的家庭里，父母的爱和意义，甚至尊严，和跟随毛主席闹革命的伟大理想是水火不容的。

这些孩子在尚未拥有独立思考的能力之前，追求自由的天性就被某种局限性很强的思想所压抑，甚至取代。他们不是应该由长辈们温和地牵引着去认识这个世界的吗？却要努力装成一个审视世界的大人。

那个年代没有真理和正义的标准，人心也是。得势失势都很荒谬，害人被害都很"正常"。

我发现他们莫名地喜欢麦克风，喜欢自己的声音被它放大，喜欢它扩散开的高倍声浪。凡有上来发言的机会，第一个动作经常是先伸手去拿讲台上的麦克，调整高度，把它贴近自己到不能再近，然后才开始说话。每一次看他们去抓麦克，就想到"先声夺人"。九零后的一代对高亢宏大音量的特殊热爱，和中国城乡街头的喧闹高度一致，无论叫卖什么，一律肆意放大声浪压倒别人，招引注意。

虽然不断有提醒，别让电的声音压过人，读诗时候，别让震耳欲聋的配乐压过朗读者，还是不见改善。

也许他们从小到大早都被各种高亢的声浪吞没惯了，缺了电流的配合，好像自己就势单力薄，缺少读诗时候必备的气氛和感觉，不被吞没，不光不够时尚，还不够壮丽。至于有没有发出自己的声音反倒无所谓。和强大电声和配乐相配的，最好是鲜艳跳跃变幻不断的PPT，拿一本诗集就上来读诗的，会带点歉疚地说，对不起，我没做PPT。

爱好声浪和爱好鼓掌一样，都衍生于高度集群化，都在不知觉间放弃了一个真实的自我。

有个同学告诉我，她其实很想上来读诗，但是她决定不读，也不会在课上说出自己心里的很多想法，虽然很想说。她怕被班上同学认为怪诞出风头，怕被因此孤立，还是老老实实坐在下面听，这样更安全。希望被电声覆盖和深怕被众人孤立，同样来自隐形的暴戾，它无形地蔓延，成为潜行于众人之间的暗规则。有人敢大胆地说自己的意见，而另一些可能一生都不敢，这些被压抑的群体留滞在大学的边缘，灰蒙蒙的一团背景。

和2011新生交谈后，我问同样被请来参加新生见面的大三学生尹泽淞：他们能听进去吗？他说不能，必须得自己体会，然后一点点悟出来，现在是听不进去的。

高等学府里少不得的重要部分是各种讲座。诗人于坚和小说家麦家都曾经问过我：现在的大学生怎么了，去大学办讲座，完全得不到应有的反馈，很失望。起初的几年，我有和他们一样的困惑，直到教书到第七年，才觉得可以相对客观地回答这问题了。

讲座和上课的区别，前者是临时拉来一伙人，往往是低年级的学生，讲座要涉及什么内容他们完全不知道，对讲座内容很可能全无兴趣，选他们的主要动机是刚出中学校门不久，叛逆性辨识性最低，最方便被拉去充位置，最容易鼓动拍巴掌。学校里最不缺的就是人头，一喊一群，人戳在那儿，心不知在哪儿。五百人的场地，拉几个班，凑满人数，不至于稀稀落落的冷场，使台上人的颜面不好看。

被拉去听讲座的和去听课的区别，在于讲座没预热，听众完全被动，心是凉的，讲的人和听的人同时感觉不好，当然很难有好的回应和交流。

多年来，我们的学生已经练就了最强大的消极应对系统，他们内心封闭性好得很，这时候，很多讲座对于他们就是硬暴戾或软暴戾。不止讲座，凡让他被迫接受的东西，推介灌输给他的，你有多大的强制性，他就有多大的排他性，强加和对抗成正比。他自我保护地关闭感知系统，你用明暴戾对他，他用暗暴戾对你，不过各运用不同的暴戾而已。

有个同学偶然和我说起，前一天她去参加一个校内报告会，负责给大会拍照：听众都是咱的新生，还有人站着听，好假呀，是个企业家捐款的会，现场一位领导一激动自己讲了半小时，学生在下面实在受不了了，开始鼓掌。本来嘛，新生就是干这个的，脏活儿累活儿没趣的活，老老实实地听呗。咱们的新生真不错啊，只要领导一张嘴他们就鼓掌，一张嘴又鼓掌，那领导居然没感觉。他怎么那么不懂呢，讲的一点意义都没有，全是假话，还跟真的似的，学生当然要哄他。最后还是那个企业家明白，轮到他发言，他居然表扬了咱们学生，说同学们敢于用鼓掌表达自己的不耐烦，后来说一句散会，轰的一下子全散了。

我们都知道，弱小的生命理应更多地得到珍惜爱护，他们也会自觉地把自己受到的礼遇传递给下一代。可现实完全背离这最简单的理念。讲过新生报告会，这位同学告诉我，她原来不这样，原来是很热心的人，到高中时候才顿悟了，不再把什么事情都想明白，那样会更痛苦，人就要这么糊糊涂涂地过下去。

2012年3月，有同学发邮件告诉我，听说一位著名作家到同城的另一所高校演讲，作为文学仰慕者，他们七个同学逃课坐公交，转车一个半小时匆忙赶到会场，场地早是满的，有人站着。通知的演讲时间过了四十五分钟，作家才出现，先介绍一堆荣誉头衔，作家开腔并没致歉，直接说自己并没准备，让大家自由写条子开始提问。十分钟后，我的学生们失望离开，又匆忙赶末班车返校。田舒夏原准备请作家签名，专程去校图书馆借了这位作家的书，准备自己保留作家的签名本，再另网购一本书给图书馆补上。结果借来的书原封未动，可以直接还给图书馆了。

事实像永远正确的老师，它总在上课。而年轻的人们，以自身顽强潜行的生命去领受这伟大老师的教诲，调整和校正自己，这就是进步。有人总拿上世纪八十年代的大学生对比今天的大学生，当时学生的自我感觉就是未来的社会主体，似乎天将降大任于斯人。现在的大学生早已自知身处社会边缘，谁在误解谁在进步，如果一定要拿来对比，应该不止一种答案，而自以为绝对正确的恰恰最可疑。

天凉了，女生宿舍楼因为没热水供应，很多学生有意见，呼声渐高，几个学生在微博上喊我声援，而我判断这事应该尽量坐下来多方协商，不想越界做维权，私下跟她们交流，建议通过正规渠道去表达和商谈。很快收到一份匿名邮件，措辞激烈强硬，全文一千九百一十字，带七十七个惊叹号和二十一个问号，平均二十四个字一惊叹，说的正是热水这事。邮件的激烈让人不安，这不安于我超过了"维权事件"本身，类似的文风曾经熟识，曾经"如雷贯耳"也贯心，高音喇叭整夜整夜轰鸣着的，都是相近的语言。马上回复给她，请她更理性地表达意见。既然想到给我写邮件，估计是我的学生，顺便跟她说"如果愿意，请下课时等我一下"。

几天后，下午下课时候，有个同学等在门口，一搭眼就认出来，是去年的同学，当然认识，只是发型变了，笑得依旧淳朴可爱。她说，邮件是她写的。哦，心立刻软了，赶紧说，原来是你啊。脑子快速回忆邮件里有没有伤到她的话。一起下楼聊天。

印象里，这是个总带着笑的姑娘，我很知道，她的邮件出于仗义执言，选择了发邮件给我是信任，看到我的回复，作为匿名者，她可以不来找我。但是，她笑呵呵地来了，小孩子一样仰着脸。她说当时实在太生气，过后也觉得有不当，作为一个大学生一个知识分子，确实应该更冷静理性地说出意见。

海岛好夕阳，我们一直走，讨论有没有更好表述意见的方式，怎样保有尊严地替众人发言。并排走在一起，感到一个年轻人射透出的义气勇敢和天真，那天真的好夕阳。

除掉身体里潜藏的戾气不是一下子的，只能时时提醒和警觉。有一个同学说，老师是愤青吗？课程快结束的时候，我对他们说，不要做个愤青，我们一起学习用更多的理性和平静去传达良知。

海子和家乡

对于我，这是一个事件，七年来遇到的最大的信心挑战，在他们可能什么都不算。

那天的诗歌课，是海子专题。之前鼓励大家参与读诗。几个安徽同学事先联系我，说他们想联手做个有关海子的东西，估计用时二十分钟。当然欢迎，并给他们预留了时间。

这次课和平时的课有不同，设计了纪念回顾和读诗两个部分。依旧是图片开头，有八十年代末的海子墓地，刻有"显考查公海生（子）老大人墓"的碑石，有海子母亲打扫墓地，也有新立的高大墓碑，然后是信件和手稿，很快进入诗歌部分，氛围始终是低郁沉静的。接下来按约定，把二十分钟时间交给和海子同乡的学生们。

五个人上来，有男生有女生，先读诗，用时很短，更像一个开场白，随后他们说今天想做一个欢乐的版本。

他们开始介绍家乡安徽，亮丽堂皇的新建筑，景区风光，最高潮是当地食物展示，时间接近中午，大家都感到饿了吧，一看到食物，一片的欢腾。几个安徽学生的登台，轻易地扭转了这次课，让它充满了过多的喜感，他们的安徽哦真不错，和诗没任何关系的一片兴旺祥和之地，他们的准备像任何一段电视台的地方旅游介绍。没打断他们，终究那是他们准备了很久和很想表达的，但是坐在下面的心情被那欢快污染得灰暗沮丧。

他们超时了，最后留给读诗的时间很少，他们下去，我回讲台，没掩饰我的不快，没想到他们把这个特殊的诗歌时段变成了小公务员般的家乡展示。

最后不到十分钟，赶紧回到诗本身，读《九月》："我的琴声呜咽，泪水全无，只身打马过草原。"

离开教室，没法儿改变钻得很深的坏心情，它持续不断，坏死的肌肉一样贴附着。在我的微博上能查到当天的记录：

篡改一次海子的诗句——我的琴声呜咽，泪水全无，只身徒步踏乱泥（今天的课，是读海子的诗，下课回来）。

这是唯一一次带着纯粹的个人情绪写微博，不该的。

任何事儿都做不下去，丧失了任何交流的愿望，反复想，是不是我和他们之间本来就是风马牛？

悲哀失望持续到第二天中午。理性提醒我，人间还有个东西叫"课表"，下午两点四十该给另一个班上课，另一伙学生会一无所知地在教室里等我。那下午去上课的路格外长，十五分钟的路走了二十多分钟，实在怀疑我，还能从哪儿调动起足够的热情再对他们说话，如果不能，上课对我将失去全部意义和乐趣。

慢腾腾进教室，头顶嗡嗡的电风扇狂转，依旧是"磨刀霍霍向少年"。前排的几个朝我嘻嘻地晃手上的零食，翻书的，摆弄手机的，后面几排叽叽喳喳的，憨傻单纯地呲牙一笑。就一瞬间，卡住我二十多小时的东西一下释然了，原来我真的是很喜欢他们哦。

是这些又年轻又全没芥蒂的傻笑，把我从很深的自我感伤中拉回现实，心马上亮堂，立刻知道，我还会和从前一样给他们上课。

陷在沮丧情绪中的那个下午，参与介绍家乡的一位安徽同学有短信发来。我跟他交流了两条意见：一、单纯从操作层面上，可以讲得更好，更集中也不偏离海子，诗歌是需要气场的，太多世俗的加入会破坏它，而今天要介绍的诗人要读的诗恰恰是欢乐的反面。二、这个问题相对更大，很多东西已经渗透进了我们的血液，让人沮丧和悲哀的是，孩子们不知觉中已经被洗脑洗成了自发的小公务员。这不怪学生，怪塑造着我们每个人的东西。最后谢过他们的准备。

暗自感谢把我救出来的不知情的另一班同学。又给这个班上课是一星期后，已经心平气和了，简要说了心情变化的过程。由于事先告诉他们，我的沮丧不针对任何个人，看他们的表情都是轻松的。

我只强调两点：一、不可随意偏离一件事既有的方向。二、死者为大。

一切依旧，照样有人争着报名，还希望在课上介绍家乡。报名的人多，安排先后顺序，排到了最后一课。

尽管意见已经说得不能再明确了，我再三提醒他们，加入每个人自己的视角观点来介绍他的家乡，没想到始终没有明显的改变，除了福建两同学加入幽默成分，湖南两同学在PPT中放进她们跳民族舞的照片外，几乎没见另外的个人信息。凡上来介绍的家乡，依旧是隆重的，一本正经的，美好的空泛的，没有出现他自己，他父亲母亲，他的村庄和族人。

后来我想，很多学生现在也没有相机，他们手边没有儿时和父母的照片，七年里，我没遇到任何一个学生能随身拿出他父母姐弟的照片。但同时可以肯定的是，有明确强烈的一种意识在支持他们：展示家乡最好的一面给别人看。在众目睽睽的场合，他的童年和家人就像他伟大的乡村一样，不过一层浮尘，不值一提。

有人跟我回忆起大一时候，她随爸爸来学校报到的细节。她家境并不好，总觉得在外打工的爸爸不能给她增光。跑前跑后帮她安排好一切后，天也晚了，爸爸让她赶紧去宿舍休息，自己在宿舍楼对面找个石凳坐下了。她醒来已经是早上，出了宿舍楼，看见爸爸和昨晚一个姿势，还坐在那石凳上。为了节省住宿钱，他坐了一夜。这位同学对我说出她心里积压很久的后悔。更多什么也没说的学生们，心里藏着各种各样的故事，那些不快乐永远不想示人，可能准备一生藏好它。让他当众说出对家乡的丝毫不满，又是他的自尊心不能接受的。

看来轻松的一个学期很快过去。各位风风光光的家乡都介绍过了。有同学说：老师你可以制止他们，不让他们随便想怎么弄就怎么弄。

也有同学回应说：你没看他那样子，老师制止他们不听啊，一个个跟打鸡血似的。

我当然知道快速终止和硬性扭转这现象的办法，立马见效的。但是，我更不想阻止他们的内心需求。

对听烦了家乡介绍的学生，我说，不能不让别人快乐，不能以个人意志压掉别人的意志。不然我就和别人一样，成了只管"念经"的教书匠。

以家乡为荣的人，所需要的温暖多过沉重。就像有个同学说："我们需要正能量。"这可以理解为正面地积极地排斥阻止任何感伤和沉重的回忆。

每次看他们带着兴奋加快步子涌上讲台，调整麦克的手还在微微发抖，紧张又激动，总会在下面想：家乡对于他们究竟意味着什么。

这个始终不够客观不够开放的"介绍家乡"环节，最初从用方言读诗演变而来，其中包藏着超出我预想的顽强和固守，原因或许有这些：

一、他们二十年的生命里，除了家乡，没有任何其他的可供热爱？那些留守儿童的父母往往只是情感最浅淡的远行人。而这世界上其他地方其他事情他几乎全不知道，其实家乡，他也同样很不知道，但值得为这个去做做功课，做成一个没有瑕疵的家乡的PPT，不然他的个人尊严难以找到依托。

二、仅属于他的家乡必须得美好，不能容忍透露它的缺点，这时候的家乡已经整个覆盖替代了他个人，成为虚拟放大了的一个自己。平日里，能被感知到的那个真实的自己实在太渺小，毫无光彩荣耀可言。

三、尽管听众已经逐渐失去了兴趣，有的家乡介绍变成了自说自话，但是台上的人毫无察觉。他们过去没有任何机会学习观察和应变，登台说话或许是他人生的第一次，把自己的准备一古脑儿都完成，享受站到台上的片刻兴奋。终于有了这么个不设门槛的机会，可以上来说点什么，能沉浸在仅属于自己的一小段美妙时间里，对他很重要也很快乐。如果，一个小生命所需要的登台机会在他有记忆以后能不断出现，他这个个体能不断当众说点什么，他们完全能学会从容、理性、深入和客观。有时候，同时上台三个人，他们依旧坚持细分，每个人说一段，因为各附属于不同的县或镇。

这一切背后，早潜藏着长久被社会漠视的成分。所以，海子是谁他们并不很在意，他自己是谁他非常在意。中国孩子的爱家乡，实在太过投入太过深沉。爱，作为生命本能，或许总要寻得一条它的出路。不能常在身边或只知追问考第几名的父母之爱的淡去，祖国概念宏大僵硬的灌输，唯有故乡亲切自然，在他内心非同寻常，成了必须顽强捍卫的最后的温暖安谧之地。他自己可以什么都不是，但是那块土地不能被轻视和批评。这样的家乡最后都不得不借助政府大楼，空荡的广场，灯光夜景来获得。

整件事情中，我的问题是，自己珍视的东西，想要求他们同等地珍视，忽视了他们内心里早就装有一个更需要被珍视的叫家乡的东西，这可是他们简短人生的全部情感寄托。

10月，路过校内新修成的几条水泥椅子，有人用马克笔留下一些油黑油黑的字：家，家，回家，种田，回家，种田……

到12月下旬，风吹日晒，这些字淡得难以辨认了。

停课后，来做客的李文雅提起海子那次课。她说：我们太不敏感了。

我说，是啊，我也太敏感了。

记得关注教育的纪录片制片人邓康延说：教育是培养人的敏感。我始终想不出结果，什么样的敏感度分别适于今天的学生和教师。

有同学带点愧疚对我说，她退出了介绍家乡，因为几个人意见不统一，她认为她的家乡不是那么好。

经过多次提示，他们会说，确实不能光说家乡的"好"，也得说点"坏"，虽然有人很不情愿说到坏。在很多人的意念里非好即坏，非颂赞就只能批判，似乎只有这两极可选择。没有客观和中性。

这个最后退出的学生写了一封信给我：

真的对不起，那天兴致匆匆地告诉你我要准备家乡的PPT。可是当我在网上搜索关于家乡的一切时，发现我对我的家乡一点也不了解，也就谈不上做出吸引别人的PPT了，这使我不得不放弃。

（回忆了和外公外婆妹妹度过的童年后）我知道我长大了，童年的乐趣随着年龄的增长而淡去，这也许是其中一个原因，但是我觉得更多的还是家乡在变。人的收入是越来越多，可是人心也越来越无情，家乡的高楼越来越多，可屋前那堆积的现代垃圾也在与日俱增，河流里的水早已不再清澈，儿时游泳的记忆淡如蝉翼。故乡的人不再像以前那样淳朴，隔三差五的有那么一两家因小事喋喋不休。故乡的小孩不再如我们那般天真，有时候你会看到几个小男孩拉帮结派，分发着劣质的香烟，嘴里还不时跑出那么一两句低俗的骂人话。这些就是我现在的家乡，我不愿说假话，但我也怕把家乡的不好展现给大家，因为我怕别人说我是家乡的叛徒，我背弃了生我养我的家乡……所以说，要做好展现我家乡的"美"的PPT，对我来说实在太困难了，我的骨子里也没有像其他人那般强烈的爱乡热情，因为家乡美好的地方正在不断消失，丑陋的地方不仅在看得见的地方同时也在看不见的人心里滋长。我对这样的家乡多的是陌生，是畏惧是不安……前些天，同我一起长大的表弟给我打电话，我给他说了这些事，他说我很冷血，很无情。这话听起来很刺耳，可是我并没有反驳，因为说不出像样的理由。老师，你能理解这样的心情么？我在骨子里实质上是抵制××的（××在这里被隐去，是她来自的省份），因为××的孩子太苦，做××的孩子压力太大（原注：从初中到高中看到太多的同学被学习压成精神衰弱，压成抑郁症，特别是高三那一年，有好多同学都要靠安眠药帮助睡眠，当然也包括我在内）。我一直都在想，我是不是很无情，是不是很忘本。但是承认了吧，我对家乡对亲人是如此恬记，对高中班主任又是如此怀念，甚至对高中在校园采摘的秋藤叶所夹成的标本是如此的珍视；但是不承认吧，我又不想回归乡土。总之内心真的很矛盾。

这次的PPT还会有另外一个××小组来完成，我就不参与了，因为内心太复杂了，希望您能谅解才好。

新课和教学相长

中文班的课名是"现代文学专题"。一门新课，由于一些原因，拿到新课"任务书"的时候，准备时间只有几天。

第一次去上新课，阳光灼烤，教室安排在全校最陈旧的教学楼，满当当一屋子陌生人，人手一书本当扇子，像一屋子扑翅的蝴蝶。有椅子是坏的，有人找不到座位，气闷哦，怕有人会突然中暑。刚开始说话，电闸跳了，电脑电风扇都停了，下面哄哄一片。

终于安顿下来，先坦白这个课的仓促，没有充实的积累和足够的准备，紧急网购的几本参考书还没到，好在有网络可查询，准备和大家一起，试着上好未来的十七次课。我给新课定了副题："汉语诗歌1911-2011"，准备尝试突破和跨越被传统学界硬性划分的"现代"、"当代"，来一次只遵循诗歌语言本身的历史穿越。

一个学期下来，为新课付出的时间精力大约是另三个班的总和，这在领"任务书"当时预想过，但由新课带来的意外收获和长进，却大过一比三，在溽热中拿到"任务书"的当时，无论如何都不敢想，这应该就是"教学相长"吧。

再三构想，怎样把现代汉语脱离古汉语后这短暂百年的演变和分脉理清出来，找到语言流向不同后的各自质感。每次课由《民国老课本》的一两段短小的课文引入。起初听说是民国小学课本，大家显出轻视。但是，由叶圣陶先生等编选，丰子恺先生作画的课本，以其脱身又传承于古汉语的简洁清澈和明理，在最短的时间里隔绝了这破旧教室窗外的尘世，直接入心。我们读了例如：

94

三只牛吃草，一只羊也吃草。一只羊不吃草，它看着花。（《三只牛吃草》）

一犬伤足卧于地上，一犬见之，守其旁不去。（《爱同类》）

王华行池畔，见地有遗金。华置金水边，守其旁，待遗金者至，指还之。（《不拾遗》）

农家小儿，揩拭窗格，糊以白纸，涂以桐油，纸能透明，且不易碎。彼告我：我家无钱买玻璃，故以此代之。（《糊窗纸》）

园中有竹，春日生笋，摘笋为羹，其味鲜美，我甚喜食之。父谓我曰：园蔬野菜，胜于鲜鱼肥肉多矣。（《食笋》）

冯异偕诸将出征，每战，必身先士卒。及还，论功行赏。诸将争功不已。异退立大树下，默无一言。时人称为大树将军。（《让功》）

同是汉语，老课本里的语言特有的舒缓温雅亲和，它的带入性超出预想，由它进入更多更复杂的诗歌文本，进入现代和当代，进入原本美妙含蓄又神秘的汉语本身，能感受到语言的各种味道和变异。

我和他们一样，是第一次从这个角度看到汉语和百年新诗的演进变化，也看到现代汉语在脱离古汉语后，被强行割裂和自有的顽守坚持，看到民间口语对它的持握和留藏。

课一边进行，一边补充材料，调整内容选定走向。一个月后，四个不同课程的班，布置的同题作业"关爱"，直接看到了由于我的投入和讲授内容不同，出现的不同效果。作业题目没什么特殊，来自平时和同学间的交流，写写"关爱"或"仁者爱人"。有个班写得多是枯燥的概念，看这种作业真痛苦，我对他们说，我被你们大片大片的侃侃而谈给埋了，真有这么多的爱肯定受不了的，非窒息不可。语言这冷兵器，说来容易做起来难，说假话容易说真话难。我忍不住问：从哪里冲出来这么多的雷锋呢。

而开新课的中文班交来的作业却多是认真和真切的文字。有一篇打印出来厚厚一叠，一万四千多字，二十二页。有的结尾标出十三条参考文献出处，本不是正规学术论文，不需要这么认真的，我事先说过，写一页纸就行。快半年过去，有人来短信问我找她的作业，准备拿它参加征文竞赛，可见这份普通期中作业对她个人的重要。有人写了抒情性很强的一首诗，有一百四十四行。有打印作业外附手写的信笺：小妮老师，我是怀着八分痛苦来回忆这几个生活片段的，这些痛苦你可以从我的文章里读出来，但我还有两分的欢欣和感动……希望小妮老师能愉悦地读完这篇文章……其实我原本只是想随便说点什么罢了，我叫×××，我知道你属羊，我不属羊。

中文的作业看了大约三天，再上课的第一句话就是：看了大家的作业，你们真的个个都是有故事的人啊。

下面有的笑有的点头有的叹气，而始终被我藏在心里的话是：我相信人心是可以捂热的了。

每次来听课的中文专业的学生大约五十人上下，稍多于名单半数。渐渐的，我们的课更像融洽的聊天，随便插话，跳跃离题，讨论和自由出入，能感觉到这门课是被大家共同带动着的，能感觉到有学生的思路随时跟着课，也随时超越着课，他已经能在自己的思想河流里远行了。进入大学上课的第七年，第一次持久热烈地感到和学生间无声的互通和融会带来的幸福。

两年前刚讲诗歌课时，有同学提议多加讲解。虽然心里始终认为诗不可讲，为了照顾更多学生，开始在做PPT的时候，给一首诗后面加上简要的说明文字。今年刚开始也如此，包括新课。事实上，每次课都不能不受现场的听和讲所构成的特定气场影响，偏离提前标出的界限框定很经常，总会随堂出现即兴的感受，常突然冒出新想法，这时候再回头看前一天标出的注释文字，显得生硬冰冷，咬文嚼字。这情况在新课上遇到最多，我随口说，诗是不可能被任何文字限定的，它常变常新，看，我写的总是没有说的好。

话刚出口，很清楚，有人在下面说：老师，以后不用写出来！

没时间辨别是谁的声音，但是这一声喊真鼓舞。是啊，是不必写出来的，活语言本身一刻也不能被确定，我们永远都在寻找对它的新鲜感受。

是学生的参与和理解力直接推助着我们一起，共同面对每一首诗，我和他们经常是同步的，这感觉真是要多好有多好。

临近期末，上课路上，迎头看见一条横幅跨于两棵高大的印度紫檀之间。停在横幅下面，把那些字记在我手机里，上课前抄在黑板上：力争先，跟党走，做时代先锋；谋发展，做贡献，创迎评尖兵。

看着这些字，不用说什么，大家一起笑了。和每次课以一小段老课本开头相比，这两行文字没有任何被转换活化成象形文字的可能，排列好整齐啊，整整齐齐地失去了汉字的美，无论语言学或接受美学，从什么角度看，都是两行生硬的不入眼的笔画。如果说暴戾，它是暴戾的源头之一。我们一起用四个月，简要回看了百年汉语演变的历史过程。

临近期末的课上读诗，事先报名的有十一人。有人读了自己的诗，有人读的是前一夜的新鲜出炉，有的诗是献给本班同学的，有送给据说刚分手的朋友。有人郑重地穿来自己"好看的"衣服，有人上台，先跟大家要掌声，有各地方言，有苗语，有土家语。到了自愿上台环节，大家更踊跃。苏艺珍一激动就跑上来了，事先没准备诗，只好打开手机读，读着读着，下面说你唱吧，她开始唱，有同学随着她哼唱。虽然我没听清她唱了什么，但是同学们都知道，这就很好。

他们不是为我来上课的，每星期三下午，坐到这破旧教室的两节课是为自己，这比我一个人说尽千言万语要好得多。我愿意多请他们上台前来，自己坐在下面享受他们逐渐奔放的快乐。表面上看，怎么上课，课时长度都是一样的，但是，2011年在新课上更多用心和投入，大家几乎同时进入，我只是略早于他们的一个带入者，我只是把私人的阅读理解带入一个众人的"场"，前一夜的准备很可能在课上被大家一起颠覆，或找到更准确的表述。他们可能无意识，我深知差异明显，我们一起试探到了汉语的美，空间，张力和更多可能性。

在他们不长的记忆中，和语言有两种关系：一、方言。密不可分的仅限于和亲人、童年挚友间的私密性的语言。二、书面语。书上的，课文，朗诵腔，辩论会，大会发言，疏离于人本身的。四个月的课，发现了我们和语言的第三种关系，它并不实用，单纯的，美的，细腻的，敏锐的，玄妙的，这感受是他们过去没体验过的。如果将来这第三种感受能影响他们的性格塑造和行文处事，将是件多好的事。

想想过去的课，假如给我重新上过，应该能上得更好，应该能给他们更多。课不好，肯定是投入的不够。

最后一次课，根据平时传递阅读课外书的情况，插入一段自由讨论《巨流河》的就是这个班。下课铃响了，一个男生起身说他提议谢谢老师，给老师鞠个躬。我赶紧说谢谢，赶紧也给他们鞠躬。不知道还有没有机会当面对他们说：这门课我得到很多。

每个学期都会遇到这样的学生，直言不讳说，从不喜欢现代诗歌，只喜欢古典诗歌。本学期末，出现了立马转变的实例：期末考试临近，有一个老师的课要求背诵几十首古诗，把他们痛苦得不行。我反问：背诵古诗不是背进了你自己的肚子？他们说：不一样啊，凡是死背的，一定转眼就忘。有人说：本来还喜欢古诗，这么一背，顿时反过来了。

呵呵，有这么立竿见影的吗。

期末了，下课随口对一同学说，今天大家好像很困啊。

她说：你不知道，有个老师昨天晚上一连上了五节课。

我说，那可得累死了。

她说，我们听得也要累死了啊，老师就那么一通讲下去，同学来得那个齐啊，本来都是来听考试划重点的。从五点半讲到十点半，最后就剩了十分钟才说到考试重点，这不是坑爹啊。

呵呵，有时候他们的敏感甚于我。

托付

这里隐去她的姓名，我的信也隐去涉及个人的段落，我有责任保护她的全部文字。

期中作业，她迟迟没交，见了我她总说再等等，我暗想是在给偷懒找理由吧。认识她是一次同学间的读书活动，并没说几句话。那天我带去两本书给同学传递，知道她是大一新生，喜欢读书，她直接拿走了我带去的一本《夹边沟纪事》。

拖后大约二十多天，她抱个十六开的硬皮本子来上课，说终于赶出来了。接过本子随手装进书包，回到家才拿出来看。一看惊了一跳，下面是我写给她的邮件：

×好：

你的"作业"昨晚看完，把我想到的，按顺序写给你。

一、这作业我得还给你，它太重要了，你要自己存放好，不要轻易给人看，一个人的内心是不能轻易交给别人的。曾经你给我写过几张纸，被我夹在去年的日记本里，带到深圳去了，我得找到并给你。

二、这不是作业，这是一本"成长小说"的大纲，主要角色都出现了，都是骨头，再写就是填充血肉。

三、每个孩子的成长都有很多故事，我以前总会轻描淡写地看你们，似乎能"一眼看穿"，以为就一个孩子嘛，就是念书，然后就是长大，我太过忽视一个人的内心感受了，二十岁足已历尽沧桑（请别以为我只是感慨你的个人的特殊经历，和好些同学的聊天和作业让我感慨和重新认识这代人）。就像我一朋友邓康延说的话：教育就是让人更敏感（我刚跟他确认了这句话是他受了什么启发写出来的，没查原文，只是大意），可是小生命们已经足够地敏感了。

四、……

五、以我的观念，一点没觉得你有什么不好，木呆呆的青春有什么意思？别把自己搞得很苍老，别在意什么曾经的苦痛，谁不苦痛？明天就是全新的太阳……

我说的话有点重，请你理解我的着急，不能这么絮絮叨叨地沉浸于过去中，至于这本"成长的故事"，你要开始把它看成一段历史，不再纠结其中。这故事中的人物没准儿都挺快乐的，没准儿就你陷得最深。

作业哪天要亲手交给你，明天的课，暂不带去。

请细细想想上面这些。

王

抱着合上了厚本子，感受真多，首先得赶紧还给她，嘱咐她保存好。作为可能是唯一的阅读者，我要尽快忘掉其中的任何细节，让它平安稳妥地重回它的亲历者的记忆深处，使它依旧仅属于她自己。也许忘掉才能换来并不确定的对写作者的"保护"。这写在厚重本子上几十页的当代中国九零后成长史，显然不是个人境遇的孤本特例，只是被其中一个亲历者自己写了出来。只是看这位学生的简历表，肯定清爽简单：生于1990年（估计），就读于某某省某某市某某学校。但是这密密麻麻写满了的小字，一条小生命顶着来自身边的同学老师家长的层层困境，每层对一个孩子都是灭顶之灾，竟然她也挣扎着长大了，这本身多艰难又多悲哀。在成人们以为所谓的九零后不过一页白纸，甚至直接叫他们"脑残"的时候，他们无力反驳却又早已经历尽沧桑，其中的惊悚苦楚只有他们自己才能领会，现实已经被他验证过了很多次，很多残酷，很少幸福。同类故事还在发生，正被一代又一代人自己默默承受和消化着，外人懵然不知。

把本子交到她手上，心想这二十岁的孩子，凭什么信任你，凭什么把深藏的心事告诉你，这托付的沉重甚至超过了友情。

中文班上有两个来自藏族的女生，都叫卓玛。一个来自阿里，一个来自林芝。都是美丽的地方。

我请八零后藏族诗人嘎代才让发来他的一些情诗，交给她们两个，她们用课余时间试着把这些汉语的诗歌翻成了藏语，占用大约一节课的时间，两个卓玛给大家介绍她们的家乡和读藏语的诗歌。

她们很认真地做了PPT，每打开一页新图，都有人跟着惊叫，蓝紫蓝紫的天空下面一座山峰的图片，阿里卓玛说这是她转过的神山。还有穿华美袍子的两张群像，一个是阿里卓玛父亲的族人，一个是她母亲的族人，他们距离不远，但服饰风格完全不同。介绍家乡之后，PPT上出现了手写的藏文诗歌，她们开始藏语的情诗朗诵。

期末时候，有三个同学在作业里说，一定抽时间跟卓玛们去看她们美丽的家乡。

我对阿里卓玛说，就要寒假了，写写你回家的故事吧。她说太远了，这个假期不回去了，暑假回去争取写。从阿里来海南岛上学，换各种交通工具，路上走了八天，刚上岛还要克服醉氧。

除了介绍家乡那次，平时她们多沉默。林芝卓玛有时缺课，而阿里卓玛总来，总是安静地淹没在很多女生中间。现在学中文的比例失调严重，女生太多男生太少。

阿里卓玛在作业中说：

牧区是我父亲的家，孩子们全部都在牧区放养，没有去上学，现在教育提高了，但在牧区还是没人去教，也许是这里的环境（差）不愿意去。高三那年寒假，从拉萨回阿里，中途会有很多村庄，帐篷，中途休息。在一个村，当时我们的车子停下来之后，好多人围了过来，觉得好奇。走进一个帐篷里，在里面吃肉，喝酥油茶。吃得差不多时，孩子们在帐篷门口看着，然后我父亲说了一句：这是你们的新老师，以后要教你们读书。孩子乐呵呵地：有新老师了，有新老师了。这时我在想（由于作业里她说，她的梦想除了父母，没对其他人说过，我当然要为她保密，这里略去"梦想"的部分）……

有一次下课，阿里卓玛跟在几个小个子女生后面过来，跟我道歉说，那天课上写作业，写着写着写上藏语了，最后忘了翻译，就交给老师了。有同学提醒她，才想起来，老师也看不懂藏语啊。

我说：这好啊，就当我是懂藏语的吧。

和她们分手，我一个人走过湖边，湖水味道恶劣，但那天心情特殊好。如果他们每一个都能在作业里忘掉限制，随意自在地表达，该有多好。从没看的一沓作业里找卓玛，果然，结尾一串好看的画出来的文字。

再去上课，我问卓玛那行字写的什么意思。她说：是扎西德勒。

哦，扎西德勒，这话我懂，写出来好看，读出来好听。

林芝的卓玛是个时尚姑娘，大眼睛好看，她的作业里很多网络语言：亲呀亲……不知道是不是和她们来自不同地方有关，林芝比起阿里，自然条件等等都要好很多，接触新东西也容易吧，后来知道，林芝卓玛中学是在福建读的。

我怕海拔，也出于敬意，不准备登上那块高原，包括卓玛们美丽的林芝和阿里。

仙姑是2008入学，将在2012年夏天毕业。

2011年秋冬，早没她班上的课了。仙姑有几次来我家，只有一次是悠闲地说话。过后遇到和她同来的女生对我说：那天仙姑也太能说了，完全不像平时，别人都插不上话了。我问，平时仙姑很沉默吗。这位同学说，是啊，她没那么多话的。

而我印象中的仙姑始终是欢快的，表达流畅的。还有一次，仙姑带了一盆小绿萝给我。结束课程，离开海岛回广东时，我一路都带着这盆绿萝，提它回家的路上忽然觉得有点傻，像《这个杀手不太冷》中的场景哦。

仙姑成绩始终不错。记得大一教她的时候，一个晚上的课间休息，经过她的座位，看见她在填一张类似助学金的表格，装作没看见轻而快地走开。

秋天刚到，听说按成绩排名，仙姑可以保研，我知道她想去其他学校读研。经过一段时间的查询，其中细节我没过问，只听说连刚入学时体检的肺活量记录都查了，最终结果得知是她只能保本校。这时大约已经是2011年10月中旬或者更晚，她匆匆告诉我放弃保研，决定复习参加考研，"自己考出去"这决心不是那么容易下的。后来大约两个月没再见到她，她同宿舍的同学告诉我，仙姑太拼命了，这段身体不太好，严重缺睡眠。我帮不到仙姑，只好发邮件简单嘱咐几句：吃好点，睡多点。

2012年2月27号晚上收到仙姑的短信：

老师，我刚查到成绩：405……感谢老师一直以来的支持帮助！好激动……不知还能说啥了！

2012年4月2号下午收到仙姑短信：

老师，我刚查到录取名单，我考上了！还是那句老话：谢谢老师的帮助支持与鼓励！

她给我的通报成绩的邮件中说看到成绩的时候"全身在发抖"。仙姑靠自己考上了北京的人大，未来要去读电影学的硕士了。去北京复试是坐飞机去的，她说这一路的花费，她爸得拉多少趟板车啊。仙姑曾经跟我说，家里的活儿都是她爸爸自己动手，不另外请工的，乡下现在工钱也很贵，起个卫生间，都是她爸爸自己做。

2012年1月16号，仙姑赶在春运高潮回家，半路上发来两条短信：

我现在在湛江火车站等晚上十点的火车回家……昨天大雾，琼州海峡封航，我和八千旅客冒大雨，大包小包站在秀英港候船大厅门外，挤了十二个多小时的人肉饼干，还是误了火车……今天重新买票顺利来到这儿。人总会在苦难后发现更多美好吧！我现在看着到处席地而憩的人们，觉得任何生活其实都是很值得一过！预先祝老师全家新春愉快！

经历时确实很难受，回想起来倒觉得没啥，但感受始终真切……

仙姑把这次回家经历写成文字，王雁翎说会发表在她主编的《天涯》杂志上。曾经，余青娥的文章"回家过年"也是发在《天涯》的"民间语文"上。我提醒仙姑，如果文章发出来要留好杂志，她们还不很了解什么核心期刊什么学术地位，另一轮背书填表之类正在下一道关口等着呢。

上次见丁传亮还是2010年秋天，老远地赶过来，老远就伸出了右手，当时我心里好笑：丁传亮学会握手了。

因为在"必胜客"打工，占去了他几乎所有的业余时间，和他只有几次邮件往来，摘其中一段，而他说的那个下雨的晚上，我完全忘记了：

说着说着就毕业了，我现在还记得老师给我们上的大学第一节课呢，那还是一个下雨的晚上，我们带着好奇的心情走进教室等待着老师……从大二下学期起，我就在一家叫作"必胜客"的西餐厅里做兼职。工作很辛苦，很累，但是可以挣到不少钱，所以从那时起，除了学费外我很少再向家里要钱了。但同时兼职工作占用了我太多的时间，我就只有很少的时间可以读书了……

我还是怀念大一大二时一个人在自习室里抱着厚厚一部书在那里看啊看啊，《基督山伯爵》、《巴黎圣母院》、《战争与和平》、《古文观止》等，感觉那时真是我大学里最美好的时光。自从做了兼职后，很少看书了，专业课学得也不好，今年想保研就不行。兼职给了我很多，但我也失去很多。

提起《卖粮》，现在我也很惭愧。可能是自小出身穷苦，我身上有着很强烈的自尊和自卑的性格。我不愿意人家用不一样的眼光看我，不愿在同学面前暴露自己的软弱和寒酸，也可能是我想得太多了吧。还没有进入大学，我就决定不要学校什么助学金，所以大一我就没有接受学校的助学金；还有一次一位日本友人要捐助我们学院贫困的学生，每个同学每月一百块钱，我也在其中，我当时感觉真不是个滋味，我就跟学院领导说我不愿意接受捐助，领导结果换了人，我只想靠自己来解决自己的问题。现在我也不觉得自己有什么不对，只是觉得自己太较真太一根筋了。就拿《卖粮》说吧，母亲是无辜的，我应该让更多的人来了解我的母亲，不想署名岂不是连自己的母亲也嫌弃了吗？现在想起来真是可怕，我从来都很爱我的母亲的。对了，还要告诉老师，我这两年得了两次国家励志奖学金，一次国家二等奖学金，很高兴，奖学金我很乐意接受的。

保研不成我就没有想到要考研了，这里有几方面的原因，最重要的是自己的家里不可能有那个经济实力再供我读研了，我也不会自私到一定要父母供我读研了，家里面为了我读完大学已是筋疲力尽。父亲，母亲今年都已是将近七旬的老人，如今还要为我辛苦得不可开交，这不我妈几个月前到新疆摘棉花到现在还没有回来呢，每每想到这里我都有一种沉重的负罪感，本来该颐养天年了，还要忙碌。

还有就是在这个以金钱作为衡量一切标准的时代里，我感觉我被世俗化了，俗不可耐，我现在想的就是怎样找到一份好工作或者创业，赚到多多的钱，一方面是为了证明自己，一方面是想让父母不要对我太失望。

可是我的天性安静，向往恬淡的生活，很喜欢中国的古典文学和外国文学，现在只有先把这些想法给放一放，等到自己有足够的能力的时候再来重新追求自己的梦想吧。

到现在，尤其是在夜晚我经常迷失，感觉自己的前面的路会很坎坷，每次看到海口灯火通明，我想象不到哪一家会是我的。我会理性地看待这一切，因为这是每一个毕业生都要面临的，相信在几年以后什么都会变好的，最重要的还是好好地奋斗。

老师您知道吗？我本来早就可以毕业了，就因为我不服气，复读了一年又一年，就想考上北大，可是最终还只是来了海大。我现在不后悔了，也没有时间后悔，我现在所做的就是让自己更成熟，更强大。

现在我在找工作……

写这封信的起因，是2005年到2010年的《上课记》结集出版时，想选他大一作业"卖粮"，要征得他的同意，另外，也必须询问"卖粮"可不可以署上他的名字，因为当初他是不想公开自己名字的。过去，丁传亮给我的片段印象，除了他朴实真切的作业"卖粮"，还有他在课上讲新闻时候偶尔插几句简促有力的短评：不该叫"农民工"，应该叫"进城务工人员"。看了他大四时候的信，才知道因为打工赚钱，没机会和心境安稳地读书，主动放弃助学金以换得自尊，辛苦的父母，考研的念头，北大和海大，看来都是他选择的结果，而真正能由丁传亮决定的实在太少。我喜欢听丁传亮说话，他一句实在话，常比任何抒情任何议论都更生动更有力量。呵呵，有人批评《上课记》没文采，我始终会觉得在记录他们的时候最不该动用的就是文采。既然有这么真实本色的记录，为什么还要涂脂抹粉。

八月底，还没正式上课，两年前教过的同学卢小平来做客，一进门居然提了礼物，两包当地的茶，非要给我。我说你怎么能带礼物呢？后来很后悔我随口就说"礼物"，这两个字马上让他有不安，他重复解释几次：是我奶奶说的，看老师是不能空着手，是看老师嘛。不知道他老家江西是不是依旧供着"天地君亲师"的牌牌。

坐了两小时，几乎都是他在说，我在听。从大一下学期起，卢小平一直在肯德基打工，每小时八块钱。他讲了在肯德基打工期间的各种有趣的事，骑什么样的电动车去送外卖，配有什么样的头盔，遇到什么样的顾客，善良的女人和无理的富人，平时怎样考核晋升，集体组织外出旅游。

他说，老师，我这下可知道了，"旅游"就是坐车到一个地方，下车转一圈，再坐上车回来，这就叫旅游。这个贫困家庭出来的孩子，在参加肯德基的集体出游之前是没有"旅游"过的。

我问他晋升没有。他说本来有一次晋升机会，要通过考试，提前好几天他就开始背题了，"像平时背政治一样，最后还是没考上"。他去查问自己考试的分数，"人家说帮你问问吧"，最后没任何结果。也有老员工反问他：你看海大学生有过考上的吗，都是要吃吃饭送送礼的。

我说，这些事，大学生都不行的。

卢小平说：也不是不懂，都懂，可是做不来，那么多年的书不能白念了。

他有意强调说：这个我还是坚持的，即使没录取也不抱怨。

他说：大三了，想想，好像没学到什么。

我说这不是解数学题，不是在沙滩上找鹅卵石，更像在沙滩上学习堆沙子。

那天，坐在沙发上的卢小平真能说真快乐。在一家普通快餐店里遇到的很多细节，被这农家孩子一说，会变得这么盎然有趣。上大学第三年了，他从没回过江西赣州的家。他说父母都没在老家，都出外打工了。他听说，中学同学有的都抱着新生的小孩子到处串门了。

起身离开前，他忽然很抱歉说：怎么全是我在说呀，说得太多了，耽误老师休息了。

知道他平时沉默腼腆，他来做客就是想说说话，自由流畅快乐地表达。说了两小时，他一句都没谈到在学校看了什么书听了什么课。

先注意到署名文呈平的作业，然后才认识了文呈平。

两年前，盯着一张作业愣了几秒钟，全文不过二百多字，画了四个圆圈，每个圈替代一个没写出来的字。小学老师见到这作业多半得发火：你学过查字典没？

问谁是文呈平，他慢悠悠过来，个子矮，羞怯。我问他：有手机吗？他答：有。我说：写不出来的字到手机上能查到，很方便。他说：哦。我说：没别的事了。

他出生和读书都在这个海岛上，这里孩子多淳朴少言，性情温和，由于教育基础始终差而普遍成绩平平，常听大陆人（岛人把岛外统称大陆）背后议论岛上同学考分低，特别在我们这所大学新生录取分数连年蹿高，生源越来越好以后。

他的画圈的作业只有一次，那作业随后发给了每个人，后悔没留在手里，也珍贵也可爱呢。后来再注意文呈平的作业，都短小清新生动。下面是文呈平的一篇作业，题目是《我的舍友雷老虎》：

他，是我的舍友，也是我的同学。我们都叫他雷老虎。他有着陕北人那种豪爽大方。每天起床后他总是先拿着一个洗脸盆去洗完脸，然后再返回来拿口杯牙刷去刷牙。我很奇怪他为什么不同时一起去洗呢？

他起床是比较晚的。但最先准备好去上课的是他。然后就操着他那陕北口音说："同学们，上课了，不要让我等太久了。你们为什么总是让我等你们呢？"好不容易我们都准备好出发了，走到二零九宿舍时他又大叫一声："山西安飞虎！"好像要把安飞虎吓一跳他才甘心。他走路很快，不知是因为他的腿太长还是他的性格使然。

在教室里，如果他站起来对我们宣布事情，左右手总是随着他的讲话而摆动着。他声音很大，但不是很标准。他要是讲得快起来就很难听清楚了，以至他去面试时人家还说叫他去练普通话呢。

他也很有创意。有一次他背《长恨歌》，居然想到用《一剪梅》的调子套上去以唱的形式给背了出来。我还用手机拍摄了下来，他下来后，我还对他说，如果身体要是也扭动起来那效果就更好了。在宿舍里开DJ时他也曾扭动给我们看过。

这就是雷老虎，但每当我们叫完后也总是喜欢补上一句：一切反动派都是纸老虎！

很不喜欢改动别人的字句，这作业是全文原貌，标点都没动。2009年底，这个班的最后一次课，备了简单的零食水果，雷老虎还肩扛个大西瓜奉献给大家。下课了，快速清洁教室后，和学生一起离开。留意到最后一个关灯关教室门的是文呈平，手上托着残余的垃圾，走向走廊另一侧的垃圾桶，然后无声地跟在高谈阔论的人们后面。

占有优质教育资源的大地方不一定滋养出文呈平。单纯比成绩，岛上的学生可能没有大陆学生平均录取分数高，也不一定比他们见识多，普通话英语都很难拔尖，进了大学，本岛学生有些会自我边缘化，各种风光的场合比较少见到他们。这本是地域闭塞和教育不公平的原因，却被一个个孩子还不够坚定的内心独自承担。没见过他们说什么，顶多说生的地方不好，离大陆太远了。"天高皇帝远"对隐者是好地儿，对"学子"就太不是了。

"2009年上课记"在"方言"一段提过文呈平的"付马村"：除本村人外，任何人听不懂他们的语言，世界语言学家说他们村子的方言是语言活化石。文呈平介绍他们村子的时候带着自豪。可惜，下面的学生对什么语言活化石没兴趣，加上他的介绍平淡，普通话很一般，更多的人几乎只关心自己准备的内容，完全不在意别人。多数人的印象顶多是这个叫文呈平的小个子也上台了，说了一段话。

2010年寒假，我联系到已经回家的文呈平，想去他的村子看看。通常人们来这个海岛都走东部旅游线路，而文家的村庄在西线。开车一路向西，离海口两个多小时车程，看到"付马村"三个字的粗糙水泥墩，却没看见人影。忽然，文呈平从路基下面的杂草丛里跃起，他的脸在渐渐退去的滚滚烟尘里显出来。从大路到他的村子大约一公里，完全是沙路，像进了沙漠地带，而这里并不靠海滨。据他说，这小段路早要修的，但附近的两个村庄始终闹纠纷，一条乡村路，报价也太高，一公里要七十七万。

眼前的村子没有泥土只有沙子，这是我此生见过的唯一没有土壤寸草不生的村庄，除了几棵苍老遒劲的杨桃树酸枣树，树粗要三个人合抱，其余没丝毫绿色。肮脏的小猪横在沙路中间睡觉。文家不高的院门上残留着半年前他高考发榜后贴的对联：数年寒窗夺魁首，金榜题名列前茅。

对联在院门左右，没横批。

屋门上的对联是：数年寒窗大显身手惊四座，科举扬威连科及第镇群英。

横批：文惊四座。

眼前的这个家简朴干净，庭院铺水泥，院里有口井，据说常打不上水。一间偏屋里堆了两大袋红薯，文呈平动手要装些给我。遍地沙子的村庄，哪里敢要他的红薯，它们一只只长大容易吗。他说，刚才接到我快到村口的电话时，他正和家人在很远的地里种花生。

村里有人家正结婚，没见热热闹闹贺喜的，一对鲜红流墨的对联后面，铺水泥坪的院子里有几个人在喝喜酒。村人多外出打工了。

跟文呈平去了文氏祠堂，他安静地走进去先燃香。地上有小的木雕的神庙，应该是正月十五"杠神"用的，当地著名的民俗。神龛有对联：始祖生日欣报德，神恩接迎庆安全。横批：喜迎圣日。

文呈平不知道他家祖上究竟是哪里人，有说福建，也有说从越南来。对被叫成"活化石"的"付马话"，他也没有更多了解，虽然他会说这种语言，估计以后能说它的孩子将越来越少。

跟文呈平去看了他读书的小学校，土墙校舍还在，已经荒弃。村人都送孩子去十多公里外的东方市读书，文呈平也是在东方读的中学。留在村里上学就别想考上大学，他说。

突突突来了一辆摩托车，是文的爸爸，摩托车在沙地上吃力地拐，一着急，死火了。这个不善言辞的中年人专程从花生地里赶回来想留我们吃饭，这反而让人不敢久留了，在无土的村子，招待一顿饭是个大负担。

急急地走，文呈平说他想跟我们的车去东方市转转。一进城，他显然变得欢快了，不断说那儿是他读书的学校，他有两个妹妹现在都在那儿读书。那儿有好吃的小店，那儿又是什么好去处。东方市原来叫"八所"，新兴的工业城市。像很多乡村孩子一样，城市让他兴奋，流连忘返。

最后分手在客运站，他又要回地里种花生了。

2011年整个学期都没见到文呈平。有同学说他在呀，但是就没碰见。

我联系上了余青娥，她工作快两年了，她说她一直默默关注我的微博呢。

其实青娥是能胜任很专业的文字工作的，对于精细事物的提炼把握和描述能力，她不弱于那些负有盛名的作家。但我不敢支持她以文字为生，连把写字作为终身爱好都没对她过多地提起，怕她变得太敏感而失去普通人的幸福。

曾经两次，在她大二大三时，跟她在外散步，我的手在口袋里一直碰着钱，却始终没敢拿出来，怕因为一张纸伤了她。而她刚一工作发来短信说要发第一次工资了，想请老师吃饭呢。她始终在二百多公里外的另一城市上班。

下面是她刚工作时候发给我的：

老师，我现在懂得了，善良是一种罪过，为什么他们一定要逼你变坏变精呢？只有坏了精了，他们才怕你，才觉得你有用，才尊重你。善良注定被践踏，所有人都说我呆头呆脑的，没什么想法。

真希望我能多长个心眼，我就能懂他们的意思，可为人处事方面我怎么学都不聪明，注定被看不起。

这两条是时隔一年后，2012年春节前她的短信：

老师，好想请你和徐老师去我们家住几天，昨天我们村开谱呢。二十年才开一次谱，前天戏班子就进村了，要唱四天三夜，每一家的亲戚都被接回去看戏了，昨天给家里电话，妹妹说全村的爆竹声一大早就把她吵醒了。呵呵，想请老师去我们那儿听听赣剧呢。可惜工作了，回不去……

……明年老师就可以见到我家的新房子了，我爸今年回去要准备动工了。其实我现在也不知道村里变成了什么样。外婆说村里建了新农村，还弄了路灯。我刚问回家的妹妹她说路灯是木头架子支起来的。

青娥的脑子里好像不存放空洞的概念，只有细节和形象，还有一种绵绵的温润。

她大二时候，有个很黑的晚上，她很低声地说：老师，我信教了。哦，猛地感觉肃然，我正跟一个有了信仰的人并肩走在一起。

现今，想以文字为生，也许要借助很多其他东西，要阅历要够胆要漂亮要更多，每一样都不想青娥背负，只要平静安稳过一生就是最好。抽空要去她家乡鄱阳湖看看，要选在过年的时候，看从城里回来的村人像她描述的：穿得崭新，满脸光彩，从这家进再从那家出。

现在大学里文科男生太少，表面上看，他们更像被压抑的群体。也许在高中划分文理班的时候他们就开始被边缘化了。有时候看着他们一进教室就自动走向后排，然后坐下，沉默地反衬着女生欢快的声浪。我忍不住想，喇叭中天天喊叫的"文化大业"，是要落在这些"边缘男"、"孤僻男"身上？

而邓伯超不同，他这条生命的生猛硬朗是从中国苦寒的乡间里滚出来的，所以他会说"和城里的孩子还是很难一拍即合，城里人缺乏狂野"。邓伯超天生有故事，未来也将如此。

邓的父母在成都打工，做再生板，接触甲醛，干活要戴面罩。他爸说：这是比挖煤好那么一点儿的工作。

两年前邓在海南儋州乡下拍客家人的生活记录《余光之下》，后来这部纪录片不断获奖。最初他给片子想的片名是《鸡蛋壳》。他这么解释：一个鸡蛋壳，现在已经掏空了，易碎，需要保护。拍片那段时间他常用圆珠笔把各种提示写满手臂，还写了整整六本拍摄笔记。

有一次听他讲去献血，一下子献了四百毫升。我说，太多了吧。他说这样好，将来家里人有需要，就都能用上免费血了。

献完血，他去问医生：能让我摸摸我的血吗。

他就伸手摸了一下装血的塑料袋。他说：那么暖和，我的血。

2010年他跟我说，一听谈钱就恶心。2011年春天，他来深圳放映《余光之下》，后来有客家人请他继续跟进拍摄客家人的生活。2012年4月，他从闽西来深圳到我家玩，带来一个十八岁的小"助手"，是闽西一个叫培田地方的农家孩子，在一所中专学中医，认识很多草药。邓讲了很多培田村和他漂在北京的事儿，一直说到了天黑。

学校里不一定学得到什么，生活却催促他们长大。邓伯超身上的莽撞在减少，理性在增多，内心依旧狂野。据他说，在培田的拍摄可能还要持续一年。也是在2012年初，他忽然发给我一句话，大意是如果没有摄像机，这生命就没什么意义……邓伯超的故事由他自己说会更生动，我始终都愿意做他的一个读者和观影者。未来很多事都留待这个狂野的身体深处带着温度的年轻人自己去讲述，是他自己积蓄出这生命能量的。

晏恒瑶2011年夏天毕业。在湖南的父母想她能尽快在城里找个稳定的工作，或者离他们近一点。可是，她又去了她曾经不止一次去过的大理。我写过她讲述的那个在苍山半山腰上面对洱海的茶场。好像临毕业前她还跑去苍山茶场躲过一段清净。我也担心过，她还这么年轻，可别成了苍山隐士。

刚考上大学的时候，因为看父母在田地里干活实在太辛苦，一收到大学录取通知，她就把户口迁到学校，属于她名下的农田就被收回去了。这才不过几年，她并不像多数出自乡村的学生那么向往都市，反而总是被泥土和自然召唤，总想重新回到乡间。临毕业前，听她讲茶场，我跟她说，趁着年轻，可以看更大的世界做更重要的事，等到她四十岁五十岁，苍山洱海都还在的呀。很快，她就去了大理，在茶场里工作了。

几个月后，她告诉我正犹豫是否下山，去一家外资酒店工作。很快她就换了这份新职业，说要抓紧练英语。再过一段，听她说了正在这家酒店做着的四件事情：

一、再生纸印刷，尝试实现酒店用纸全部环保再生。现在找到的有印刷品和生活用纸的再生产品。

二、有机农场，了解有机农场的生产和大理当地的农业发展，争取早日开起×××（酒店名称）自己的有机农场。

三、了解当地人的生活状态，与环保咨询团队合作想出最适合当地发展的环保办法，融入社区并宣传环保的活动。这个团队是在上海专门从事环保咨询的，他们的专家来自世界各地，已经到这边来看过，我们正在尝试做一个更具体的方案。

四、茶，布置茶室，整理茶文化知识，策划云南的茶文化体验旅行。这是自己最擅长的一个部分。

在她的乡人看来，她从田里考出去读书四年，又回到了田里，这书怕是白读了。但是看了这有点枯燥的工作介绍，晏恒瑶的现在，和她死啃书本迎接高考时比，完全不是一个人了。一年前曾冒雨站在我住的小区大门口的她，当时还望不见未来，一个人想长大，可真快。

现在，有时能在微博上看见她发一张阳光照在洱海上或什么野花的图片，会打开图，多看一会儿，想她的心境应该比挤地铁的白领们平静安详吧。

2012年3月，在信里她说："想给自己办个护照了。"这九个字看着普通，对这个安静又坚定的湖南姑娘意义非凡。几乎所有的大学生一毕业都奔着城市，所谓的北上广当然有吸引力，像晏恒瑶这样认准了自己的路就一直走的并不多。我跟她说，这才是真正践行中的以退为进。

那次，和人去外面吃饭，感觉负责点菜的服务员有点怪，始终有点别扭，不拿正面对着餐台。她转身要出去，被我认出来了：是去年大一我班上的同学吗。她有点不自然：就怕老师认出我来，还是被认出来了。我说，这有什么，打工嘛，没什么的。细问了她，每周没课的三个晚上来餐厅，每次工作三小时。问她累不累。她说还行，赚点小钱儿，还被老师发现了，真不好意思啊。想起来了，她的名字叫郑瑞丽。

离开餐厅的时候，她又喊来一起打工的一个男生。我说：我还认不得你。男生穿着餐厅的制服说：刚刚上过海子的课啊。

秋季开学，郑瑞丽大四了，她说想来家里和我说说话，怕以后毕业就很难见了。那天，她喊上一个女同学一起来，好像没人陪着，她有点不敢独自来。而这后一个女生又在半路拉上个理科的陌生男生。一下子，这么三个不同的年轻人坐在一条长沙发上，场面有点散乱，各说各话。我心里很明白，真正有话想说的只是郑瑞丽，但是她还不习惯像一个成年人一样独自来串门聊天。

郑瑞丽带来一个本子送我，是刚刚在过来的路上专门买的。她说买了本子，就趴在校内小日杂店的柜台上，翻开新本子的第一页给我写信，有人经过就问：你这是急着写情书呢。她也不理。

三个学生走后，打开这硬皮本，看到她写了满满三页的信，只抄其中一段：

记得大一时，第一节课上，您让我们每个人写张小纸条，分别写自己来自农村还是城市，最喜欢的书是哪一本。我没有写，因为我不喜欢让别人知道我来自农村，而且我也不知道我喜欢什么书，因为我之前几乎没有完整读过一本书，除了课本。那时我对您是抗拒的，不想让您注意到，但是上了您两学期课后，产生了想接近您的想法，非常想了解您，因为……

直到这天，我才知道郑瑞丽是山西人。随后想起她在大一时候跟我说过，她和自己的妈妈缺少共同语言。想另找机会单独和她聊天，问这快四年时间里，除赚些零用钱外，读了什么书，学到什么东西，怎样规划未来。很快，海岛上的风也凉了，很快穿多几层衣服的学生们排队买寒假回家的火车票了，始终没找出机会同她聊聊。

2012年，用郑瑞丽送我的硬皮本做了这一年的日记本。

12月6号，以课上作业代期末考试结束，外面始终下雨，大家都走了，窗外满眼的花雨伞，教室中间只剩一个男生在白惨惨的日光灯下坐着。问他怎么不快去吃饭，他说等着雨停。他找了份送外卖的活儿，每小时五块钱底薪，每送一份外卖，五毛钱提成，一个月能赚八百元左右。

没带伞吗。我问他。

有伞，但是只要下雨，我就不出门，万一感冒了，这点工钱还不够看病买药呢。他又说，没办法，明知道下雨天是送外卖的高峰，我又最怕下雨。

他给我看正握在手里的新手机，看着够时尚。他说前不久弄丢了手机，先借钱买了这新的，现在的人没有手机一天也不行。所以找了这份工，努力赚钱还债。

我离开的时候，他继续坐等雨停。

后来有学生告诉我，去肯德基上"大夜班"收入最可观，晚上十一点半工作到第二天早晨七点半，每小时十元，比白班高两元，加了夜班补助，一个"大夜"下来能得到八十元。整夜工作之后，很难保证正常听课。一个平时专做"大夜"的学生家境困难，学费交不上，生活费完全靠自己平时打工，结果误了很多的课，结果是挂科，一旦挂了，就没资格申请助学金。他们才是一所大学中最弱势的群体。

两个月后在深圳，我家旁边的麦当劳门口摆出一张空桌子，上面立一个有字的纸牌：麦当劳招聘送外卖，月工资两千八百到三千元。想到独自坐在空教室里等雨的学生，如果把这间麦当劳平行移到那海岛大学附近，会不会逃课的人更多。随后想到在网上曾经见过一个女大学生站着上课的图片，太辛苦地打工，只要坐下去就会瞌睡。

课上说，诗歌课不奢望太多，起码能提示他们多感受生活中自然平凡又深邃的光泽。刚下课，贺如妍就急急地问：老师老师，你看见了吗，我的眼睛里有光。

当然当然，我都知道我看得见。

我知道有人用心上课，有人相反，也知道有人领受任务，把课上的某些情节上报。但是我不想搞甄别，甚至很怕哪个有任务的暴露了。上课的这个学期，我得均衡地喜欢他们中间的每一个，不偏不倚，不亲不疏，他们"夯不朗"都是孩子，都喜欢他们。

所有的闪光，并不是我给他们的，是他们自己的。读诗的课，没经任何提示，几乎没有人长吁短叹模仿"电视腔儿"，多是平静的念诵，而不是肉麻的朗诵。每个人上台不过短短几分钟，脸上也浮溢出幸福。印象最深的是大二的雷雅婷，一屋子的人看着她喜盈盈地有点不能自持地读着诗，真是舒服。

有个男生上台来准备朗诵杨健的诗歌《暮晚》，又出现了张着嘴却硬是说不出方言，他赶紧喊一个女生上来帮忙一起念，两个人都在台上了，都读不出方言。男生有点为难对下面说："这是在家里跟父母才能说出来啊……"下面哄笑："就当我们是父母呗。"我在学生中间坐着，有女生从后面对我说：遇到这种场合，就是说不出老家的话。

虽然可能有障碍，一听说方言读诗，大家很快乐，纷纷来问：我们山西有没有什么诗人？我们河南有什么诗人？来自四川的会骄傲地说：我们要念《中文系》嘛。川话版的"中文系"三个字说出来，千回百转地好听。

李婧给大家读自己的诗"我就是我",事先有解释:是十一岁时写的,写在因早恋被父母老师批评以后。几句话很简单,她脸上显出了不屈服。成人什么时候真学会在意孩子的感受,这社会才开始学着正常。

广告专业的赵青山带来个小本子,抄着平时写的十几段分行文字,他说不知道这叫不叫诗,只知道写出来心里才安慰。我跟他说,这是写作的最自然本真健康的状态。也是赵青山,听了雷平阳的诗《祭父帖》,发来短信说,想到自己远在贵州上了年纪的父母。

来自岛上的男生多温顺平和,总来蹭课的理科生叶长文和中文的郑纪鹏都是好性格。叶是学草的,"草科专业",听着好像技校啊。他是澄迈人,会提着一小袋鲜海鱼生姜片大蒜头做鱼汤。郑是陵水人,从小是听海潮声睡觉的,他说海滩有什么好啊,过去海滩就是村上的坟墓。叶和郑都正在写诗的年龄写着诗,写得比起我二十岁时候好多了,写的就是心里所想,没看出名利对他们有多少诱惑,这都是真写作者该有的境界。他们的短诗分别发表在2012年的《南方都市报》九零后诗歌专版上。能感觉到,他们开始进入我课上对他们说的另一个层面:写诗对少数人的重要是可以救命的。

在邮件里自称"小瓶盖"的女生,湖北人,每次有课的早晨,她都会比我先到,坐在教室正中间的位置上,眯着眼睛对笑一下,刚匆匆赶路的我安稳下来,弯腰到讲台下开电脑。

期末,陈萍交给我一张纸,一打开,是铅笔的工笔画,开花的枝头落着两只鸟儿,画得好细致,很像农家妇女家传的绣样儿。下课后找到陈萍,想请她在画边写上她的名字。她说不用了,老师。就没勉强她。她是那种天然和老师保持距离的,但是她心里自有她的暖意,这幅画她得一笔一笔画两三个小时。有一次路上碰见陈萍,那天她特快乐,说要去银行办生源地贷款手续。这种贷款每年只在暑期接受申请,贷一次六千块,申请起来很麻烦,这也迫使她每年夏天必须得回家,不能留校看书打工,也不能去别的地方。今天贷款下来了,她很高兴。快期末了,贷款不到,交不上学费,考试、回家买票都受影响。那天陈萍穿得真干净，只能借用最俗的话"眼前一亮"形容，白裤子，黑白碎格子上衣，鸭舌帽，真是好看。

一个已经毕业两年的学生跟我说起生源地贷款，说本来准备还的，被别人阻止了，都说看看这社会吧，凭什么你借了那么点钱还要还？他一听就决定先不还。

停课以后，请了五个同学来玩。五个人，两个家长是做建筑的。王胜强是贵州凯里人，父母都是苗族。说起帮爸爸在建筑工地干活，他说那一行钱不少挣的，砌砖一块一毛五，一般人一天砌两千块，就是三百元。工地上有个厉害的，一天能砌砖四千。问他苗人习俗的保护，他说，暑假刚回家看见母亲在染一块布，到走的时候，那块布还没染完，传统的方法都是这么慢的。我问，得多少天能染完？他说不知道，反正妈妈总在染，四十多天的假期，从他回家第十天开始染。另一个家长做建筑的是女生，她去过现场帮工人做饭，对工地上的细节知道一些。第三个同学说他爸在虎门打工。另两个没说到家长的，我没问。从这个学期开始，除非学生们自己主动说，我会尽量避免问他们家长做什么的。

我此前写就的《上课记》成书出版，寄给在安徽阜阳做电视的几个学生，都是书里没有记录到的我第一次上课时的学生，2009年就毕业工作了。

蒲晋松收到书后发来短信说，他前些天收养了几盆被同事养得快死的花，现在看它们都长出了新绿的叶子，很有成就感。蒲一直都有菩萨一般的心怀。

亢松在做电视外，业余时间还给当地的学生讲课，他说："我现在给编导学生上课的前十分钟内容是读几页《上课记》，就像老师当年给我们读许三观，嘎嘎，盗用了王老师的授课方式。这样做的实际效果很好，因为王老师写的东西画面感极强，恰恰是现在的编导学生需要学习的。因为看前面的内容勾起很多回忆，把《许三观卖血记》找出来又看了一遍。和第一次读的感觉大有不同，毕竟这一次读多了六年的经历，但是六年却让我在看同一部作品时更难过了，看到最后许三观走在大街上哭时甚至要跟着一起哭了。"

不知不觉都长大了，更多的成长，藏在看起来毫不起眼的琐碎中，像有小闪光的碎银子。

教师节，她和她男朋友一起来坐，他们是同班同学，现在都工作了。

两人带四枝花进了门。我说干吗带东西。她说：工作了，有工资了嘛，我们老家那边教师节才兴送礼呢。花不要，老师直接告诉学生说不要送花，花是送死人的。

后来常能接到她的电话或者短信。

她说，毕业大半年了，太快了，好像才一星期。

她说，有时候想的怪，想眼前这些能动的，都是人吗？

她说，老板特能骂人，有时候骂一下午。带我出去谈事，喝酒吃饭，一顿饭好几千，各种酒都在餐厅里留住的，随时来随时都有的选喝。一顿饭总使眼色，让我拎着红酒瓶，挨个敬酒，还说看我有潜力。当时好怕，都喝了两瓶了。还有白酒，红酒还是成箱的。我怕了，给亲戚打电话，亲戚在深圳那边知道得多，他说这情况不要理什么礼貌不礼貌，你就走。结果直接走了，老板老不高兴。后来又问表姐，表姐说社会都是这样的，你要自己把握好。

她说，平时要特别小心留意老板带过来的人，说不准就是个什么领导，得罪了不行的。平时老板从他的房间里走出来就是来骂人的，经常骂一个设计师，设计师是个男的，毕业好几年了，怎么骂都不出声。这个人老实，曾经在一个完全没有窗的小屋子里做了一年的设计，到最后他都不会和人说话了，后来渐渐才恢复，是个好人。前几天还帮我挡酒，直接说她不会喝酒，老板就立着眼睛盯住他。

她的这份工作是个人经营的小影视工作室，从实习开始工资从一千二，到后来谈到一千八，但是这钱并没付，她被辞退了。即使每月一千八，租房加吃饭一定紧得很。

下面是她换了新工作后的来信片段：

感觉毕业以后，自己一直生活得难以控制自己，我写的那些方案都是我自己所厌恶的"蓝天白云"，所以，我只清晰地记得每次要写蓝天白云一类的词语的时候，我整个人就好像要掉进某个混沌的深渊一样。我一直在告诉自己，吃饭重要，养活自己重要。我想如果您看过我写的解说词，您估计都会心里不舒坦，怎么以前说甩掉的好词好句又出现了？回想毕业后的生活，我清晰地知道自己不够勤奋，也不够努力。我发现我的记忆力严重下降了，也不知道某人某动作，想不起什么放在哪里，想不起什么时候谁和我说过什么，整个人一出门，就是一个模糊的影像……

刚被辞退时，听她一时不知所措的慌乱的话：新签约的租房啊，遍地东西，还有一条狗……那语气，一条狗就像一个婴儿。

我只能走到窗口，长长地出一口气：哎。

大家一起出教室，走了半路，才知道他不是我的学生。两条赤着的胳膊，像个健硕的健身教练。他说他今天专门来旁听，从重庆来。

他说，老师是东北人，我在东北呆过。

我问：在东北上学吗？他说，不，打工在东北。

四年前参加过高考，他收到了一所高校的录取通知书，学校不太出名，考上的是中文教育专业，但是没去报到，直接去打工了。这中间换过很多地方，干过各种不同的活儿，几天前来到海口，想找工作，感觉这地方不错，很散漫没压力。他带着点骄傲地强调"我干的活儿都是出力气的"。同路一个男生总抢着压下他的话头，似乎嫌他这样"混进"校园的人路数不正，而他又急于想插进来谈话。

他忽然问：你怎么看纹身？他侧一下肩膀，露出一块刺青。

我说：这是个人的选择，别人无权干涉。

他说：但是我妈就说这不好……

隔了十几天，碰见他正在路边等人，这回袖子稍长，遮住手臂，看他就是校园里一个最普通的戴眼镜的男生。虽然做力气活儿，他不是晒得黝黑的那种。

他叫梁峰，重庆忠县人。他妈妈给他起名"峰"，用意是未来的山峰得靠他自己攀登。2007年参加高考，又放弃读书。这几年在社会上谋生，成了个漂泊的人，吃了很多苦懂了很多事。

他说：海口让人失望，节奏太慢，消费又不低，工资又不高，当地人都太淡定了，生活这么差还不思进取。真是佩服啊，受不了这儿了。

他想去上海，听说那边泥瓦匠一个月能赚三千多，这几天就走。看得出，他喜欢大学校园的气氛。他的脑子灵活无拘束，有时跳跃大。

他说：说什么仰望星空，这话太空了，就是人活着要让自己活个明白。

他说，在东北的时候，租住的地方有一个很陡的坡儿，遇见推车爬坡吃力的，他会上去搭一把，别人会回他一声谢谢。每次听到谢谢，他会心酸。

我问，为什么是心酸？

他说，也许就是感动吧。

他说，别人以前总是说他还小，好像看不见他其实长大了。

他说，要去学一门手艺，有手艺挣钱多。

那天时间充裕，所以从图书馆又说到上课，又说到读书。他身上有那种什么苦痛都不吝的快乐。

后来，2012年的三月接到过他的电话。他说正在杭州工地上，不错。

学生们告诉我，以后像梁峰这样来旁听的进不来学校了。图书馆正在试一种刷卡机器，以后进图书馆进校园都要刷卡了。

最后一课是12月23号星期五，下课铃响的同时，赶紧问他们，我手里的学生名单上有两个名字后面完全空着的，没有任何作业记录。

很多人已经出门了，有人说×××让垃圾给砸了，住院呢。有人停在讲台旁边，很平静地说××在开学没几天的晚上睡着睡着就过去了。哦，想起来了，这两件意外我都知道的，只是怎么也没想到，两个人都出自这同一个班。我小声问：这睡过去的男生来上过课吗。有人说：好像来过前两次吧。

被垃圾砸到的是女生，是在我没课的上半年，宿舍楼上从天而降的大垃圾袋砸伤了她，听说很严重，还在康复中。

而睡过去的男生前一天晚餐还吃过火锅，夜里就去世了，听说心脏有潜在的疾病，听说家境贫困，父母都赶来了，家里还有一个读书的弟弟。同班同学搞了校内募捐，一个参与组织的学生说真费劲啊，在学生食堂那儿，募款好难啊，像要饭似的。

有同学在作业中说：前不久，我们班××同学不幸离开了我们（因病），以及上学期我室友突然瘫痪之后，我突然不相信未来了，未来那么远，谁知道明天我会遇到什么，还不如好好过今天。我来上课，不是为了期末考试，为几年后的毕业，找工作，而是因为今天好好生活的内容包括好好上课。

我拿起笔，在这个男生的名字后面画了一个圆圈，做老师七年来第一次经历学生名单减员。

四个月的课程，三百八十一个学生实际是三百七十九个，表面波澜很少，足够平淡，可回味起来，都是活生生的生命的信任和托付，实在糊弄不得。

全文写完是2012年5月4号，碰巧，打开电视，一通冲人的铿锵朗诵，全国大学生庆祝五·四的晚会，每个唱的跳的其实都是疲惫的身脑分离的，未来社会将不得不承受这分离的后果。5月5号网上贴出湖北孝感一高三学生教室里"吊瓶班"的组图，居然借口是国家给学生补充能量。四月底，我的大学同学聚餐，见到一个深圳初中生，她爸爸直接把她从学校接出来赶到餐厅，小姑娘还穿着校服呢。路上她爸爸提醒她，餐桌上可都是大人的话题。她说：随便你们谈什么，任何话题我们都讨论过。天啊，1999年生，才十三岁。

饕餮在六零年

杜 元

　　我们这地方的老人们，习惯于把"困难时期"那三年统称为"六零年"。原因可能在于，三年中1960年是最为困难的一年。

一

　　那年我姐小瑞十九岁，上大二。她考上大学以后，户口和粮食关系都转到了学校。学校食堂吃不饱，小瑞就时不时回家找吃的。然而，我们在家里也吃不饱，这样小瑞回家就成了一件招骂的事情。不过，家里虽没人欢迎她回来，可骂她的其实只有我一人。我那年十二，是五年级小学生，已经很有一点权利意识了。在我想来，小瑞既然住校吃食堂，就和属于我们的粮食没一点关系了，她回家来吃，就是吃我们的，就等于剥削。

　　我家是一个多子女家庭，父母生育有六个子女。小瑞是老大，品学兼优，人又长得好看，是我父亲的掌上明珠。她下边是我哥小林，我是老三，女孩子里我行二。小瑞常骂我"二奸臣"，我之所以成为奸臣，是因为小瑞回家来找点填补的时候，小林不说什么，我以下的弟妹们还小，也说不出什么，这样我就成了小瑞唯一的反对者。学校开饭早，小瑞往往是在食堂吃完饭后匆匆赶回家。她的学校离家不近，有五公里左右。她回家差不多总赶上开饭。每当小瑞走进我家院门，低头往家走，我就狠狠地嘀咕，又回来剥削来了。大声说是不敢，怕挨父母训。

其实小瑞剥削的一般不会是我们这些弟妹，而是我母亲。母亲总是说，小瑞回来了？来，坐我这儿。于是把正吃着的半碗粥或者半个菜团子推给她，自己走开。小瑞很快吃完这点东西，一声不吭地起身出门，再走回学校去。

那天小瑞从院门口进来时，天都快黑了。我一直盯着她进家门。父亲命令说，你们几个都把碗里的粥分一点给你姐。我不动，弟妹们学我也不动，只有我哥小林把粥碗推给母亲说，分吧。母亲把小林的碗又推回去，站起身说，小瑞，来坐这儿。母亲的碗里还有大半碗粥。小瑞正要坐下，父亲却突然发火了，斥责道，小瑞，你怎么这么不懂事？你户口在学校，回家来吃谁的？你每次回来你妈都把饭让给你吃，你这么大了，怎么忍心？我接茬说，就是。小瑞狠狠地盯我一眼，站那儿愣了一会，然后扭头出门走了。出院门时，我看到小瑞左一下右一下地在脸上抹。母亲要追出去，父亲说，别管她，让她走吧。母亲不吃了，走进里屋去，父亲也放下碗不吃了。于是我们五个很快把父母碗里的粥分开吃掉了。

六零年国庆节，每个市民增供二两肉半斤白面。母亲好几天前就说了过节给我们包饺子吃，我们一直盼着馋了好多天。国庆那天我参加活动回来晚了，一路上饿得直不起腰来，越想饺子越是饿，心里还惦记着母亲是否给我留够了量——按照我的定量应该留二十四个。不想，我进家门正碰上小瑞出门，她说了一句，跟你说啊，你的饺子我吃了几个啊。挺理直气壮的样子，说完扬长而去。我气得浑身打颤，赶忙看我的饺子，竟然只剩下九个了。我哭得上气不接下气，母亲闻声从里屋出

123

来，我冲着她大喊，我姐把我的饺子都吃了，我怎么办？她怎么这么坏，比地主还坏！母亲只是淡淡地说，这不是没都吃完么？她不是你姐么？说着给我把那九个饺子煮熟，放在桌上走开了，竟没有因为我吃这么大的亏，给我一点补偿，连半碗面条都没给我加。那九个饺子我本想用不吃来抗议，可是实在太饿，三两口就吃掉了，吃完好像比没吃还饿。那时，我和弟妹们都不去想，我们在家里饿有母亲想法子，而小瑞饿只能自己想法子，她唯一的法子就是回家。

从那以后我更恨小瑞，小瑞也早觉察我的恨意，以同样的恨回报我。我们这一对相差七岁的姐妹就这样一直恨着，直到困难时期过去。小瑞六三年大学毕业，分配到伊克昭盟①工作，离家远了，聚少离多，我们渐渐地不再表现心中的恨意了，不恨了。但是，我们之间老是存在一个"空洞"，感情上很有距离。现在我们都进入了老年，我怀疑，小瑞是否至今仍然认为我是"二奸臣"。

小瑞不仅对我，对我们的父母，对除小林以外的几个弟妹，也都有着一层隔膜。看她那意思，好像我们这个家，早就单单把她一个人排除在亲情之外了。在不经常的聚会中，她总会以开玩笑的口吻吐露积怨。虽然知道她不是开玩笑，但是她所说的，都不是有关六零年的，都是些微不足道的小事，唯独不提当年她跑远路回家找饭吃受训斥、受气的事情。我们也都不提，这是我们之间唯一的默契。如今小瑞已年过七十，她亲近一些的只有小林。

我哥小林六零年时十六岁，上初三。家里的所有重活几乎都归他，如买煤买粮提水劈柴等。小林挺聪明，学习好又有文艺细胞，《唱支山歌给党听》曾在全市中学生文艺汇演中得过一等奖。那年他已经长到一米七七，高而且瘦，我母亲形容他说，就像一根"晃竿子"。

小林最重的活儿是去买"糖菜渣子"。呼和浩特市的人，那些年差不多都吃过这东西。这个地区产甜菜，农民称甜菜为"糖菜"，市民们也跟着这么叫。1958年大跃进时，在西郊建起了糖厂。六零年这座城市的人们因为糖厂的废渣而受益匪浅。甜菜提炼过糖之后，渣

---

① 鄂尔多斯市的旧称。

子就没一点甜味了，因为提炼加工时加入了化学药剂，所以有一股怪味。买回来之后要用水泡，泡好长时间，再淘洗几次，使劲挤干，那就什么味也没有了。剁碎了掺在玉米面或者"九零粉"、"全麦面"里，就可以做成菜团子，掺在小米或者高粱米里，又可以熬成菜粥，除此之外还有好多种吃法。这东西没什么营养，但是可以吃到嘴里，用来填充肚子。过去，糖菜渣子是喂猪的饲料，六零年变成了人吃。

小林差不多每隔一个月就去买一次糖菜渣子。早晨母亲会在他应得的一份早饭之外，再给他加一个窝头或者一碗粥。然后他就拉着母亲借来的排子车上路。我家住城东，糖厂在西郊，相距有十多公里。糖菜渣子论车卖，小林装车就尽可能的瓷实尽可能的满，一车差不多有百多斤吧。早晨出去，下午两三点钟拉回糖菜渣子来，他的衣服会被汗湿透，人累了就更像是一根"晃竿子"。有时候我家西邻刘殿文刘大爷会和小林一起去，两家一起买或者帮我家买，那样小林就轻省多了。

晚饭时，小林三两口吃完属于他的那一份，就坐在那不动，等着，好像看是不是会有一点奖励，加一点量，因为干了重活。但是有我们这些弟妹盯着，加量是不行的，要加我们也要加。再说，早饭已经给他加过了。小林就看我们吃，一直等到我们都吃完为止。我不知道母亲是否会悄悄给他一点吃的，这是有可能的，但是在我们狼一样的目光下，母亲也很难给小林特殊的照顾。

我们都怕父亲，而小林格外怕，因为父亲对他格外严厉。六零年，小林因为吃，多次挨过父亲的责罚打骂。有时候真是因为偷吃，有时候则是因为被冤枉而挨打。多数情况下，小林受罚，是由于我们这些弟妹们的告发。

小林曾经在我家菜窖里偷出过胡萝卜，跑到院门外，在树皮上蹭蹭泥，嘎吱嘎吱咬着吃。胡萝卜是入冬时按人头供应的，稀缺的好东西。只要发现了小林的劣迹，我们是一定会告发的。那样小林就会被父亲狠狠教训一顿，小林那时和父亲已经差不多一般高了。父亲认为，一个"饿"字不能解脱偷窃行为的严重性，那事关品质，是一辈子如何做人的问题。小林总是不吭一声，也不躲避父亲的打骂。他这样父亲就更生气。

那年秋天，我和小林到郊外去拔野菜，那是本地人叫"灰菜"的一种野菜，也有"老来红"。拔回来，人也吃鸡也吃。野菜吃起来有土腥味也有苦味。近处被人拔完了，我们越走越远。正饿得不行，发现一片还没"起地"的萝卜地。小林出主意说，咱们偷几个来吃？我很同意，小林匍匐蛇形爬进地里，我放哨，怕被看田的人发现，吓得心咚咚跳。他挖萝卜用手刨土蹭掉了手指上的皮，我们两人用萝卜填满了肚子。回到家我一如既往向父亲报告了小林的劣迹，父亲刚要发作，小林跳起来骂，说，你没吃？你没吃？你这个叛徒！父亲转脸盯着我看，我噎在那里。

那些年，不止我，弟妹们也总是爱向父亲告发小林。我们也相互揭发，都不同程度受过罚——没有一次不是因为吃。揭发别人以后好像有种满足感，可以填补肚子里的空缺似的。

我家的供应粮到月底就更显得紧张。那年有一个月最后一天，玉米面口袋里只剩一点底子。于是母亲把所有的口袋都拿出来抖，翻过来抖，用笤帚扫。抖完扫完用秤一称，有七八两，这一顿晚饭就吃用"杂和面"加一些土豆和糖菜渣子熬的面粥。我家像很多人家一样，自制了秤。母亲每顿饭都要严格按照定量称出粮食来做，饭熟了再用秤按照定量给每个人称到碗里。粥没法称，就给大些的多一勺半勺。锅底上粘的粥舀不净，母亲怕我们争抢，就分配每人一次轮换着刮锅底。奇怪的是，就这样，往往到最后也会差一顿半顿的粮。院邻们也家家如此。

可是我有一次竟发现这原因有一部分是在小林身上。那天早晨，我老是闻见外屋有一股焦糊味，很香。那时对吃的东西，鼻子比狗还灵。仔细闻着找着的时候，小林显得很紧张。于是我更仔细地搜寻，最后发现炉灶里熄灭的炭上贴着一个凹凸不平的"饼子"，全麦面的。面本身就挺黑，这饼子就呈灰黑色。我正要大叫，小林吓得脸变了色，把饼子一把塞进书包，拉着我就往外跑。小林威胁利诱，我跟他讲条件。他最后不得不把一大半饼子掰给了我，那块饼子沾着煤灰，吃起来牙碜，半生不熟，粘牙，可还是很好吃的。这一次因为分了大半个饼子占了便宜，还希望以后继续分赃，所以没去告发。可我以后没再发现小林的类似行为，我敢肯定，他只是更小心没让我发现而已。

父亲患有严重的胃及十二指肠溃疡病，经特批他的供应粮全部为细粮。在我家，父亲受到每顿吃一个馒头的特殊照顾。但是父亲不能自己吃白面馒头，老让我们看着，时常分给每人一小口，剩下的半个自己就着菜粥吃。母亲每隔几天就蒸几个馒头，晾凉了锁在柜橱的抽屉里，那是数好了数的。但是，往往没等馒头晾凉锁起来，在母亲的视野范围内馒头就会失窃，少一两个。母亲气急败坏地挨个审问，谁招了供就挨顿打。但是多数情况下，问不出所以然，最后也只能不了了之，母亲不愿意让父亲知道了生气，更不愿意让小林受罚挨打。父亲总是认为，这样的事情只有小林能干出来，所以后来母亲只能在馒头还热着时就锁进抽屉。当然，多数情况下可能真是小林偷的，不过我也偷过，弟妹们也偷过。

虽然母亲提高了警惕，但已经锁进抽屉的馒头还被偷过一次。那个偷馒头的人不是小林，是我，但是受罚的还是他。那天，我拉开锁馒头的抽屉并排的那个抽屉，仔细察看，发现两个抽屉的最上方有一条窄缝相通。那时年龄还小，手也小，伸手试试，可以伸过去，再往里边探，竟然摸到了馒头。这个发现让我兴奋而恐慌，惟恐别人也发现这个秘密。我好几天没敢动手，但是心思是动了。

我常读小瑞的高中课本。那时语文书有两本，一本叫《文学》，一本叫《汉语》。我在《文学》上读到了鲁迅的《药》，我反复读关于人血馒头的描写，小栓吃人血馒头的一段让我很馋。我常幻想，要是有人给我人血馒头吃，该多好呢。那时我还没读过《水浒》，不然我也会很想吃人肉包子。

有一天放学家里没人，我的忍耐终于到了极限，把手伸过去，用一只手使劲把馒头捏扁，把扁馒头从那个窄缝里抽出来，藏在衣服里边跑到院外，几口就吃掉了。心跳得厉害，但馒头还是香的。开饭时，母亲开锁给父亲取馒头，立刻发现数不对，少一个。母亲惊慌而诧异，叫道，馒头怎么会少一个？锁着的怎么会少？我锁得好好的呀！我等着母亲挨个审问，惶恐中也做好了招供的准备——这次是从锁着的抽屉里偷馒头，不是一般的偷，我承受不住掩藏这样大过错的负担。但是，父亲大怒，已经不由分说地断定：锁着还能偷出来，不是小林还能是谁？我当时很希望他问问小林，是怎么偷出来的。但是他不问，一把抓着小林就是好几个巴掌。

小林因为确实冤枉，跳起来脸红脖子粗地大喊，不是我！不是我！父亲更加愤怒，做了这么恶劣的事情，还敢顶嘴抵赖？于是下手更狠。小林哭喊道，打吧打吧！打死我我也不承认！母亲拦住父亲，痛心地责备说，小林，你怎么能三番五次这么做？你爸爸身体这样坏，老是胃出血，你都不想想，我为什么把馒头锁起来。要是你爸爸倒下了，咱们一家人怎么办？小林脸色煞白，盯着母亲一言不发，然后，跑出家门去了。我看着，心里又悔又痛。到天黑透，小林也没回家吃饭。母亲请邻院刘大爷满街去找，刘大爷直到我们睡下才把小林找到送回家。刘大爷劝父亲说，小林还不是让饿给逼的？又回头对小林说，小林，以后再别这样干了啊。小林没吃晚饭就睡了。

但是这件事情还没就此了结。父亲越想越气，到半夜也没睡着。突然他跳起来，跑到外屋，一把将迷迷糊糊的小林从被窝里拉出来，说，你给我滚出去！这个家不要品质这样坏的孩子！小林一声不响地穿上衣服，推门走了。母亲拦也没拦住。我听着动静，小林的脚步声一直响到院门外。我的心很疼，而事情的严重程度更使我不敢说出真相。从这以后，锁着的馒头没再失窃过，因为我不敢再干了，其他人也没发现这个"通道"。所以小林到底是怎样偷出馒头的，对父母来说始终是个谜。几十年来真相一直在我心里梗着说不出来。

小林他们班有一位姓许的男生，在班会上说，粮食紧张，让他们母子的关系也变紧张了。结果因为污蔑社会主义制度而被开除。我母亲嘱咐小林，在学校千万不能胡说八道，不能说饿，不能说你爸爸打你。

小林六三年以优异成绩考取了医学院，父亲在世时，他已成了我们这里小有名气的外科医生，算是子承父业给父亲挣足了面子。小林对父亲恪尽孝道直到父亲去世。他两人在一起时，可以谈社会上的事，谈世界上的事，可以谈得很热络，但是家人知道他父子从不交心，不相互提要求，关系有点像朋友而不像父子。父亲去世多年后，一次家人聚会时，小林突然问我们，你们都说说，爸爸是不是只对我不亲？

二

我父亲全名杜敬之。我母亲叫孙蕴德。

母亲经历过民国十八年大饥荒。那年她七岁，曾带着比她小两岁的舅舅，提着小桶去外国人的教堂领"善粥"。舅舅半路上饿得晕过去，母亲从河里舀水浇醒他，还接着走。小时候听母亲说这些旧事的时候，我们像听故事，觉得虚幻得很。没想到六零年我们也会经历饥饿，我母亲也没想到。

母亲算是知识妇女，初中毕业后，又考上西安护士学校读过两年。她会唱王人美的《渔光曲》和周璇的《四季歌》。在护士长的职位上，她一直做到生了我小妹、她的第六个孩子，才辞职回家成了专职主妇。六零年，她为家人找吃的能舍得出脸。

党委机关位于我家附近。母亲打听到党委食堂，找到那儿去，在厨余垃圾里翻找，拣出可吃的圆白菜帮子和菜把子（菜根）等，用麻袋背回家来。菜把子削掉皮腌成咸菜，菜帮子去掉腐烂的部分剁碎拌馅，蘸着水把玉米面拍在攥成团的馅上，做成皮极薄的大馅包子，这是她的绝活。这种包子比起糖菜渣子做的东西要好吃得多。后来有人和她争着捡菜叶，她就进到厨房里去捡。她在大师傅身边等着，大师傅丢一个，她捡一个。大师傅嫌她碍事，呵斥她，赶她走。她不走，第二天还去。过些日子，大师傅不赶她走了，还帮着她收集菜叶。很多年后，她才说起这情景，父亲跺脚说，你怎么不早说？

六零年秋冬季节，母亲和街邻章富义章大爷结伴，到郊外农田里去捡土豆。说是"捡"，其实是在农民已经收获过又犁过一遍的土地里，一锹锹翻找遗漏的土豆。农民也缺粮，不会有多少遗漏。那是把土地再翻一遍的活儿，我和小林星期天也会跟着一起去，捡到的土豆大多是铲成半拉的，或者很小的。有时地翻了一大片，一个土豆也没翻出来，而有时运气好一下翻出两三个，那就干劲倍增了。时间长了，母亲就有了经验，看土色就知道哪块地土豆可能长得多，长得好，也就有可能遗漏得稍多一点。

每天早晨，母亲天不亮就起身，给我们做好早饭和午饭，就背上水壶和装着两三个菜团子的布袋，扛着铁锹走了，那个布袋子也用来装地里的收获。往往天快黑时她才回到家。到了家不休息不吃饭，先把一天的收获过秤。有时多一些，七八斤，有时少一些，三两斤。母亲还会捡一些小芥菜、小蔓菁或者一些干菜叶子萝卜缨子拿回来，都好吃。

一天我和小林站在城门口等着接母亲。朦胧暮色中，远远听到母亲和章大爷的说笑声，我们很高兴，心想，今天一定丰收了吧。走近了一看，口袋竟是空的。母亲笑着说，咳，挖了一天算白挖，都让人家队干部给倒下了，没收了。晚上父亲说，明天就不去了吧。母亲说，哪能每天都被没收呢？还去！

土豆越捡越少，母亲就越走越远，这让母亲认识了城郊的好多村庄。最远的一天母亲走到了离城十多公里的小黑河村。一直到初冬，地的表层都上了冻，母亲还是去捡土豆。她先选好一块地，就坐在地头看着等着。不看着，这块地有可能被别人"抢走"；不等着太阳晒一会，地还挖不动。记得那一天——1960年11月13日，母亲照常早早起床，我听到她说了一句：呀，下雪了，没法去捡土豆啦！很遗憾的声音。父亲应道：好的。声音显得很轻松。两个多月时间，粗算下来，母亲捡回的土豆有两百多斤。

母亲捡回的其实是粮食。那些年，土豆不算蔬菜，秋天按人头供应的土豆，每五斤要扣掉一斤供应粮。后来红薯干红薯粉也算在供应量中。细粮的比例很低，九零粉、全麦面都算细粮。那年还供应过稗子面，我们这里不生长稗子这种草，不知是从哪里运来的，竟能够供全市人吃。那两三年中，月供每人三两棉籽油三两带骨带皮肉。当时人们并不知道，棉籽油是有一定毒性的，当然就是知道了也会照吃不误。政府曾有一个号召，叫"少吃粮，瓜菜代"，但是蔬菜也按人头供应，就没法"代"了。那年暑假，我每天拿着"菜本"排队买供应菜，我家八口人，一天菜的供应量只够买到大半个葫芦，或者半个倭瓜，或者三个茄子。油水少，蔬菜也少，粮食又打了许多折扣，人就饿肚子，越饿越能吃，越能吃越饿，人人的肚子都变成了无底洞。

六零年我家养着十三只鸡。好多人家都养鸡，不是为吃鸡蛋鸡肉，是为了吃鸡饲料——麸皮和米糠。那时，给鸡供应的饲料大部分都被人吃掉了，受着这样的剥削，鸡们只能是苟延残喘，母鸡不下蛋，公鸡不打鸣。鸡饲料是按照"鸡头数"来供应的，每只鸡麸皮三斤，糠一斤。人有"购粮本"、"购菜本"，鸡也有"饲料本"。每个月都由居委会的干部陪同粮站工作人员来核查鸡的数量，随时增减，没人敢弄虚作假。母亲把麸皮或米糠和在玉米面里或者其他的面里，再加点糖精给我们蒸窝头吃。只要能吃到嘴里，没有什么东西是不好吃的。

我记得六零年除夕，母亲问我们说，明天过年，咱们改善伙食，想吃什么？我哥顺嘴答道，不用吃别的，就吃一顿不掺麸皮和糠的纯玉米面窝头，尽饱吃，行不？初一那天，母亲给我们做了肉包子，还是要分份的，不尽饱。白面是发过芽的麦子磨的，包子粘在笼屉里拿也拿不出来，母亲用铲子把包子连皮带馅给我们铲在碗里，吃起来有点像年糕。

那年我们这里很多人都得了浮肿病。我们全校同学在操场排队，挨个撸起裤腿让医生在腿上按，差不多都是一按一个坑。我们都非常希望确诊有病，但是浮肿得不厉害不能算病，也就没资格去领一小包"康肤散"——一种用麸皮细糠加黄豆面和少许白糖做成的营养药，一包有一两重，非常好吃。我母亲浮肿得厉害，但是她从医院开回的康肤散也都分给我们吃了，有时没等分就被我们偷吃了。六零年母亲三十八岁，也在这一年她坐下了胃病。二十一年后的1981年，母亲终因胃癌去世。

父亲一直是油瓶子倒了也不扶的甩手掌柜。母亲去捡土豆，父亲就不得不承担许多家务。他中午必须尽快骑车从单位赶回家，手忙脚乱地生火，给我们热饭分饭，喂鸡，接送小妹上幼儿园。母亲回来晚，晚饭也得父亲做，他还要教训因为吃而吵嘴打闹的我们。这对他来说是很重的负担。

父亲训斥小瑞、惩罚小林的事情是在六零年的后半年。这之前的五九年秋到六零年夏，父亲是在北京的中央社会主义学院学习。当时，在北京图书馆工作的我的堂兄杜克，还是一个单身。因为杜克学业优异前途可观，父亲相当喜欢这个侄子。他也很懂得孝敬，在大半年的时间里，他硬从牙缝里省下了一些饭票，换成全国粮票送到了社会主义学院。说，叔叔可以用这点粮票"补充补充"，也可以在结业返家时，给弟妹们买一点礼物。

那个礼拜天，父亲上街准备买两个烧饼补充补充。排队快到食品店窗口时，一位北京口音，衣着像是干部模样的妇女走上前来，对父亲说，同志，我可以用五斤北京粮票换您的全国粮票吗？我最近要出差，帮下忙好吗？父亲说，好啊。就把五斤全国粮票和那位妇女做了交换。等到父亲把钱和粮票递到售货员手里时，售货员的一句话，差点让父亲一头栽倒在地。他说，同志，您的这五斤北京粮票过期好几天了，已经作废了！父亲接过粮票，摘下眼镜仔细看，果然已经过期。当时地方粮票有期限限制，全国的没有，父亲不大了解这情况。再加上拿着全国粮票买东西的差不多都是外地人，父亲又深度近视戴厚片眼镜，就被人瞄上了。父亲蒙头转向地往回走，走反了方向，回到社会主义学院，把晚饭也误了。

后来父亲把剩下的五斤粮票一直揣在身上，怕放在宿舍弄丢了，没事老是拿出来看看。离京前一天，父亲到王府井去，心想这回谁换也不答应。他在食品店买了三斤半挂面，两斤稻香村桃酥。售货员把七支挂面打成小捆，桃酥两个油纸包用纸绳拴成摞。称点心的售货员还特意用双手捂一下桃酥包，嘱咐父亲说，同志，小心啊！父亲道过谢，但是并没有理解话中的含意。他一手挂面一手桃酥提着走，还剩下的三两北京粮票准备去吃碗面。正走着，冷不防从背后冲过来一个人，一把就夺走了那两斤桃酥。这人双手捧着点心，低头连包装纸一起猛啃着吃，边吃边跑一会儿就跑远了。父亲愣在原地，半天不知道怎么回事。一个老太太走过来安慰他说，幸亏挂面没让抢走。可得小心呀！哎呀，这些盲流……父亲没去吃面，把那三两粮票连同五斤过期的北京粮票一起夹在他的课本——艾思奇的《辩证唯物主义与历史唯物主义》里带回了家。后来还拿出来看过好几次。

我父亲早年从山西汾阳医学院毕业以后，又到日本京都帝国大学留学三年，抗战伊始回国参军抗日，参加的是国民党傅作义的部队，做了八年军医。他的个人历史可谓复杂，属于"统战人士"。被送往中央社会主义学院学习，正是上述原因所致。但是父亲反倒是有些不谙世事，一辈子受过大小好多次骗，到老年还被一个卖假金子的骗子骗过两千块钱。但是父亲最为刻骨铭心的是那五斤全国粮票被骗的事情。他在世时老说起这件事，说，人怎么能这样昧良心呢？

六零年政府号召大力发展"代食品"，大力推广"增量法"。其中"小球藻"这种代食品，是用人粪尿培养出来的。我们小学的班主任朱振顺老师，给我们详细讲授小球藻所用原料和培养方法，说她已经成功培养出了这种东西，并且给她的四个孩子实验性的吃过了，要我们回家去帮助大人培养。我们都跃跃欲试，但对这种东西，我父亲很感苦恼，坚决不允许我们培养。父亲学医出身，认为人粪尿只能作为种粮的肥料，绝对不能直接培养出吃到嘴里的代食品，说，这种做法很不科学，甚至是很可耻的。

但是，父亲却相信增量法。当时的《中国妇女》杂志上曾经介绍过好多种增量法。其中有一种许多人都用过。就是一个劲儿地往面里加水，一个劲儿地搅和，不停地加水不停地搅，然后发酵上笼蒸成"发糕"，就是少吃点面，多吃点水的意思。我父亲经过实验，独创了一种增量法：把菜粥放在火炉上没完没了地熬，一直熬得菜和米都分不清谁是谁，熬得没了魂，再端下来晾凉。粥凉了就稠了，原来是用勺子舀，这就可以用铲子铲成块再吃，这让我们很是高兴。父亲很兴奋很神秘地告诫我们说，这是咱家发明的增量法，咱们先用着，谁也不许外传啊。我母亲有点心疼熬粥用了太多的煤，不过还是忍不住把这种增量法传授给了院邻们。他们都说很好，有效。后来我们说起父亲的增量法都笑，父亲说，这可不是笑话。又说，什么叫增量法？

看着量增多了就叫增量法。

医生万存喜万叔，跟父亲是老交情了。父亲1940年代跟随傅作义在绥西抗战时，他是我父亲的护兵，同时也跟着我父亲学医。解放以后他在新城区医院工作，夫妇俩没有子女，把我们视作己出。六零年的一天傍晚，他来我家，正赶上吃晚饭，进门看到我们狼吞虎咽地吃糖菜渣子菜团子，就站在门口不动了，眼泪滴在了地上。第二天晚上，万叔又来了，把手里的布包往桌上一倒，倒出了几包康肤散。父亲一看就变了脸色，说，老万，你这是做什么？你是医生，这样私开药品是要开除的！父亲在卫生系统工作，知道这年头私开营养药问题很严重。万叔平时对父亲总是畏惧三分，这次却不说话，不看父亲，给我们每人递过一包康肤散，说，吃吧。父亲脸色很不好看，但是也没再说什么。后来万叔还给我们私开过一瓶叫"肝脑油"（音）的营养药，能和在面里烙饼吃，父亲也没说什么。

父亲的二哥，我的二伯一家和我们同在一座城市居住，父亲和兄长感情深厚，两家人往来密切。但是1958年伯父因肺心病去世，一年后，伯母带着两个女儿即我的两个堂姐改嫁了他人。父亲六岁就入私塾读四书五经，受封建礼教影响很深，对于伯母改嫁这事情很难接受，两家关系就此疏离。不想，六零年冬，将近一年没见过面的堂姐，一天突然骑车来到我家，放下一袋大约有二十斤胡萝卜，说，是我妈让给六叔（指我父亲）送来的。话说完一直看着父亲。可是，父亲只是问了问她姐俩的情况，关于伯母一句也不提。父亲不提，母亲也没敢问。堂姐走了以后，母亲对父亲说，这么困难的时候，二嫂还想着咱们，多不容易呀。父亲只是沉默。

父亲的三哥即堂兄杜克的父亲，在山西临汾干部疗养院工作。那年冬天，他来信商量说，很想来看望多年没见面的父亲。父母亲很是为难，不好说我家粮食紧张，又生怕三伯看到我们吃糖菜渣子这些东西。斟酌再三，还是回信邀请三伯来小聚，父亲特意叮嘱说，"来时要记着带够全国粮票"。母亲给他们老哥俩做小锅饭，做白面面条和疙瘩汤。但是伯父争抢着跟我们一起吃掺了麸皮的窝头和菜粥，把面条和疙瘩汤分到我们碗里。伯父在我家一共住了七天，临走时，留下了十斤粮票。伯父走后，父亲说，全国一盘棋，他们那里也是吃不饱饭，他怎么能不知道咱家的粮食紧张？因为在信里曾叮嘱伯父"一定要带够粮票"，父亲觉得太伤兄弟情分而懊悔不已。

睡意朦胧中，有时会听到父母的交谈。父亲总是很有兴致地回忆过去吃过的好东西，有不下三次听到他说起抗战期间，为庆祝五原大捷和朋友们在饭馆里吃的那顿饭。父亲说，八寸盘的扒肉条，五个馒头，我一人不知是怎么吃下去的。又说，这辈子不知还能再吃一回不。

父亲所在单位，那年冬天不知是从哪里弄到了几只黄羊，给每个领导分了一只，是剥了皮的"白条羊"，父亲这样的党外领导也有份。这属于当时官员的一种特权。黄羊学名"草原羚"，属野生动物，那时候草原上很多。肉粮都极为紧缺的时候，这膻味很重的黄羊肉当然成为罕有的美味。但是，有条件去打黄羊的单位极少，得具备条件，比如卡车、枪、子弹等等。现在黄羊因为过度猎取已经很少了，成了保护动物。父亲单位的工勤人员邢世文邢大爷负责替我父亲把黄羊送回家。老邢不是骑车，而是推着车走到我家，因为老邢饿得蹬不动车子了。老邢对父亲说，我腿抖得不行，得到您家里坐一下。父亲对母亲说，赶快，给老邢炖点肉吃。老邢坐在椅子上，一边喝着水，头上的汗一边往下流。肉炖熟了，老邢看着我们这群眼巴巴守着肉锅的孩子，起身要走。父亲急了，说，老邢，你也替我想想，就让你这么回去，我能过意得去不？老邢这才又坐下。"文革"期间，老邢对我父亲多有关照。这是后话。

后来，父亲单位还给领导们分过一次牛下水。父亲因为子女多，受到几位党内领导的照顾，分到了一个牛心。母亲给我们包了一顿九零粉的牛心肉饺子，极香。这辈子再也没吃过那么好吃的饺子了。

三

我家的东邻起先是李大爷李居义一家，六零年秋李大爷搬走后，石叔一家搬到了这里。李大爷是副省级高官，李大妈是居委会主任。

她家可能是我们这条街上数十户人家中，唯一没有挨过饿的。早在1958年冬1959年春，我们这里刚有盲流涌入时，李大妈就很精明地为以后的三年做了准备。那时，多数人还没有意识到，盲流涌入，对我们这座边远小城是一个危险的信号——呼市那时确是一座名副其实的"小城"。它先称归绥，1953年改称呼市。蒙汉满杂居，人少，古建筑很多，古树参天，幽静。地处土默川平原，土地肥沃。到夜晚，狼会进城里溜达。

李大妈通过关系，用高价即用熟食的价钱，从饭馆和焙子铺买回去好多白面。"焙子"是我们这里一种传统的食品，类似北京的火烧。那时，在饭馆吃饭或在街上买焙子还不要粮票。李大妈囤积粮食的时候，我母亲正在为粗粮供应比例太高饭不好做而抱怨。当然，李大妈家也有足够的钱，用高价买回这么多的粮食。

以前，李大妈作为居委会主任，很喜欢批评院邻街邻的一句话是"自私自利，个人主义"。等到六零年，我母亲对于李大妈的自私很有意见。说，一个院里做邻居这么多年，也不顺便提醒咱们一声，咱家就是少买一点粮存起来也好啊。母亲说，既然这样自私，以后就再不和她来往了。李大妈身体肥胖，一向讲究吃。到六零年，李大妈仍然是个胖子，她的孙女小艾和我同班，也还是脸色红润。我们已经跳不动皮筋了，小艾把皮筋拴在两棵树上自己跳。

李大妈一家搬进政府宿舍小楼以后，小艾邀我到她家玩，李大妈留我吃饭。吃的是炖带鱼和纯玉米面的窝头。我久已没尝到鱼味，筷子下得太过频繁，小艾的姑姑即李伯父的女儿就把鱼盘子挪远，我还是伸过筷子去够。李大妈把盘子又挪过来，挪得离我更近一些，说，吃吧吃吧，老邻居了，是把灰就比土热。我回家后，没说鱼盘子挪来挪去的事，只说了请吃好饭和李大妈那句"是把灰就比土热"的话。父母亲感动不已，父亲反复问，是吗？是这样说的吗？

再过五年，李大妈得了结肠癌。确诊之后，她到全国各地转了一圈，去吃各地的名吃。再过一年，已经起不了床瘦得皮包骨了。我去看望她，她拉着我的手说，你李大妈这辈子不亏，嘴上没受什么治，不像你妈就光是吃苦了。孩子，你记住大妈的一句话，人一辈子就数吃最重要了。那时正是1966年"文革"初期。

李大妈一家搬走之后，六零年秋，石叔石秉直一家搬过来成了我家东邻。他家四个孩子，还供养一位老人——石婶的父亲即石叔的岳父。这老爷子解放前当过国民党的兵，而石叔是当时很稀有的、人们都很崇敬的共产党员，翁婿两人的阶级色彩形成了鲜明对比。石婶老说，有什么办法呢？谁让我是他闺女呢？不养该咋办？老爷子以前身体壮，给石婶背大了四个孩子。到六零年脑溢血瘫痪在床，就单独住进了我们院的小东房里。每天是他的大外孙把饭盆端到小东房去，外孙一边走着一边用手在盆里捞着吃。老爷子吃完了饭就用勺子敲着盆喊，不饱！不饱！保定口音。石婶苦笑着对院邻们说，喊什么"五保五保"，不是有闺女养着么。

有一次老爷子因为不饱发了脾气，身体动不了就破口大骂，挨个骂闺女和女婿，还点着女婿的名字骂，说，石秉直你个共产党员混蛋王八蛋！这让石叔忍无可忍，一下子蹿到炕上掐住老爷子的脖子使劲地掐。老爷子两手乱抓挠，脸都憋红了。石婶吓得大叫，快来人，要出人命啦！很多人都涌到小东屋，可是谁也拽不开。母亲情急之下叫来了父亲。不知是什么原因石叔和我父亲一直都很少过话。父亲大喊一声，快松手！石叔听了父亲的话松了手。过后，父亲犹豫再三，还是让小林去请石叔来我家。父亲劝导说，对长辈怎么能动手呢？老人不是饿急了能这样么？石叔一拍我家桌子说，他是什么长辈？他是国民党反动派！父亲这时可能意识到，自己也是国民党反动派，于是也一拍桌子说，好，就说到这里！过后，父亲对我们郑重其事地说，你们都看到了吧，不是我不管，是我管不了。从此石叔和父亲干脆就不过话了。

发生了这事之后，老爷子被送往包头大女儿即石婶的姐姐家。一天邮递员在院门口喊，老石家的电报！他家的四个孩子一起欢呼，姥爷死了！姥爷死了！但是，那封电报是通知老爷子又被送回来的消息。老爷子一直喊着"不饱"，又坚持了差不多两年。

我家街邻，街对过的张潜张大爷，曾经当过国民党时期的警备司令，起义后也当过解放军的警备司令。退伍多年，还穿草黄色呢料军装，没肩章的。人很魁梧，每天昂首到政协参事室去上班。他的妻子张大妈是一位很温和而且美丽的妇人，烫发涂口红，夏天穿阴丹士林旗袍。因为家里有一个亲戚帮忙做家务，所以经常悠闲地站在她家门口跟邻居聊天，织毛衣会织很多的花样。

到六零年，张大爷瘦得很明显了，穿着显得松松垮垮的旧军装去上班。他家的粮食往往刚吃到下旬就告罄，不得不向邻居们借。这种事情张大爷是不管的，张大妈拿着一个盆，到各家去借。大家的粮食都紧张，给她碰钉子的时候很多。她不再打扮了，人也显得黄瘦而憔悴。她老是不好意思地跟我母亲诉苦说，哎呀，我家那两条狼太能吃，实在没办法。他家的"两条狼"——两个儿子，和他们的父亲一样健壮。张大妈说，就差把我给吃掉了。我家只要有粮，母亲就是心里不愿意，担心我家粮也吃不到月底，也还是不好意思不借。她走了，母亲就生气，说，你家两条狼，我家六条狼呢！张大妈在买到粮食之后，总是马上来还。她走后，母亲就又念叨说，咱们借给她是一满盆，她还咱们时盆老是浅一点，以后说什么也不能借了。但是只要还有，以后还是不好意思不借。张大妈跟我母亲关系极好，她不赞成我母亲到党委食堂去捡厨余"垃圾"，觉得那很丢人，更受不了到郊外去捡土豆的苦。张大妈至今健在，九十多岁了还能玩麻将。

四

六零年这地方的人饿确实是饿，但是无论城乡，饿死人的现象并不多。六零年死于"吃"的人，我记忆中有过这么两例：一个大学生在元旦会餐时，吃得太多而被撑死。父亲说，那其实还是饿死的，人长期营养不良，缺乏脂肪，胃壁肠壁变薄而失去了弹性，就很容易造成胃肠穿孔或破裂。还听说一个人因为吃苍耳子充饥中毒而死，也是大学生。我母亲曾经以此为教材，警告我们不能乱吃，而且有理由对我们说，还是饿一点好，吃多了会撑死的。

我母亲在世时，回忆起捡菜叶子捡土豆的往事，很感慨于人们的善良。说，要不是那些大师傅让她捡菜叶子菜把子，那些农民让她捡土豆，那些年我们就更饿。而我父亲则认为，应当感谢民族政策，"感谢"咱这里属少数民族地区。要是像中原地区那样，农民都要饿死，城里人还能在田里捡到土豆？

我父母始终感念的，是两位城郊的农民——王慎祥和吴金小。王慎祥是远郊太平庄公社五路大队的农民，蒙古族，但是不会说蒙语，这里像他这样不会说母语的蒙人很多。吴金小是近郊如意河公社讨号坂大队的农民，生产队长。这两位农民六零年成为我家最受欢迎的客人。因为一旦看到他们到来，就意味着我家餐桌上会多一点吃食。

农民也缺粮，土豆等辅食也不富裕，也饿肚子，但是油盐酱醋、孩子上学，又都需要钱。粮食拿不出来，他们就省下土豆瓜菜到城里来和我们交换。不记得最初相互是怎么认识的，交换是怎么开始的。但是记得，这样的举动不是完全公开的，要尽量避开街道干部比如李大妈的眼光。到后来，这两人来的次数多了，就干脆说是我家的"远亲"。即使这样，就在私下里双方也绝不说是"买卖"，而一定说是"换"。

那时凡是吃的东西一律都值钱。比如，他们用三斤土豆或者两个甜菜，可以跟我们换到一元钱，可谓奇贵了。当时，人们的收入普遍很低，公家供应的土豆每斤只有两分钱。父亲的工资，除了必要的开销，都用来换了吃的。来往得熟了，遇到母亲拿不出太多的钱，他们就在我家四处趸摸，看有什么东西可以换。小林穿小了的一件皮夹克，多处都磨白了，磨起了毛，弟弟正穿在身上。母亲很不舍得，但还是跟吴金小换了八斤土豆。我父亲不吸烟不饮酒，特供的烟酒都买来跟他们换了吃的。记得一瓶本地特产"昭君酒"，跟王慎祥换了六个甜菜，甜菜切片煮着吃，很甜很好吃。吴金小一直想用土豆换父亲的自行车，说可以给三十斤土豆。三十斤土豆虽很诱人，但是自行车是父亲上班必备的工具，不能换。母亲还拿旧衣服、旧鞋、洗脸盆、线毯等这些正在穿着用着的东西换过倭瓜、白菜、胡萝卜。换得的那些东西，远不能改变饿肚子的状况，但是又远胜于无，饥饿的痛苦中给我们的那一点"吃的喜悦"难以形容。跟两位农民的来往，这种交换，一直持续到1963年。

王慎祥是一个很憨厚的汉子，称土豆时总会给我们多称半斤。吴金小精明一些，秤总会低一点。我们总盼着他们的到来，看着他们其中一人从门口推着自行车进来，就急着看后衣架上的袋子，袋子里装着的总归会是吃的。六零年八月的一天，王慎祥空手来了，磨蹭了半天也不说话。我母亲看出他的为难，说，老王，是不是又想借点钱？这以前，他会先来借点钱，过后再送来土豆或者别的东西。王慎祥说，小子开学，想借五块钱，过些日子就来还钱或者还东西。王慎祥拿上钱走了，可是一秋一冬不见人影。母亲说，王慎祥不来还钱了。不还钱倒不要紧，可惜少了一条换吃的的路子。谁想，年三十这天一大早，王慎祥骑着车子来了，放下五块钱和一个报纸包就走了。母亲打开纸包一看，是八个摊花（一种小米面的发面饼）和八个黄米面炸糕。这两种吃食是本地百姓的过年必备的传统小吃。母亲惊喜而且感慨，说，王慎祥真是好人，东西这么缺，还送这么稀罕的吃的。除夕夜我家餐桌上，这一天增加的是怎样的美味！至今，我们这地方的老乡还保持着春节前烙摊花炸黄米糕的旧俗。

二十多年后的八零年代，我们曾奉父命到村里去寻找这两位对我家有过恩惠的农民。吴金小做了包工头，成为农村最早富裕起来的人；而王慎祥早已死去了。

五

回过头再说说我所见到的盲流。他们曾经是我们这座城市的"一道风景线"，他们曾经让人鄙视让人厌烦。

五八年冬到五九年春，大批盲流涌进我们这仅有十来万人口的小城，拖家带口，面色黝黑，背着肮脏的行李，像没头的苍蝇一样乱撞。他们不偷不抢，起初也不是乞丐。他们三五成群到处找活干，一般是干活不要钱，只要大人孩子混得一顿饭吃就行。市民们的粮食逐渐紧张起来，盲流也就沦为乞丐了。到后来，乞讨终于再无所获，于是他们就像来到这里一样，迅速从我们视野里消失了。

九零年代我曾经和一位河南口音的女菜贩聊过天，她告诉我，她就是当年的盲流。因为嫁给了我们当地的一个老光棍，留下来落地生根。她这样的人大约是盲流中的凤毛麟角。

我们院子里那年来过好些拨盲流，来找活干。但我们既没有很多的活计请人干，也没有多少粮食给他们吃。只有最初来的那一拨，我母亲被缠得没法，才没事找事让他们砍倒了我家一棵半枯的榆树。这四五个人，坐在砍倒的树干上，一顿饭吃掉了两笼屉二十几个窝头。

我熟识的一个小盲流叫陈小弟，是和我年龄相仿的女孩子，头大身体瘦，脑袋像一个大头朝下的水萝卜。她一家五口，她，父母和两个弟弟。或许真是因为她叫"小弟"，才招来了弟弟。1959年年初，她一家暂居在我们这条街的街口，天主教堂临街的一间房子里，可能是教堂里的修女李姑，好心收留了他们一家。不知道他们是河南河北或者安徽还是哪里的人。我和小艾以及其他的玩伴叫她"小侉子"。其实，我们这里的居民很多都是外地迁来，我们也差不多都是侉子。我们以为盲流和流氓的名称及性质都差不多，所以很鄙视陈小弟。觉得她呆呆地坐在教堂门口，看着我们跳皮筋的样子很傻，也会把我们吃不了的窝头给她掰半个，当时还没想到，很快就要轮到我们挨饿了。

大约在五九年初冬，一天，陈小弟坐在门槛上仰着脖子哇哇地哭，屋里的哭声也很大。我问，你们这是哭什么呢？她说，没吃的，要饿死啦！我向屋里看，她的母亲抱着她小弟弟哭，大弟弟在他母亲身边哭，她的父亲蹲在地上抱着头哭。以前我们已经多次见过陈小弟的母亲抱着她弟弟乞讨。也不知是哪一天，这一家人走了，以后就再没见过陈小弟这个小盲流了。

还有两位盲流小伙子，是兄弟俩。一个叫刘守仁，一个叫刘守义，说一口很委婉的河北乐亭话，他俩是西邻刘殿文刘大爷的亲侄子，1959年秋来到我们这里。按说，他们是来投靠亲大爷的，目标明确，就应当不叫盲流。但是，刘大爷夫妇二人那点供应粮养活不了两个大小伙子，所以老跟我母亲念叨说，这两个盲流，拿他们怎么办呢？

守仁和守义都很勤快，但是找不到什么活干，即使找到，也没有户口和供应粮，还是没法长期在这里生活下去。这两个年轻人很乐呵，用刘大爷的破自行车嘻嘻哈哈学着骑，没事就和院里的大人小孩聊天说笑，大家都挺喜欢他们。两人不干活，可饭量不减，1959年，刘大爷还能供给他们窝头吃，到六零年，就连菜粥也快喝不开了。刘大爷没办法，只好先把一个送回老家去，商量了一天，老二守义先哭着走了。

老大刘守仁很幸运。刘大爷在一所幼儿园担任管理员，跟粮站打交道的机会多，走后门将守仁弄进新城南街粮站当了临时工。这是一份好工作，那年头，跟粮食有关的什么工作都比当干部强。守仁不仅勤快而且机灵，几个月后就从搬运工升任称粮工，穿上了印有"南街粮站"字样的毛蓝布工作服。再过几个月，又买了飞鸽牌自行车，骑车飞驰往来于粮站和刘大爷家。守仁有了吃饭的地方，还能时常把一些麸皮土粮等东西拿回来给刘大爷。大家都羡慕说，看人家守仁！

守仁大约是1963年年底离开这里，也返回了老家，继续去当农民。听说是因为"贪污粮票"而被南街粮站开除了。不知事实是否真的如此，刘大爷不提，大家也都不问。如果真是这样，就有些奇怪了，1963年粮食紧张情况已经大有缓解，不知守仁为什么还要贪污粮票。

刘守仁和刘守义这两个盲流，以后也再没见过。

我哥小林如今时常教训子孙的一句话是：你们哪里知道什么叫饿，你们以为想吃饭的感觉就叫饿？不对。"饿"是什么？"饿"，是肚子里已经撑得不行了，心里还是饿，还想吃，那才叫"饿"！这话小林说了无数遍，但是没经历过六零年的人，无论如何也不能理解，所谓"心里饿"是什么意思。

本文内容，包括细节和人名都是真实的。所写人物曾想用化名，但是那样就"写不出来"了。

庚子年的民族英雄

聂作平

> 在这些围观者心里，洋人正在攻打的这个政权，这
> 个国家，与自己并没有任何关系。

一条肮脏的小河几乎完全干涸，垃圾堆成了一道道从河心通往河岸的斜坡。一群人正从一个黑漆漆的门洞进入城内，沿着垃圾铺成的道路走上河岸。河岸边，一大群拖着长辫子的中国人在好奇地围观。这是一张藏于美国国家博物馆的黑白老照片，资料介绍说，这是庚子年（1900年）8月14日，八国联军从广渠门外的下水道攻进北京城时发生的神奇一幕。

数量远远超过联军的围观者，全都是大清子民，他们一个个伸长了脖子，为了看得更清楚，甚至站到了岸边的垃圾堆上，那种兴奋与怡然，很难想象他们正面临敌军攻陷首都、政府即将崩溃的巨变。其情其景，很容易让人联想起另一桩著名的围观事件：那是第二次鸦片

战争时期，当英国军舰炮击广州城时，岸边的高地上，同样站满了指指点点的中国人。甚至，还有不少勇敢者驾着小船，围追英国军舰，以便向他们兜售蔬菜和水果。

对这些站在广渠门下观看联军攻陷首都的百姓来说，在他们的潜意识里，有一个最基本的判断：洋人是来和朝廷打仗的，而朝廷是那些达官贵人的，和我们没有任何关系。只有当一个国家的民众对这个国家彻底丧失信心和信任之后，才会出现这种笑看敌军直捣首都的怪事。

然而，在庚子年那些自以为是的民族英雄眼里，却深信民心是他们可以倚仗、可以用来对抗列强的王牌。

庚子年的国变与人祸，其源头，也是一起很普通的偶然性群体事件。

那是距庚子之变两年前的1898年10月。就在一个月前，以谭嗣同为首的戊戌六君子在北京菜市口血溅法场，刚刚颁行的诸多变法新政，统统被废除。不过，对山东冠县一带的农民来说，遥远的京师和他们的生活没有多大关系，变法与否更引发不了他们的关注。这年秋天，在他们眼里，最重要的事情，就是在接到传帖之后，携带各种武器——少量是用于打猎的火枪，大量是用于练习武术的大刀、长矛，乃至从土里扒食的锄头——赶往冠县蒋家庄。

发出传帖的是一个叫赵三多的老拳师。冠县以至整个山东，自古民风剽悍尚武，冠县一带盛行梅花拳，而赵三多，就是一个著名的梅花拳高手，据说他的徒弟多达两千余人。可以想象得出，接到传帖后赶往蒋家庄的人流中，有不少就是赵三多的徒子徒孙。这位年近花甲的老拳师在10月26日，聚众达三千人左右，这些人以头帕和长靴作标记，祭旗起义。与以往的农民起义乃是与朝廷为敌不同，赵三多不反朝廷，他要反的是洋人，他的旗帜上非常清楚地写道：扶清灭洋。不过，即使他不打算与朝廷为敌，朝廷也无法坐视如此声势浩大的群体事件。鉴于赵三多是以梅花拳相号召，其他不愿惹火烧身的梅花拳大佬都警告他，要他不得以梅花拳名义起事。赵三多一气之下，打出一个新旗号：义和拳。

赵三多在蒋家庄摆拳三天，炫耀了一番势力后，便率众攻打冠县和临清交界的黑刘村教堂和红桃园教堂。赵三多的蒋家庄聚众祭旗，被后来的史家们界定为义和团运动之滥觞。

随着1858年的《天津条约》允许基督教在中国内地自由传播，以及1860年的《北京条约》保证了传教士在中国租赁和购买土地修建教堂的权利，操着不同语言的传教士们为了他们心中的上帝，纷纷不远万里，来到中国，企图让这片异教徒的土地，回荡起上帝的福音。

但是，中国国情的土壤，却注定了上帝的种子很难在这里大面积地发芽生根。实用主义至上的中国人对宗教的信仰也远不如西方人虔诚，就像马嘎尔尼说的那样："中国人没有宗教，如果说有的话，那就是做官。"虽然传教士们费尽周折，但皈依的民众依然屈指可数。为了争取更多信徒，传教士们便采取了一些"优惠"措施，比如向每个皈依者提供一百三十两的生意津贴，比如当信徒遭到政府迫害或是与其他不信教民众发生纠纷时，传教士常以自身势力施加影响。这样，不少社会底层人员，便堂而皇之地走进了教堂。显然，他们成为上帝的追随者，与信仰几乎没什么关系。这种信徒，被其他民众蔑视地称为"吃教饭"。用徐中约先生的话说，传教士此举"吸引了弱者和投机者入教，但强者和有民族自豪感的人却厌恶这些传教士"。

甲午战争之后，一方面，大量外国资本涌入中国，东南沿海口岸城市呈现出繁荣景象；另一方面，中国乡村经济更加凋敝，民众生计举步维艰。在底层民众眼里，他们只感觉到自己的生活之路越来越窄，生存的压力越来越大，"却不知道中外之间达成的利益补偿原则，不知道外国人建厂房开矿山修铁路征用他们的土地，已经在双边或多边政府协议中达成补偿机制，所有损失都由外国政府外国企业通过贸易或税收的方式补偿给了中国政府中国企业，由中国政府负责这些失地农民的具体补偿"（马勇：《1900年中国尴尬》）。也就是说，由于清政府的不作为，外国人的补偿没能下发给失地农民，而失地农民则根本不知道世界上还有洋人补偿一说。信息的不对称，使民众对洋人的仇视愈积愈深。与此同时，大量廉价洋货的登陆，则使中国的手工业者走上了绝路，昔日自耕自足的自然经济，终于走到了末路。

在这些民众眼里，正是外国人的纷至沓来改变了他们的命运，让他们的生活越来越糟糕：洋人的铁轨毁坏了龙脉，洋人的矿山放走了宝气，基督教的异端邪说冒犯了神圣的孔子。这一切，致使民间三人成虎地虚构了洋人罄竹难书的罪行，而这些所谓罪行，在今天看来，如此荒诞不经，那时却被普通民众认定是无可争辩的铁的事实："（洋）银必取中国人睛配药点之，而西洋人睛罔效，故彼国人死，无取睛事，独中国人入教则有之。……（洋人）能咒水飞符，摄生人魂与奸宿，曰神合。又能取妇女发爪置席底，令其自至。取男童女童生辰粘树上，咒之，摄其魂为耳报神……甚或割女子子宫、小儿肾子，及以术取小儿脑髓心肝！

举国汹涌的仇洋情结，在找寻一个适当的突破口或者说导火索。充当了突破口和导火索的，是1900年前后的华北大旱，它使得发轫于赵三多老拳师的义和拳，终于在两年时间的阴燃之后，由星星之火变为燎原之势。

仇洋排外是贯穿了晚清数十年的主题。仇洋排外者以普通民众为大多数，但它还包括了煽风点火的乡绅士子，地方势力人物如赵三多，以及一部分居心叵测的政府官员。其时，在中外交涉中，一些政府官员以为，义和拳的存在，可以加重与洋人打交道的砝码，故而，尽管朝廷一开始迫于列强的压力而下令各地官员扑杀，但官员们要么阳奉阴违，要么公开反对。至于朝廷最高决策者如慈禧太后，对待义和拳问题上也是首鼠两端，剿抚不定：他们既觉得义和拳对洋人的攻击颇有解气之处，又怕一旦过于放纵，将使局面难以收拾。对朝廷决策者这种心理的揣摩，以山东巡抚毓贤最为精准。

毓贤是正黄旗汉军，以同知纳赀为山东知府。光绪十四年，署理山东曹州。《清史稿》称他"善治盗，不惮斩戮。以巡抚张曜奏荐，得实授"，比他稍晚一些的许指严则在《十叶野闻》中把他称为"毓屠户"，并认为"清季之酷吏当以贤为举首"。来自正史和野史两个方面的资料都表明，毓贤是一个视人命如草芥的鹰派，一个动辄以杀人为终极解决办法的酷吏。每个朝代行将结束之际，似乎都会涌现出一批像毓贤一样"不惮斩戮"的酷吏，他们为了求得表面的稳定，不惜用最极端的手段来实现快刀斩乱麻的要义，但其结果，一则使民众对政府彻底丧失信任，一则使他们自身也陷于巨大的风险之中。毓贤在曹州任上，因斩杀民众两千余人而声名鹊起，史料没有说明这两千余人到底是些什么身份，但可以肯定不是义和拳。一个代理道台因杀人众多，上峰竟然青眼相加，得以转为实授。末世里粗暴简单的行政方式已经取代了治世的沟通和谅解。此后，毓贤快速升任为按察使，不久又代理布政使，也就是管理一省民政的副省长。当李秉衡调离山东后，毓贤被任命为山东巡抚，这时候，山东的义和拳已经愈演愈烈了。

尽管西方列强严词要求清政府对义和团加以打击，但毓贤除了在朱红灯的红灯照起事时曾派兵镇压外，一向对义和拳采取亲善态度。甚至，就是他认为"义和拳"名字不佳，亲自改"拳"为"团"，义和团由是得名。当时，山东的一些义和团队伍，纷纷"团建旗帜，皆署'毓'字"。一个封疆大吏，居然默许闹事的民众把自己奉为首领，这在其他任何时代，都是不可思议的咄咄怪事，但义和团运动就在这种异常吊诡的气氛中渐入佳境。不久，因法国人的严重抗议，清政府不得不将毓贤免职，令袁世凯接任。但被免职的毓贤进京时没受到任何处分，他向朝廷的决策者，包括慈禧、端王载漪、庄王载勋、大学士刚毅"盛言拳民忠勇得神助"。慈禧第一次亲耳听到的有关义和团的直接信息，应该就是由这位刚从山东免职归来的巡抚讲述的。慈禧不仅亲自赐他一张号称御笔书写，其实为另一妇人捉刀的"福"字，不久又任命他为山西巡抚。这样，毓贤便如同一只培养皿，把义和团带到了山西，让山西教民遭受了一场无妄之灾。

以往的农民起义，不论大小，至少都有一个或一个以上的核心领导人，他们会有一个相对严密的组织，会有统一的行动。但义和团运动却是一盘民族情结的散沙。将这盘散沙暂时瓦合在一起的，是华北民众日益不堪的生存状况和对洋人洋教的刻骨仇恨，而充当粘合剂的则是荒诞不经的巫术。

在中国北方农村，几乎每一个聚众而居的村庄，都有一两个意见领袖。在山东，这样的意见领袖往往由赵三多这种会武术的拳师充当。义和团的组织形式是以团为单位，相互之间基本没有上下级隶属关系，几乎每个自然村都各自设立坛或拳场，由赵三多式的人物出任首领，他们被称为大师兄、二师兄，每团人数少则几十几百，多则成千上万。在这种大量单个的团的基础上，有时也会有几个或几十个团的联合组织，称为总坛，首领称为老祖师。

欧美此时早就进入由大炮、军舰、机枪担纲的热兵器时代，义和团团民对这些先进武器的了解付诸阙如，但又要鼓舞士气，最好的办法就是利用巫术相号召，相鼓舞。义和团的每一团或坛，都设有坛宇，并有奉为保护神的神祇，这些神祇五花八门而又自相矛盾，有的团供奉玉皇大帝，有的供奉关公，有的供奉《水浒》中的人物，有的供奉《三国》中的人物，甚至还有供奉前任山东巡抚李秉衡的。在一个团之内，大师兄是口含天宪说一不二的灵魂人物，每当他有重要命令发布，必然宣称某位神祇依附其身，尔后跳舞升坐，发号施令。

义和团赖以吸引大批无知民众、以及后来让朝廷决定依靠它们与列国为敌的法宝，便是巫术。义和团首领们宣称，只要按他们的办法训练，修习一百天后就可以不受子弹伤害，修习四百天后可以平地飞升。至于居于人类与神祇中介地位的大师兄或是老祖师，他们更是具有撒豆成兵、剪纸为马，并招来天兵天将助战的神奇本领。在符表、咒语和如同中了魔障的跳舞为主的仪式中，原本就热衷于从众的中国底层民众，仿佛一夜之间找到了主心骨。他们扬眉吐气，天降大任，以为整个世界真的就是他们的，这个古老的国家也必须依靠他们，才能从洋鬼子的凌辱中得到解放。在庚子年的决战到来之前，中国最有理想最有抱负的人就是那些渴望刀枪不入的义和团成员。他们通过巫术的方式，把自己打扮成这个国家的拯救者。

不仅山东在庚子年前后涌现出一股反洋热潮，在中国的其他省份亦然。在四川，由余栋臣领导的袍哥反洋便是其中之一。当时，余栋臣在其檄文中坦陈其反洋因由："海舶通商，耶稣传教，夺小民农桑之计，废大圣君臣父子之伦，以洋烟毒中土，以淫巧荡人心。奸淫我妇女，煽惑我人民，侮慢我朝廷，把持我官府，占据我都会，巧取我银钱，小儿视如瓜果，国债重于丘山。焚我皇宫，灭我属国。既占上海，又割台湾，胶州立埠，国土欲分。自古夷狄之横，未有甚于今日者。"其实，余栋臣檄文中所列举的洋人罪行，有许多条都是无知国民的臆想之词。但与余栋臣相比，义和团的认识还要等而下之。在他们如天女散花般抛出的各种揭帖中，大抵都是专以杀害教民反对洋人为词，不外乎"天意命汝等先拆电线，次毁铁路，最后杀尽洋鬼子。今天不下雨，乃因洋鬼子捣乱所致"；"消灭洋鬼子之日，便是风调雨顺之时"；"不穿洋布，不用洋火，诚心用功，可避刀剑，可避枪炮……兴大清，灭洋教"。

在义和团看来，不仅洋人个个该杀，便是和洋人稍有联系之人，以及使用洋物之人，也当斩尽杀绝。义和团把洋人称为大毛子，把教徒和从事洋务者称为二毛子，使用洋货者称为三毛子，而所有毛子都只有一条路：去死。在极尽夸张与扩大的滥杀中，不少人就因身上揣有一盒火柴而横尸街头。

义和团在进入京师前后，曾有一个宏伟的计划，那就是要抓住"一龙二虎三百羊"。所谓一龙，指两年前发起维新变法的光绪；所谓二虎，指从事洋务的庆亲王奕劻和李鸿章；所谓三百羊，指与洋人有关联的在京官员。依义和团的说词，朝廷只有十八个官员才有资格继续活下去，显然，他们就是支持拳民的毓贤之流。庚子年，他们是民众眼里的民族英雄。

1900年，岁在庚子。虽然朝廷注意到了齐鲁大地上起于青萍之末的义和团，但并没有意识到这是多么重大的事件。其时，这个国家的主要决策者们在谋划另一桩在他们看来远比招安或剿杀义和团更重要的大事。

这大事就是换皇帝——废掉傀儡光绪，另立新君。

在清朝两百多年的十几位皇帝中，人生最悲苦失意者莫过于光绪。他原本是一个聪慧而力图中兴的君王，却因大权旁落慈禧，毕生皆为傀儡。这个傀儡皇帝不仅于军国大事没有一丁半点发言权，甚至连宫中的太监们也要在生活上欺负他，常给他冷脸和难堪。他作为皇帝的唯一存在意义，就是在帝国与洋人的争战中惨败后下罪己诏自我批评，或是以他的名义宣布批准与洋人的和约。

光绪名载湉，他原本没有登上帝位的机会，然而机缘巧合，这个不该登上帝位的人不幸登上了帝位。在得知儿子被确立为皇位继承人后，载湉的父亲醇亲王奕譞曾痛哭失声并昏绝于地。众所周知，他被扶上宝座纯出于慈禧私利的结果。

自从与恭亲王奕䜣联手发动政变，置咸丰遗诏中确认的肃顺等顾命大臣于死地后，大清帝国的最高权杖便操纵在慈禧手中，时间长达近半个世纪。同治十三年冬，慈禧的儿子、年仅十九岁的同治去世。同治没有子嗣，由谁继承大统便迫在眉睫。按继承法则，同治的子侄辈都有资格依据其血源亲疏作候选人。当慈禧主持召开核心领导层会议，探讨同治的继承人时，军机大臣文祥就提议说："从情理上讲，都应为皇上立太子，溥字辈的近支中有几个人选，请择其贤能者立之。"慈禧闻言脸色大变，过了半天才说："醇亲王之子载湉，甚聪睿，必能承继大统，吾欲立之，为文宗显皇帝嗣。"载湉是同治的堂弟，他本无资格继承同治，但慈禧决定把他作为文宗也就是咸丰的继承人，也就有了继承资格。慈禧之所以如此做，原因有几个：其一，载湉之母乃是其亲妹；其二，载湉年仅四岁，便于控制；其三，如果立溥字辈也就是同治的子侄为帝，慈禧就成了太皇太后，自然会失去垂帘听政的理由，而一旦立与同治同辈且只有四岁的载湉，她就可以名正言顺地执掌朝政。基于此，她宁愿自己的儿子绝嗣，也要立与儿子同辈的载湉。

光绪十二年（1886年），当光绪已经年满十六，按照祖制可以亲政，慈禧应当中止垂帘听政归政于光绪时，慈禧也装模作样地发布了一道旨意，表示要归政光绪。然而，满朝文武都清楚地知道，对这个嗜权如命的老妇人来说，这旨意只不过是聊以应付舆论的幌子。很快，重臣们纷纷上奏，请求慈禧继续听政。这些重臣中，有一位就是当年因儿子被推上皇位而放声大哭的奕譞。他在奏章中提出，光绪现在还不能亲政，至少得等到二十岁以后。且即便亲政，也必须按照现在的规矩，天天向慈禧早请示晚汇报，重大事情一律听候慈禧圣裁。醇亲王如此提议，不能仅仅视为虚伪，而是他的一种自保。

果然，慈禧从善如流，欣然接受醇亲王等重臣的建议，"于皇帝亲政后再行训政数年"。依照由礼亲王世铎拟定的《训政细则》，慈禧操控皇权的实质不仅没有丝毫改变，反而更加名正言顺。光绪仍然没能摆脱傀儡的身份，唯一不同的是，以前住在宫中的慈禧，现在搬到了郊外的颐和园。每天的重要文件，在光绪圈阅之后，都得悉数送往颐和园，由慈禧作最后的圣裁。

垂帘听政是晚清的最大政治特色。臣子们上朝探讨国家大事时，他们面对的不是一个主子，而是三个或两个主子——同治及光绪早期，慈安太后还健在，两个妇人便坐在皇帝后面，她们和皇帝之间，有一层纱幕作屏障。等到慈安去世后——一种说法是被慈禧鸩杀——慈禧便独自坐在光绪背后。戊戌变法失败，慈禧继续训政。她从颐和园搬回紫禁城，每当上朝时，她便与光绪并排坐在大臣们面前，那道用于掩耳盗铃的纱幕再也没有出场的必要了。臣工们奏对时，已然失去权柄的光绪默然无语，只有慈禧在滔滔不绝地发布指示。有时候慈禧似乎觉得皇帝也该说几句，就用手肘推推光绪，光绪只得勉为其难地讲几句。至于光绪的居所，则被慈禧搬迁到了位于南海的瀛台上，这是一个三面环水的地方。这个天朝上国的天子，已经被软禁起来。一次，光绪闲逛到某太监房中，看到几案上有一本《三国演义》，光绪翻了几页，掷书长叹：朕并不如汉献帝也。

即便比汉献帝还傀儡，慈禧也不愿再看到光绪以人君的身份出现在她面前，她打算行废立之事。要废掉光绪，慈禧及手下智囊们的思路是向外界宣称光绪身患重病，尔后天天伪造医案，以便在适当的时候，当光绪被干掉时，就对外宣称他因病死亡。

在短暂执政期间热衷向西方学习的光绪，一向被洋人视为这个古老的、半开化的国家的开明人士。为此，当京城里风传脸色苍白的光绪极有可能被母后处死的消息时，西方使节纷纷出面警告，宣称任何有关皇帝的不幸事件都将招致干预。在西方强大压力下，朝廷不得不同意由一位法国医生到宫中为光绪看病。这位法国医生的宫中之行得出两个结论：其一，光绪还活着；其二，光绪龙体有恙，但并没什么要命的大病。法国医生的宫中之行意味着，通过制造假医案，伪造皇帝身患重病再将其秘密处死的方案此路不通。

慈禧旋即要求各省督抚对废黜光绪的可行性发表意见。在这些封疆大吏中，广有声望的两江总督刘坤一坚决反对，他说了一句非常著名的话："君臣之分已定，中外之口难防。"

变法失败后康梁逃往海外，两人利用其巨大影响力，在海外办报结社，倡导保皇，甚至密谋组织义勇将光绪救出紫禁城。这都使得慈禧既恨洋人对康梁乱党的庇护，更恨康梁所要保护的光绪。刚毅乃慈禧的红人，此人到东南诸省巡查时，一边大肆贪污受贿，"括千万发于京师"，一边搜集了大量康梁乱党证据。其中就有梁启超力诋慈禧的《清议报》，慈禧览报大怒，更坚定了废掉光绪的决心。

清朝在皇位的继承法则上，与历朝都有很大不同，那就是创始于雍正时期的秘密立储。秘密立储的方法是，皇帝当着总理事务王大臣的面，将事先秘密写好的储君名字放入锦匣之中，封存于乾清宫内最高处的正大光明匾之后。同时又另有一个备份，由皇帝随身携带。除了皇帝本人，再无他人知道储君为谁。也就是说，自雍正朝以后，清朝不存在太子一说。但是，慈禧为了把光绪拉下皇位，于己亥年末，密召多位朝廷重臣，商讨立端王载漪之子溥俊为大阿哥，即太子。这次密议的痕迹之明显，以至于宫中打杂的苏拉们也纷纷传言："今日换皇上矣。"这一事件在历史上称为己亥建储。

慈禧对即将实施的废立之事，洋人到底会持什么态度，也心存疑虑。为此，她令荣禄私下找到李鸿章，要求与洋人打交道多年的李鸿章出面，试探洋人态度。甲午战败，李鸿章因代表清朝与日本签订了丧权辱国的《马关条约》，既不幸沦为民众指斥的汉奸，也成为朝廷决策失误的替罪羊。此时，他被排挤在权力之外，闲居贤良寺。李鸿章向荣禄提出：我现在处于赋闲状态，和西方使馆没有来往，如果任命我为总督，各国使节必然会来祝贺，到时，"当乘间询之"。按《拳变余闻》的解释，李鸿章提出外任总督，其实质是他深知慈禧一伙草率行废立之事，必然会"京师生变"，出为总督，是其"思避之也"。

不久，李鸿章果然被任命为两广总督。各国使节前来祝贺时，李鸿章问道："我国现立大阿哥，行将为帝，君等入贺否？"各国使节的反应是："皆言未洞内情，不知所贺。惟今帝以二十余年君主，历与我立约，将焉置之？"李鸿章将各国不同意废光绪立溥俊之意回报慈禧，慈禧"乃大恨"。

比慈禧还要愤怒的则是载漪，原以为很快就会成为天子的老爹，孰料这些可恶的洋人竟然如此不给脸面，"乃极恨外人，思伺时报此仇。适义和团以灭洋为帜，载漪乃大喜"。

1900年1月7日，七十七岁高龄的李鸿章离开京城，前往广州署理两广总督，如愿以偿地离开了他断定即将会大乱的是非之地。半个月后的1月24日，清廷正式宣布立十五岁的溥俊为大阿哥。消息传出，举国哗然。上海电报局总办、候补知府经元善联络了一千二百三十一名绅商联名发表通电，反对朝廷立储决定。这些绅商中，包括蔡元培、黄炎培等人。经元善的举动引得朝廷大为恼怒，不仅抄了他的家，还全国通缉他。经元善被迫流亡澳门。当清政府向葡萄牙提出引渡要求时，遭到葡方拒绝。

从甲午战争到义和团风潮，五年之间，这个帝国发生了一系列大事，正如亲历者恽毓鼎所说的那样："甲午之丧师，戊戌之变政，己亥之建储，庚子之义和团，名虽四事，实一贯相生，必知此而后可论十年之朝局。"

清政府对义和团的态度一直摇摆不定，不仅地方官员如此，中央政府亦如是。而就在他们时剿时抚，其实都没有尽全力而是忙于废立之事时，义和团已悄然做大做强。

在民众眼里，庚子年的民族英雄群像中，裕禄和刚毅是义和团进入京津两座大城市并渐成气候的关键性人物。

裕禄乃满州正白旗人，监生出身而做到了直隶总督兼北洋大臣，在封疆大吏中排名第一。直隶总督驻保定，天津则为其治下最重要城市，这里既是京师门户，亦是华洋杂处的开埠口岸。义和团天津方面的领袖为张德成和曹福田。张德成乃船工，曹福田系游勇，由此亦可略窥义和团确乎由最底层民众所组成。曹福田刚到天津时，为了显示他神通广大，登上城楼问旁人租界在哪个方向。众人回答说在东南方。曹福田即伏地向东南叩首，良久起身，告诉众人说：洋楼毁矣。一会儿，东南方果然烟火烛天，众人都惊悚不已，以为曹福田真的身藏神技。其实，这种伎俩甚至还不如陈胜吴广的狐鸣鱼书，但在一个狂热的非常时期，人们发自内心地期望某些旗帜性人物能够拥有超人的本领，便不再去考究种种神迹的真实与否，而是乐于跟风乐于夸饰，集体成为曹大师们的狂热粉丝。

与其他义和团首领逢洋必毁不同，曹福田对洋人生产的洋物，采取的是拿来主义。曹福田喜欢骑一匹高头大马，戴一架水晶眼镜，嘴里叼着洋烟卷，长袍上系着红带子，脚蹬缎靴，身背快枪，腰挟小洋枪，手拿一根秫秸作指挥棒。曹福田的室内，高悬关公、赵云、二郎神和周仓的神像。这种中西合璧，与其说他像一位群众运动领袖，不如说更像以听评书、看地方戏为主要知识积累的北方农民臆想出来的舞台形象。

张德成的总部设在天津郊外的独流镇。某天，他率众绕镇三周，以杖画地，宣称："此一周土城，一周铁城，一周铜城，洋人即来，无能越者。"民众居然深信不疑。其中，固有彼时民众的蒙昧与无知，更多的却是由那种宗教狂热所激荡的盲目崇拜。不久，义和团抓住几位清朝官员，张德成认为奇货可居，便向这几位官员自炫其术，并让他们转告总督裕禄，云只要给他二十万两饷银，他就能够灭洋。这几位官员回去一报告，裕禄亦深信不疑，并命张德成到天津面见。张德成对裕禄的命令很愤怒，"我又不是你手下官员，你凭什么用总督的威严来指示我？"放在承平时代，一介草民无论如何不敢这样和封疆大吏对话，但时势不同，何况在裕禄等人看来，义和团或许就是扶清灭洋的一根从天而降的救命稻草。这样，裕禄命以八抬大轿将张德成抬进总督府，并打开中门迎接，以平等的礼仪相见。第二天，裕禄摆宴为张德成接风。席间，张德成忽然作沉睡状，众人呼之不应。半晌，他打了个哈欠起身，从衣袖里拿出大炮上的机管数根，并告诉众人，刚才他的元神外出，从洋人的大炮里把这些东西窃来，现在洋人的大炮都是些破铜烂铁了。对此，裕禄"深敬之"。

刚毅则是把义和团引入京师的始作俑者。当朝廷对义和团忽剿忽抚，举棋不定甚至朝令夕改时，刚毅是诱导朝廷从剿到抚直至依靠义和团对抗列强的重要人物。庚子年夏，刑部尚书赵舒翘被朝廷派去考察义和团，朝廷出于洋人的巨大压力，意图让赵告谕义和团的大师兄们，要求他们自行解散队伍。刚毅怕赵舒翘会伤害义和团的积极性，主动请求也前去调研。调研后，刚毅在向慈禧复命时，"力言团民忠勇有神术，若倚以灭夷，夷必无幸"。赵舒翘本是依靠刚毅才得以身居高位的，对刚毅的意图心领神会，他"虽见拳民皆市井无赖、乞丐穷民，殊不足用"，但回京面见慈禧时，他明白表面上想听取实际情况的太后，其实也希望传说中刀枪不入、撒豆成兵的义和团乃是活生生的现实。于是，赵"不以实对"。就是在裕禄和刚毅这样的高级官员对义和团的神化之下，一方面，义和团自我膨胀，一方面，义和团大批进京。

李鸿章疑惧过的京师将要大乱的预言终于变成现实。

通过刚毅的穿针引线，进入京师的义和团一部携带武器来到宫中，为慈禧等决策者表演了刀枪不入的"真功夫"。眼见为实，慈禧或许真的相信这些和她一样痛恨洋人的子民有护佑这个国家的能力，诚如是，则他们不但不是扰乱地方的乱民，而是朝廷必须依靠的热血民众。当慈禧下令包括宫女和太监在内的宫廷人员都向义和团的大师兄二师兄们练拳时，上行下效，王公大臣们也纷纷在家设坛，聘请拳民。在这些达官贵人家的神龛上，原本供奉的是天地君亲师，现在则加上了义和团崇拜的那些神祇，从玉皇大帝到太上老君，从关云长到诸葛亮，从黄天霸到二郎神，全都一夜之间复活了，而当半数以上的政府正规军也加入拳民组织时，两者间也就没有了天然的界限。人们渴望通过修练，能够刀枪不入，能够白日飞升，能够把洋人和所有与洋人有关系的汉奸，统统斩尽杀绝。那时，太平盛世会从天而降。

现在，义和团已经口含天宪，他们不仅人多势众，被大量愚民认为身怀神技，百毒不侵，而且是领了圣旨，要造洋人的反，纷纷天下，谁撄其锋？于是乎，庚子年夏天的京城，便成了义和团的大本营。在这座大本营里，义和团所干的事不外乎两件：烧、杀。

在义和团之前进入北京的，还有一支从甘肃调来的政府正规军，这就是董福祥率领的甘军。与义和团民众相比，身为高级将领的董福祥并不比他们稍微开化，而对洋人的仇恨，可谓伯仲之间。1900年6月9日，慈禧命董福祥部移扎城内，董便扬言："已奉太后命，剿灭洋人，命义和团为先锋，我军为接应。"次日，慈禧命与洋人不共戴天的载漪负责总理各国事务衙门，"自此都中人人谓拳团可以包打洋人"。

庚子年的民族英雄们开始大显身手：

6月11日，日本驻华使馆书记官杉山彬被董福祥部杀死；

6月12日起，开始焚烧教堂和教民住宅，以及出售洋物的商行。天皇贵胄载澜亲临一线指挥纵火，大火数日不灭，被焚店铺四千余家，数百年之商业精华化为瓦砾。对此暴行，义和团在揭帖中，正义凛然地宣称："洋人进京四十年，气运已尽，天意该绝，故天遣诸神下界，借附团民之体，烧尽洋楼使馆，灭尽洋人教民，以兴清朝。"前后数天，京城被杀害的教徒和为洋人服务的仆役达三百余人，但真正的西方人此时已大多避进了使馆。也就是说，这场轰轰烈烈的以杀洋人相号召的群众运动，是以杀自己的同胞拉开序幕的。在义和团眼里，活着的教徒本身就有原罪，而死去的教徒，也应掘墓鞭尸，于是包括利玛窦、汤若望和南怀仁在内的早期来华传教士，他们的墓木早拱的坟墓，均被一一掘开。更可怕的是，当奉旨造反的义和团成为庚子年的时尚与主流，"车夫小工，弃业从之，近邑无赖，纷趋都下"。据估计，极盛时，京津一带的义和团民众多达数十万人，他们除了烧教堂杀教徒外，"凤所不快，指为教民，全家皆尽，死者十数万人"。一旦我是领了圣旨的义和团，而你是我历来所厌恶的仇人，那么即便你从来就不信教，从来就没有与洋人打过交道，甚至家里连洋火洋钉也找不到一根，我也要给你扣个灭族的罪名，那就是诬你信教。庚子年的这场群众运动，已经沦为滥杀无辜的利器，在这柄所向披靡的利器面前，任何个人都是弱势群体，任何被指控与运动相抵触的个体，都将遭到毁灭性打击："杀人刀矛并下，支体分裂，被害之家，婴儿未匝月亦毙之，惨无人理。"

盲目的群众性造神中，大师兄们以为自己真是刀枪不入的半神，而群众则纷纷附和追随。他们原本都是些任人欺负的庄稼汉，一旦在群体的裹挟之下，便一步步丧失理智，从自认弱势到自认强势，并把对生活的愤怒和失望，归之于洋人及与洋人有关的一切人和事。

城里的义和团大肆烧杀之时，城郊的义和团也没有闲着，他们没法找到更多的洋人和教徒，便把一腔激情投入到拆铁轨、毁车站、砍电桩、断电线的事业之中。对于无数的无辜者在这场运动中被杀害，义和团大首领曹福田淡定地说："死者皆劫数中人，吾扫荡洋人后，犹当痛戮不忠不孝不仁不义之人，完此劫数。"后来，义和团失败，曹福田潜回故乡，被当地人绑送告官，在静海被处以凌迟之刑；而张德成也在逃亡途中，被另一群农民砍为肉末。当他们告别这个世界时，是否也自认是劫数中人？

保护驻在本国的外国使节，这是近代以来的国际惯例及国际法原则。义和团仇恨一切洋人，还算情有可原，但天朝官员们的识见，其实也并不比义和团民众更高明。当京城里到处都飘扬着"助清灭洋，替天行道"和"奉旨义和团练"的旗帜时，一批善于骑墙观望的投机分子，以为此时可以下注了。知府曾廉——此人在戊戌变法尚未被中止时，曾上书指认康梁为乱党，理应处死——联合编修王龙文，向朝廷进献三条妙计，并通过载漪上达天听："攻交民巷，尽杀使臣，上策也。废旧约，令夷人就我范围，中策也。若始战终和，与衔璧舆榇何异？"早在二十年前就极力倡导天朝应放下身段，与各国平等交往的郭嵩焘在九泉之下也将难以瞑目了：不仅他当年的远见卓识没有被后来者所听取，而且后来者中，甚至有人认为他当年与洋人交往过密，还当过驻外使节，连他也该鞭尸。御史徐道昆的奏章则是地道的梦话：洪钧老祖（这也是义和团喜欢供奉的一个传说中的大仙）已命五龙守大沽，夷船当尽没。另一个御史陈嘉言，自称得到了关云长留下的帛书，上面明写着"夷当自灭"。编修萧荣爵则声称夷人无君无

157

父二千余年，天将假手义民尽灭之，现在正是机不可失时不再来的好时候。

1900年6月，庚子年农历五月。对义和团和洋人到底该采取何种措施，慈禧主持召开了四次御前会议。四次会议的决议，是以举国之力，向西方十一国宣战。数遍列国，也找不到一个国家，敢于一口气挑战十一国。

四次御前会议，颇有一些令人深省的细节穿插其间，从而也让我们透过这些细节，更能洞见这个垂而不死的老大帝国的政治运作手法。

1900年6月16日，第一次御前会议召开。会上，早就大权旁落的光绪深知一旦像载漪等人鼓吹的那样围攻使馆尽杀洋人，将会带来怎样难以收拾的恶果，因此，他一改自变法失败后，每次临朝时都沉默不语的老习惯，率先指斥诸臣不能弹压乱民——乱民者，义和团也。侍读学士刘永亨上奏，表示他愿意带着旨意去见甘军首领董福祥，让他率军驱散义和团。然而刘永亨还没说完，光绪也还没来得及答话，一旁的载漪即冷笑着厉声喝道："好，此即失人心第一法。"刘永亨不敢接着说下去，光绪也无言以对。继而，太常卿袁昶请求发言，指出拳民乃乱民，实不可恃，即便他们真有所谓的法术，自古以来，也没听说有谁依仗这种东西成就大事。然而就像载漪打断刘永亨一样，这一次，最高统帅慈禧亲自打断了袁昶："你说法术不足恃，难道人心也不足恃吗？现在中国积弱之极，我们所能依仗的就是人心。如果连人心也失去了，何以立国？"

1900年6月17日上午，第二次御前会议召开。会议依旧由事实上的最高领袖慈禧主持。慈禧说："皇帝意在和，不愿用兵，有言和的，今天廷论，可尽言。"光绪辩解说："不是不可战，而是我国积弱，用乱民以求一逞，出口恶气，难道这是幸运的事吗？"载漪打断光绪："义民起田间，出万死以赴国难，今欲诛之，人心一解，谁与图存？"光绪说："乱民皆乌合之众，洋人武器先进，他们能以血肉之躯相搏斗吗？这简直是以民命为儿戏。"

慈禧眼看载漪理屈词穷，急忙叫另一位宠臣、户部尚书立山发表意见。立山素喜吸洋烟，爱屋及乌，对洋人似乎并没有什么反感。他说："拳民虽无他，然多不效。"——那些人虽然没有其他歪心眼，但他们宣称的神技基本不灵验。话音刚落，一向对义和团迷信的载漪为之色变："用其心也，何论术乎？"——我们要用的是义和团的民心，不一定要用他们的神技。并进而指责立山是汉奸。其实，立山是满人，即便真的与洋人一心，也只能称为满奸。两位重臣在庄重的御前大会上争吵不已，慈禧很生气，发言了："刚才得到洋人四条照会。一，指明一地，令中国皇帝居住；二、代收各省钱粮；三、代掌天下兵权。今日衅自彼开，国家就亡在旦夕之间。如果拱手让给洋人，我死后有何面目见列祖列宗？同样是灭亡，一战而亡，不犹愈乎？"话已至此，谁还敢再谈议和，于是都一齐表忠心：臣等愿效死力。还有几位大臣，当场洒下了真真假假的感动之泪。

蹊跷的是，慈禧明明说洋人的照会有四条，但她却只说了三条，还有一条是何内容呢？会后，大臣们从荣禄处得知，那条太后没有宣读的照会是：皇太后归政。让自己退位的照会，慈禧怎么会当众宣读呢？然而，正是洋人的四条照会，尤其是她不曾宣读的那一条，让她终于下定了和洋人死磕到底的决心。在这次御前会议上，载漪及其追随者侍郎溥良力主对洋人开战，"语尤激昂"。慈禧受此鼓舞，非常慷慨地宣布："今日之事，诸大臣都知道了，我为了江山社稷，不得已而宣战。此事前途未卜，如果战争之后，江山社稷仍不保，诸公今天都在场，应当理解我的一片苦心，不要归罪于我一人，说皇太后我断送了祖宗三百年天下。"

会后，大臣们拥到总理衙门，询问洋人照会一事。然而，异常诡异的是，负责全国外交事务的总理衙门，竟然没有一个人知道洋人的照会从何而来。此后，才很八卦地获悉，前一天晚上，江苏粮道罗某派其子紧急拜访荣禄，说有机密事告急。见面后，就把所谓的洋人照会交给荣禄。荣禄看了照会，"绕屋行，旁皇终夜"，第二天赶进宫将照会上奏慈禧，慈禧的反应是"悲且愤"。然而，一个负责地方粮食事务的官员，洋人怎么会把递交这个国家的照会给他？这本是一个常识问题，但昧于常识的满朝文武却没人去追究。一则，真的昧于常识；一则，非常精通常识——据说这封洋人照会是载漪伪造的，目的就是激怒慈禧，促使她向洋人宣战。

1900年6月18日，第三次御前会议召开，但只开了一会儿就不明原因地中断了。这天，被派出查验义和团情况的赵舒翘和刚毅回城，两人向慈禧报告时，均极口夸说义和团的神奇。事后，慈禧回忆说，刚毅"装出拳匪模样，道是两眼如何直视的，面目如何发赤的，手足如何抚弄的"。余外王公大臣们又都是一处儿敦迫着我，要与洋人拼命的，教我一人如何拿得定主意呢？"慈禧的话自然不无为自己开脱之处，但在决定这个国家将向何处去时，锦衣玉食的高官们的确扮演了一个个极其不光彩的角色。他们知道领袖爱听什么不爱听什么，于是为了讨一时之宠或泄一时之愤，均选择性失明。他们只看到了义和团这群庄稼汉的所谓民心，却没看到民心之后的世界潮流。

1900年6月19日，第四次御前会议召开。会上，太后决定宣战，并命许景澄等人到各国使馆，勒令各国使臣务必在二十四小时内离开。光绪还想做最后努力，他拉住许景澄的手，对慈禧等人哀求说："再商量商量吧。"然而回应他的是太后的斥责："皇帝放手，不要误了大事。"侍郎联元也劝告说："法兰西是传教国，衅也是法兰西所挑，即便宣战，也只能向法国宣战，断断没有向十一个国家宣战的道理啊。如果真的这样做，这个国家就危险了。"

庚子年，民族英雄们毅然决然地把这个国家投进了火坑。

这一年，玛丽·E.安德鲁斯小姐年届六旬。作为一名神职人员，这位生于俄亥俄州的美国人，于1868年不远万里来到中国传教，此时已在中国生活了三十二年之久。如果不是突如其来的义和团，她将在北京通州的一所教堂里度过其整个工作生涯。

6月8日，她接到公理会通知，撤离到北京的美国卫理宗美以美会传教团大院。

6月20日，如同安德鲁斯小姐一样担惊受怕的传教士们获知了一个消息：清政府要求他们二十四小时内离开北京，同时承诺给予保护，否则后果自负。就在这一天，清政府向十一个西方国家下达了宣战书。在这封充满悲愤与自认占尽天理的宣战书中，清政府宣称："（列强）初亦就我范围，讵料三十年来，恃我国仁厚，一意拊循，乃益肆嚣张，欺凌我国家，侵犯我土地，蹂躏我人民，勒索我财物。朝廷稍加迁就，彼等负我凶横，日甚一日，无所不至。小则欺压平民，大则侮慢神圣。我国赤子，仇怒郁结，人人欲得而甘心。此义勇焚烧教堂，屠杀教民所由来也……彼尚诈谋，我恃天理；彼凭悍力，我恃人心。无论我国忠信甲胄，礼义干橹，人人敢死；既有土地广有二十余省，人民多至四百余兆，何难翦彼凶焰，张国之威？"在华生活多年的安德鲁斯小姐会一些简单的汉语，但这种用文言写成的檄文，她未必看得懂。然而，华彩的文词掩盖了一个潜在的事实：义和团乃是一场被清政府高层利用的运动，是器，是工具。正如恽毓鼎所说的那样，载漪这样的始作俑者以为，既然是洋人的力量阻止了他的儿子登上帝位，那么一旦向洋人宣战，"使馆朝夷，皇位夕移"；而原本对义和团与洋人都剿抚不定的慈禧，则愤怒于洋人照会中要她"归政"的条款，她必须给洋人一点颜色看看。

安德鲁斯小姐在6月20日的日记中写道："我们又度过了一个可怕的夜晚，一个多为祷告的夜晚。因为我们又面临着那种可怕的可能性，即被迫把所有这些亲爱的中国教民们留下等待被杀或是更坏的事情。"在京的洋人一旦按清政府的要求撤离，那些追随上帝的中国教徒，必将是义和团民疯狂报复的对象。对此，作为一个坚信上帝的爱与人类同在的神职人员，安德鲁斯小姐认为："比起丢下他们听天由命，同他们一起死会容易些。"各国使馆的大使们考虑的则比安德鲁斯小姐更宽泛，他们中的一些人认为，即便真的按清政府要求撤离，二十四小时也根本无法完成，而且还无从担保撤离途中不受义和团的攻击。各国大使在一番论争之后，德国公使克林德决定到总理衙门找中国方面理论。然而，就在去总理衙门的路上，这位代表德国皇帝驻扎中国的使节被人射杀。枪杀克林德者为神机营章京安海，有种说法是，安海的神机营在此前得到上峰令，凡遇到外国人，一律格杀勿论。另一种说法是，他只是接受了载漪的密派，伺伏于途，恰好克林德经过，作了他的枪下鬼。不管哪一种说法属实，堂堂公使在驻在国被该国正规军军官枪杀，都是公然践踏国际法的行为。当然，不论载漪还是安海，都没把国际法放在眼里。因为他们根本不知道世界上还有国际法这种古怪的东西。况且，依载漪的设想，只要能把光绪拉下龙椅，让他的宝贝儿子坐上去，那时再和洋人谈判也不迟，"大事既成，虽割地赔款亦所不恤"是也。

克林德被无故枪杀，使西方公使们意识到，即便按清政府要求的二十四小时撤离北京，也完全不能保证自身安全。此时，联军部队尚在天津，远水救不了近火。目前之计，惟有自救。于是，在京的各国人员及中国教徒分别入驻到使馆和西什库教堂。据统计，两处共计有卫兵四百五十名，平民四百七十五名（含十二名外国公使），中国教徒及家属两千三百名，仆人约五十名。负责围攻使馆和教堂的则有义和团民众约五万，以及由董福祥率领的正规部队甘军约一万。政府一方面宣布义和团是义民，向他们发放大米和银子，另一方面又悬赏：每活捉一个外国男人，奖五十两，女人四十两，小孩三十两。刚毅宣称："使馆破，夷人无种矣。天下自当太平。"

令人意外的是，尽管这个国家敢于一口气向十一个西方强国叫板宣战，却在出动了数万人的情况下，拿不下弹丸之地的使馆和西什库教堂。

其实早在正式下诏宣战前数日，义和团即开始进攻西什库教堂。在接连焚烧了顺承门内的天主教堂及周围民房数百间，并烧死一些教民后，义和团又烧毁西交民巷教民房屋数十间。6月15日晚，近八万义和团民在载漪亲自指挥下围攻西什库教堂。是时，西什库教堂仅有卫队四十五人，另有由年轻传教士及教徒组成的数十人的民兵队伍。义和团民众大红粗布包头，里面放置着所谓的关帝神马，大红粗布肚兜罩在汗衫之外，黄色裹腿，红布腿带，在清军的掩护下，向教堂发起冲锋。义和团队伍前面，是一名作法的僧人，这僧人手执高香一炷，在教堂外点燃向北下跪，后面的义和团民众也跟着下跪。如是者三。尔后，上万人一声不吭，均左手执香，右手执刀，慢慢向教堂大门走去。义和团民众坚信，他们现在都是替天行道的义民，在他们身上流淌着关公、二郎神、黄天霸等英雄的血液，那些传说中的英雄和神仙将护佑他们，他们全都刀枪不入。

然而，一阵点射之后，西什库教堂门前留下了一地尸体。

安德鲁斯小姐也从不安全的美以美会传教团大院转移到了使馆。她的日记给我们详细讲述了使馆区内紧张、艰难，却还算有序的生活：

今天从早饭到晚饭，只是吃晚饭时停了几分钟，我一直不停地缝制用于防御工事的沙袋。白天有几次激动人心的时刻。整个早上的射击既猛烈又连续，子弹落在我们附近，因此走出小教堂是不安全的。

我们过的是一种奇怪的生活，没有人知道如何结束这种生活。我们总是盼望着外国军队的到来，但还是没有来。我们对城中的事情一无所知，不知政府是否还存在。我们完全与世隔绝。食物定量似乎是奇怪的，就只能吃那么多不能再多，用水也要尽量节约。除了特别为男人们保存的肉罐头以外我们没有肉，直到昨天打死一匹马，我们才吃了两天肉。直到今天我们才有了面包，但我发现没有肉和面包我也可以过得很好。我们直到现在也没有挨饿或是没水喝，我认为我们将不会受罪。

今天下午小睡了一会儿。整天都在猛烈射击，我们得知肃王府的一名女孩被炮弹片击中，膝盖伤得很重。就在此时，我们的公使康格少校将挂在他书房中的独立宣言副本拿给我们看。他今天取下来读时才发现一颗子弹从中穿过并留在后面的壁炉台上了。

围攻使馆和教堂的，不仅仅是义和团，还包括董福祥所率领的正规部队甘军。慈禧曾问董福祥几时可以攻克使馆，董福祥答曰："五日必歼之。"但事实上在长达两月的围攻之后，使馆和教堂虽然弹痕累累，"洋兵仅四百，董福祥所部万人，攻月余不能下，武卫军死者千人。"为了能拿下洋人的这两座据点，进攻方想尽了一切办法。眼看强行进攻无效，便企图用火攻的方式将洋人尽数烧死于内：当时，英国使馆与翰林院比邻。甘军将许多煤油洒在翰林院内的一棵棵参天大树上，然后将树木点燃，烈焰滚滚，浓烟四起。翰林院是帝国的文化精华所在，藏有历代留传下来的各种珍贵图书，包括明代由两千多名学者编修的大型综合性类书《永乐大典》和乾隆年间编成的卷数达七万九千卷的《四库全书》。其中，《永乐大典》在明末遭到火灾之后，仅存藏于翰林院的这套副本。为了攻击洋人，甘军一把火便点燃了这座堪称中国文化宝库的大院。当大火熊熊燃烧之时，使馆的数百名警卫人员一面阻断大火向使馆蔓延，一面奋力从火堆中抢运藏书。事后，除了被使馆卫队从火中抢出的那一部分外，其余均为灰烬。这两套集大成的著作，只留下了为数不多的残篇剩卷。

正规军加义和团，人数达数万之多，居然攻不下弹丸之地，其中到底有着怎样的隐情？当时及后来均有一种说法，那就是慈禧的宠臣荣禄深知一旦真的攻破使馆，尽屠洋人，必将引来西方各国疯狂报复，是故，他在无法抗拒慈禧命令的情况下，对使馆和教堂暗中施以保护。英国人朴笛南姆威尔在《庚子使馆被围记》中说："欧人皆谓观于一千九百年之事，中国以大军围攻区区之使馆，而不能克，可见兵力之弱。众口一词，其意坚不可拔。不知此亦大误……盖中国人乃在能杀之时，而掣其刃，非其力之不能也。当时中国之政府，意见不一，其主持和平者，当事势决裂之后，犹暗中竭力挽回，以施拖延之政策，减轻其事之结果。"如果说作为外人的朴笛南姆威尔的这种说法还是推测居多的话，那么经历此变且更熟悉内情的景善在他日记中的明确记载，则可作为比较过硬的证据。景善在日记中说，董福祥向荣禄请借大炮，荣禄不听，"隐几而卧"。董不悦，荣禄哂笑之："君必用我炮，请向老佛恳求鄙人之头。"又向其部下令，不得给甘军大炮和地雷。另一些资料则言之凿凿地指出，由于荣禄的暗中下令，不少围攻使馆和教堂的大炮都是在放空炮。

在洪钧老祖的庇护下，刀枪不入的义和团依然攻不下洋人的两个小据点。但这并不影响民族英雄们借此千载难逢的良机剪除异己。

就在义和团围攻使馆和教堂的隆隆炮声中，几个曾经反对向列国开战的明白人被当作汉奸处死。五位"汉奸"中，既有光绪曾拉其手的许景澄，也有喜吸洋烟的立山，甚至还有一位年已七十九岁的老臣徐用仪。第一批被斩首者为许景澄和袁昶。袁昶素来对朝廷重用义和团持反对意见，他曾写信给庆亲王奕劻，请他告诫载漪，勿为祸首。

不幸的是这封信被载漪所获，于是给他罗织了离间的罪名送上刑场。许景澄则是当年支持光绪变法的所谓帝党。徐用仪从事洋务多年，与洋人多有交道，这时便是降了外国做了汉奸的铁证。联元则在御前会议上，公开反对向多国宣战。比较离奇的是立山，此人素为慈禧倚重，除了喜吸洋烟，似乎也并没有对外国有什么特殊的好感或交道。他的死于非命，纯属得罪了庚子年最炙手可热的载漪一党。史料载，立山久掌内务府，家里很有钱，庄亲王载勋曾找他借一笔巨款，未果。再加上两人都喜欢一个妓女，而立山先下了手，这都使得载勋对其恨之入骨。当甘军和义和团几万人也攻不下西什库教堂时，载勋忽然间获得了灵感，他向慈禧透露，之所以会出现这种状况，是因为立山家里有通往洋人教堂的地道，立山"潜为接应，故教堂久不下"。尽管此后在立山家里并没找到什么地道，但立山仍然下狱，旋即被处死。宣布将立山下狱的圣旨，荒诞鄙俚，史家认为，这并非出自朝廷的圣旨，而是载勋勾结义和团的矫诏。这道圣旨承认在立山家没发现洋人踪迹，但"当将该尚书（指立山）拿至坛中，焚香拜表，神即下坛，斥以勾通洋人，行踪诡秘。该尚书神色仓皇"。就是这种奇怪的罪名，一向受宠的立山竟被处死。负责监斩的官员为刑部侍郎徐承煜。有人提议，应当用处死大臣的方式行刑，让他们死得体面些，但徐承煜怒斥说："这都是汉奸，杀了都是便宜他们，哪值得给他们体面？"临刑前，袁昶长叹："死亦好，省得看见洋人打进京城，国破家亡。"徐承煜喝斥道："你还想着洋人打进京城吗？"袁大怒，骂道："你们父子俩把中国害苦了，狗一样东西，你还敢骂我。"徐恼羞成怒："快些拉出去宰了他。"袁答道："哼，我死得很痛快，只是你们将来死得连一只老鼠都不如。"

当义和团奉旨造反之时，偌大的北京城里不仅洋人和教徒人人自危，即便是普通百姓甚至朝廷命官，也感到从未有过的惊恐。官员们纷纷南逃，以至于许多部门无人办公。更有甚者，连深居禁宫，身为国家元首的光绪，竟然也差点被义和团抓走。据景善在他的日记里讲，端王载漪、庄王载勋等王公，带着六十几名义和团，以寻找二毛子为名闯入宫中。至宁寿宫时，慈禧还没起床，载漪一行大呼大叫，要皇帝出来，并宣称皇帝是洋鬼子的朋友。意思就是说，皇帝就是二毛子，理应抓起来。景善记载："其时端王粗莽之状，甚可骇异，或酒醉而发狂乎？"慈禧起床吃早茶时，听到外面大喊杀洋鬼子徒弟，急忙走出来站在台阶上，怒斥阶下的载漪："你自己觉得是皇帝吗？敢于这样胡闹？你要知道，只有我一人有废立的权柄。现在虽立汝子为大阿哥，顷刻就可以废之。你以为当国事纷乱的时候，可以随便胡闹，就错打主意了。赶快带人出去，没有奉旨召见，不许随便进来，并须叩头谢罪。"载漪"乃大惧，叩头不已"。

庚子之乱后，慈禧曾经有过一番反思，这种反思虽然旨在为自己开脱，但也透露出了局势的混乱。开初不过想利用义和团这种所谓的民意来给洋人一点教训，但当民意发展到一定的地步，即便是帝国最有权威的慈禧，也无法把控局势的发展："拳匪攻打使馆，攻打教堂……杀的抢的，我眼看不像个事，心下早已明白他们是不中用，靠不住的。但那时他们势头大了，人数也多了，宫内宫外，纷纷扰扰，这时太监们连着护卫的兵士都真正同他们混在一起……其势汹汹，呼呼跳跳，如像狂醉的一般，全改了平日的样子。……若不是多方委曲，一面稍稍迁就他们，稳住了众心，一方又大段的制住了他们，使他们对我还有几分瞻顾，那时纸老虎穿破了，更不知道闹出什么大乱"；"我本来执定不同洋人破脸的，中间一段时期，因洋人欺负太甚了，也不免有些动气。虽是没拦阻他们，始终总没叫他们十分尽意的胡闹。火气一过，我也就回转过头来，处处都留着余地。我若由他们尽意的闹，难道一个使馆有攻克不下来的道理？"

大言炎炎的董福祥和义和团，攻不下区区几百人守卫的使馆及教堂，这不仅让慈禧疑虑丛生，更让她对义和团心生不满。而载漪带义和团擅自闯进宫中，要把光绪当二毛子抓起来，虽然慈禧对光绪并无好感，时刻打算废之，但载漪的这种霸王硬上弓的举动，更令她异常恼火。"太后浸厌之"，她开始考虑这场闹剧到底如何收场，于是乎一度下达了停止围攻使馆的命令，并给使馆赠送西瓜等食物以示和好。西方人当然搞不懂太后葫芦里卖的什么药，收下了西瓜，却无人食用，他们担心这会是中国人的计谋，西瓜里或许藏有毒药。

当天津失守的消息传来，慈禧已打定主意与西方列国议和，她下诏保护教堂教士，并准备任命李鸿章为议和全权大臣。但就在诏书还没下达之际，李秉衡进京了。时局又一次峰回路转。

李秉衡此前主张与洋人媾和，并与李鸿章、张之洞等封疆大吏联名上奏。李刚到京，朱祖谋等人便在路上拦住他，向他讲述义和团进京后的危亡乱象，希望他见到慈禧后，向慈禧说明义和团不可恃，当今之计，惟有息兵议和。李秉衡深以为然。但是，当李秉衡入朝时，一向主战的大学士徐桐即向他大呼："鉴翁（李字鉴堂），万世瞻仰，在此一举。"意谓要李主战。在见到另一个主战派刚毅时，"知太后旨所在"，也就是了解到慈禧想要议和，不过迫于形势，内心其实是希望与洋人决战，"意遂变"。于是，在慈禧召见时，李秉衡从主和派变成了主战派，他极言当务之急是和洋人决战，即便要议和，也应先把洋人打败，以后议和才有底气，即所谓"必能战而后能和"。他力言义民可用，而他本人愿意亲自督师出征。慈禧的议和本非真心，乃是情势所迫，一听李秉衡之言，如同打了强心针。不过，她仍然责问李秉衡："你既然主战，为什么之前和李鸿章等人联奏主和？"李秉衡撒谎说："这都是张之洞擅自将我的名字列上去的，我根本不知道此事。"李秉衡向来被史家和舆论认作忠贞之臣，可在他的观念里，并无明确的媚洋和仇洋，或者说媚洋仇洋皆无所定，惟太后马首是瞻，因为太后是这个国家里最能影响他的前途乃至身家性命的人。

几天后，李秉衡率部出征，除清政府正规部队外，还有义和团三千人跟随。义和团曾经把李秉衡和洪钧老祖、梨山圣母供奉在一起，现在他们的追随，也是水到渠成的事。出师之日，义和团诸位大师兄二师兄，各持称为八宝的引魂幡、混天大旗、雷火扇、阴阳瓶、九连环、如意钩、火牌、飞剑等物什，拥秉衡以行。不论洪钧老祖还是梨山圣母，义和团渴望的那些保护神，除了在上阵前给他们壮壮胆子外，在现代化的热兵器面前，义和团民众只能一败涂地。同时一败涂地的，还有清政府的正规军。至于李秉衡本人，也在兵败后绝望自杀。他的自杀也符合一个高级官员的身份：他没有仰药，也没有自刎，而是吞下了一大砣亮闪闪的金子。就在李秉衡自杀前数日，另一位高级官员也选择了自杀，那就是直隶总督裕禄。

曾夸口五日内拿下教堂和使馆的董福祥，既然连数百人的卫队也搞不定，更无法阻挡数以万计的联军。1900年8月13日夜间，联军中的俄军率先发动了对北京城的总攻。次日，美军首破东便门；接着，乘虚而入的英军在广渠门击败董福祥部，沿着城墙下面的御河水闸进入内城，于是出现了本文开头所说的那幅老照片记录下的真实一幕：当洋人攻进自家京城时，一大群事不关己的民众踮起脚尖，拉长脖子，兴致勃勃地观看这出闹剧。在这些围观者心里，洋人正在攻打的这个政权，这个国家，与自己并没有任何关系，因为它原本是爱新觉罗一家一姓的天下，或者至多是爱新觉罗与其他大大小小的官员和既得利益者的天下，洋人要推翻它，至多不过换个人坐庄而已，老百姓依旧是老百姓，除了命是你的，这个国家还与你有什么关系？

听到越来越近的枪炮声，帝国掌舵者们再也坐不住了。15日黎明，慈禧换上民间老妇的蓝布长衫，坐上一辆马车，仓皇逃出皇城。在颐和园略事休息后，经居庸关往太原方向西逃。这就是历史上所谓的庚子西狩。狩就是打猎，在替尊者讳的中国，凡是皇帝逃出京师，都称作狩。就连宋朝的徽宗和钦宗二帝，被金人俘虏北去，也称作北狩——皇帝到北方打猎去了。现在，轮到慈禧太后去西边打猎了。跟随慈禧一道去西边打猎的，包括光绪皇帝、端王载漪及其子溥俊，庆亲王奕劻，庄亲王载勋，辅国公载澜以及军机大臣刚毅，军机大臣兼顺天府尹赵舒翘等王公大臣。临行前，光绪曾请求留下来和洋人交涉，但慈禧深知，一旦把光绪留在北京，他就会脱离自己的掌握，并被洋人认定为帝国的真正主宰。她不会做这种傻事，坚持让光绪随行。光绪宠爱的珍妃也跪请慈禧同意光绪留在北京，她的举动惹来了杀身大祸。尽管有光绪的一再哀求，这位可怜的女子仍然被慈禧喝令太监推入井内溺死。一旁的光绪战栗不已，慈禧高声叫道："上你的车子，把帘子放下，免得有人认识。"

肇自民间、进而被政府利用的义和团，给中国带来的，是一场不折不扣的浩劫。它加速了大清王朝覆灭的进程，也让遭逢此劫的芸芸众生苦痛悲怆。

运动初起之时，大批沾上了洋字的中国民众被英雄们认定是罪无可赦的汉奸而身首异处；联军攻入北京后，既有大量义和团民众被报复杀死，更有无数无辜民众作了替罪羊。《庚子国变记》中指称："宫人自裁者无数，或走出安定门，道遇溃兵，被劫多散……满州妇惧夷兵见辱，自裁者相藉也。京师盛时，居民殆三百万，自拳匪暴军之乱，劫盗乘之，所过一空，无免者。坊市萧条，狐狸昼出，向之摩肩击毂者，如行墟墓间矣。"短短几个月时间内，一座当时亚洲最繁华的大都市，变成了狐狸昼行的废墟。

慈禧最初打算西狩的目的地是山西省会太原，但她很快就明白，太原并非久留之地。想当初，山东巡抚毓贤对义和团庇护有加，因遭洋人坚决反对，被慈禧调任山西巡抚。而山西境内的义和团运动，虽然不如京津两地那样声势浩大，但对洋人及教徒的迫害，却更加令人发指。幕后指使者便是山西的最高长官毓贤。现在，洋人占据了北京，对山西的迫害暴行必然不会放过。慈禧只得又踏上了西狩的路途，这一回的目的地是西安。

天津陷落后，毓贤为了表示忠心，曾主动请求勤王，但当朝廷真的要求他带兵进卫北京时，他却"实不欲行"，鼓动山西民众出面挽留他。由于朝廷严旨再催，他只得勉强上路，但还没等他出山西，联军已攻陷北京。毓贤在山西的最大政绩，是对洋人及教徒的残酷迫害。当他离开太原时，曾对义和团首领说："教民罪大，焚杀任汝为之，勿任地方官阻止也。"

山西是西方传教士较早深入的传教区之一，早在明朝万历年间就有教士活动。传教士们通过修建孤儿院、学校和医院等慈善方式，获得了山西民众的好评。当山东、河北等地义和团风起云涌时，山西处于相对平静之中。但是，当朝廷不顾洋人的强烈反对，任命毓贤为山西巡抚后，这个极端的排外主义者将义和团的种子从山东带到了山西，随侍他左右的几十名卫队成员，几乎全都是义和团成员。更重要的是，作为这个省的最高长官，他不管朝廷对洋人是战是和，始终如一地执行血腥的灭洋政策。因而，山西境内的杀人事业，也得以迅速发展，其血腥与残暴，甚至超越京津。

1900年6月26日，义和团大批进入太原，在巡抚衙门前设坛练拳。27日，毓贤接见义和团首领，鼓励这些所谓可用的义民，以消灭洋人和教徒为神圣职责。此后，毓贤将法国天主堂的二百余名修女押送到桑棉局，强迫修女们背教。修女们不从，毓贤下令斩杀为首的两名修女，并将其鲜血盛于盆内，宣称如果其余修女把它喝下去，就放了她们。于是，十六名修女站出来，争相喝完了盆内的血。但这种举动却激起了毓贤更大的愤怒，他下令吊死这十六位修女，再次威胁幸存的修女背教。修女们仍然不从，统统为毓贤所杀。

毓贤还将一大批传教士集中于巡抚衙门前训话。训话中，毓贤以那些捕风捉影的无稽之谈——诸如洋人挖中国儿童眼睛以制枪炮——为证据，指斥洋人在中国胡作非为。他的训话遭到主教艾士杰的反驳，毓贤辩论不过，亲手将艾士杰杀死。当天，在巡抚衙门前被杀死的上百人中，既有天主教主教，也有妇女和儿童。这些殉教者的尸体被拖到野外，听任野狗撕食。据统计，山西一省被杀死的传教士共计一百九十一人，中国教民及其家属则多达一万余人，被焚毁的教堂和医院二百二十五所，民房两万余间。其中，有两个细节令人心酸：

省城某教堂被焚时，一个英国传教士从火海中逃出来，他在众人面前号哭说："这些年我在山西花了五六万两银子，救活了数千人，难道这还不够换我的性命吗？"

另一位英国妇女带着她的婴儿逃出来，跪在地上求饶说："我在这里行医治病有好几年时间了，被我救活的有数百人，今天就请饶了我们母子吧。"

然而，在这些披着爱国外衣的嗜血者看来，洋人的求饶，不但不可能得到宽恕，反而激起了他们无边的斗志。传教士被杀死，英国妇女及其幼子被推入火中。

两宫西狩，联军占据北京并进一步进军山西和河北，事情已到了必须想法收场的地步，不仅清廷作如是想，列强也在寻求善后之道。

早在联军攻陷北京之前，慈禧就下达了一道旨意，要求两广总督李鸿章北上，与洋人议和。在后来人眼里，李鸿章总是以汉奸的面目出现，也许就在于与洋人的多次议和，都由这位熟稔洋务的大员出面。

庚子事变的奇特之处，除了一国悍然挑战十一国外，还在于当中央向列国宣战时，地方却与列国媾和，这便是有名的东南互保。这一点，仍然和李鸿章密切相关。

朝廷对列国宣战后，随即向国内各省督抚下旨，指示他们"保守疆土，接济京师，联合一气，共挽危局"。庚子年初，李鸿章以外任两广总督的机会，逃离了火药桶般的京城。现在，朝廷同时向西方十一国宣战，并要求各地勤王，无异于把整个中国都投掷到火堆之中。作为彼时最深明局势的政治家，在盛宣怀的策动下，李鸿章决定拒不受命。不仅拒不受命，他还联合中国南方的几位封疆大吏，与列强取得谅解，保持中立。因此，当中央政府和西方十一国处于战争状态时，南方的十三个省却和这十一国相安无事。身为儒家道统的承继者，李鸿章也知道，即便自己的目的是为了保境安民，不让南方也像北方那样陷入动荡与兵火，但不服从朝廷旨意，无论如何也是说不过去的事。因此，在拒绝受命之先，他宣称从北京送来的圣旨是伪诏。既然是奸人伪造的圣旨，那他当然理直气壮地不听令。为此，他很有底气地宣称："此乱命也，粤不奉诏。"正是有了这个由东南各省督抚和西方列强达成的东南互保协定，当北中国兵荒马乱，人人自弱之际，南中国依然保持着繁荣和稳定。

对以李鸿章为首的南方各位方面大员的拒不奉诏，事后，以慈禧为代表的朝廷并没有秋后算账。一者，这个国家需要李鸿章这种在西方人眼里开明务实的官员为庚子年的闹剧善后；二者，从骨子里说，慈禧也知道李鸿章的举动纯属为了爱新觉罗的江山；三者，庚子年的折腾给了慈禧一个至为深刻的教训，从那以后，她收拾起对洋人的仇视，宣称"量中华之物力，结与国之欢心"。她的底线是：只要洋人不追究她在庚子拳乱中的责任，不逼她把帝国大权交给傀儡光绪，她就愿意把洋人奉为太上皇。慈禧曾经非常牛气地扬言：谁让我一时不开心，我就让他一世不开心。洋人让她在庚子年非常不开心，但她没法让洋人一世不开心。

很有可能，倡导了东南互保的李鸿章，没想到朝廷会如此急急忙忙地连发电报，要他北上收拾残局。朝廷的第一封电报发来时，联军还没攻入北京。从这一细节可以看出，尽管慈禧等人认为民心可用，但也意识到虚假的民心不过纸老虎。在利用义和团发泄一番之后，还是得和谈。

在京师失守前一个月的1900年7月14日，被任命为直隶总督兼北洋大臣的李鸿章离开广州，取道上海赴京。这一任命，也就是恢复了他在甲午战争之前的职务。履新之际，李鸿章和南海知县裴景福有一番对话。

裴景福向李鸿章请教时局安危，李鸿章回答说：百足之虫，死而不僵。我朝厚德，人心未失，京师难作，虽根本动摇，幸有袁世凯主政山东，张之洞、刘坤一向有定识，必能联络，保全上海，决不致使中国从此一蹶不振。李的回答让人意识到，李鸿章敢于抗旨不遵，与洋人搞东南互保，就是为了给帝国留下半壁还算安稳的江山，以图东山再起。

此时，正值京师义和团如火如荼，王公大臣趋之若鹜之际，但当裴景福问李鸿章京师局势将如何发展时，这位远在南海一隅的政治家已经预见了最终的结局：京师必然失陷。他说："论各国兵力，京师的真正危机当在八九月之交，但聂士成已阵亡，马玉昆、宋庆诸军零落，中国在军事方面对列国的牵制必不得力。而日本距离中国太近，调兵最快，再加上有英国支持，恐怕京师沦陷必不可免。"说到此处，这位须发皆白的疆臣不由得涕泪交织，不停地用手里的拐杖敲击地面。

良久，裴景福又问，万一京城不守，您入京后怎么办？李鸿章止住眼泪，胸有成竹地回答："必有三大问题，即剿拳匪以示威，纠首祸以泄愤，先以此要我而后索兵费赔款，势所必至。"后来事情的发展，和李的预言完全一致。李鸿章身为晚清重臣，他的悲剧不在于代表这个腐朽的国家与洋人签订了几多不平等条约，而在于他有识见有魄力，但每当帝国有重大决策时，他却被排斥在外，而一旦当局者把事情搞砸，却又总是要他出面，忍气吞声收拾残局。

裴景福又问："兵费赔款大约数目会有多少？"

李鸿章回答说："我不能预料具体的数目，惟有极力磋磨，展缓年份，尚不知做得到否？我能活几年？当一天和尚撞一天钟，钟不鸣了，和尚亦死了。"说罢，他不由得再次泪流满面，一旁的裴景福也跟着哽咽起来。

李鸿章抵达上海后，虽然朝廷一再催他尽快进京，但他仍然在上海逗留了些时日。一则，年迈的他不堪长途旅行，到沪后即沉疴不起。再则，也是更重要的原因，他知道若非洋人攻陷京师，慈禧的所谓与洋人议和便是一纸空言。因此，他必须坐等洋人拿下自己的首都，到那时，意识到大势已去的慈禧才会真心实意地回到谈判桌。就在痛苦的煎熬中，李鸿章终于等来了联军攻陷京师，两宫仓皇西狩的噩耗。从某种意义上讲，这个噩耗的传来，也使李鸿章心上的一块石头落了地，现在，该他登场了。

被联军占领后的京师，面临着疯狂报复的危险。鉴于德国驻华公使克林德无端被杀，德皇主张用武力摧毁北京，他宣布："让中国这样认识德国——中国人再也不敢对德国人侧目相视。"骄傲的联军统帅、德国人瓦德西秉承德皇旨意，多次提议要把这座古老的城市化为白地，由于美国人的坚决反对，瓦德西的意见才未能执行。进京的诸国联军中，美军和日军军纪最好，基本秋毫无犯，其他国家的军队则军纪较差，抢劫是时有的事。不过，据亲历此事的齐如山回忆，"外国人抢的不过十分之三，本国人抢的总有十分之七"。最初只抢商家，商家抢完，接着就抢住户。在这种一夕数惊的大背景下，京师士庶无不翘首期待李鸿章的到来。不过，这些盼望李鸿章的人的心态，亦颇为古怪。之前，李鸿章是众口一词的汉奸，现在，却必须指望这个汉奸和外国人交涉，以便换来和平。同样是齐如山，在其回忆录中写道：

在外国兵进京之后，不久即听外国人说，李鸿章快来了。彼时中国的衙门机关完全消灭，一切消息，都靠外国人的电报。我们听到这个消息，当然很高兴。先君即告余说，吾国人自光绪甲午后，无不痛恨翁常熟，李合肥，彼时有一副对联曰：娥相合肥天下瘦，司农常熟世间荒。彼时正是翁相国以军机大臣兼户部尚书，故该联云然。此联虽二人并重，但不满意翁者，只是政界学界中人，而全国国民，则皆都不满意于李。尤其是旗人更恨之入骨，故北京又有一联云：杨三已死无昆丑，李二先生是汉奸。……从前虽骂他，但现在已知道非他不可，所以大家都盼他来，因来的慢，大家又怨恨他。其实是大家不知道，他虽然可以来，但他充全权议和大臣，他也得有政府的凭据，总理各国事务衙门此时是关了，但至少也得有一道授以全权的上谕，方能凭以交涉不是？……他来的那两天，北京所有的人，可以说是狂欢。尤其旗人，自西后光绪走后，他们每月的钱粮，谁也得不到，可是旗人又专靠钱粮吃饭，所以几个月来，都跟没有娘的孩子一样，听说李鸿章要来，总以为他是跟外国人有勾手的，他来了一定有办法。彼时所有正式饭馆都没有开门，各街上都是搭的席棚小饭铺，尤其东四牌楼一带，旗人吃饭的很多，正喝着酒，忽提李鸿章来了，便高兴地说，再来一壶。盼他来的程度，就如是之高。我问他们，你们向来很讨厌李鸿章，为什么现在这样欢迎呢？他们的回答是：说人家是汉奸，没人家又不成，就是里勾外联的这么个人。我听罢大乐，彼时许多人对李鸿章都是这样的批评。"里勾外联"四个字，不但在史书上没有，就是说此话的人，也没什么确定的解释。

1900年10月11日，李鸿章抵北京，下榻此前曾住过五年的贤良寺。谈判是艰难而曲折的，其间的过程不表也罢。总之，在经过将近一年的讨价还价后，清政府和西方诸国达成了《辛丑条约》。1901年9月17日，条约由李鸿章、庆亲王与十一国代表正式签署。同日，联军撤出北京。

条约签署后，李鸿章给朝廷上了一道奏折，在这道奏折里，这位办了大半辈子洋务的老人异常痛心地总结说："臣等伏查近数十年内，每一次构衅，必多一次吃亏。上年事变之来尤为仓猝，创深痛巨，薄海惊心。今议和已成，大局少定，仍望朝廷坚持定见，外修和好，内图富强，或可渐有转机。譬诸多病之人，善自医调，犹恐或伤元气，若再好勇斗狠，必有性命之忧矣。"李鸿章的比喻十分到位：这个苟延残喘的帝国，的确是一个病入膏肓的重症患者，如果好生将息，尚可拖延时日，奈何主其事者一再以此残弱之躯，去和健康人争强斗狠？经庚子一变，慈禧也确实吸取了教训，对洋人，只要不干涉

清朝内政 —亦即保证她的权力 —她就以一种近乎讨好的姿态来营造开明友善的形象。

当李鸿章临危受命，前往北京收拾残局时，京师民众如同盼星星盼月亮，即便是他的政敌，也真真假假地称道他"黄花晚节，重见芬香"，然而等到和约一签订，警报一解除，意识到安全已有保障的爱国者们便又开始众口一词地指斥李鸿章是汉奸，是如同秦桧一样的卖国者和误国者。

风烛残年的李鸿章已经没有精力去应对种种污辱与叫嚣，签完和约两个月后，他即病逝于京师贤良寺，时为1901年11月7日。弥留之际，家人问他对家事有何吩咐，李无言；又问对国事有何交待，李登时老泪纵横。临终之前，他曾吟诗一首，是为绝笔：

> 劳劳车马未离鞍，临事方知一死难。
> 三百年来伤国步，八千里外吊民残。
> 秋风宝剑孤臣泪，落日旌旗大将坛。
> 海外尘氛犹未息，诸君莫作等闲看。

李鸿章死后，被清政府通缉的乱党梁启超即为他作传。可以说，真正理解李鸿章的，并不是他忠于的那个摇摇欲坠的政府，不是高高在上的慈禧，不是满朝文武同僚，而是作为帝国的敌人的梁启超。梁启超在《李鸿章传》中说，李鸿章为数千年中国历史上一人物，为十九世纪世界史上一人物。不学无术，不敢破格，是其短也；不避辛劳，不畏谤言，是其长也。梁启超对李鸿章的盖棺之论是："吾敬李鸿章之才，吾惜李鸿章之识，吾悲李鸿章之遇。"远在大洋彼岸，曾两任美国总统的克利夫兰，对李鸿章有着更高的评价："李鸿章不仅是中国在当代所孕育的最伟大的人物，而且综合各方面的性质才能来说，他是全世界在上一世纪中最独特的人物。以文人来说，他是卓越的；以军人来说，他在重要的战役中为国家作了有价值的服务；以从政三十年的政治家来说，他为这个地球上最古老，人口最繁盛的国家的人民提供了公认的优良设施；以一位外交官来说，他的成就使他成为外交史上名列前茅的人。"

然而，李鸿章对自己所从事的事业却有另一番非常悲哀的解读，他说："我办了一辈子的事，练兵也，海军也，都是纸糊的老虎，何尝能实在放手办理？不过勉强涂饰，虚有其表，不揭破犹可敷衍一时。如一间破屋，由裱糊匠东补西贴，居然成一净室，虽明知为纸片糊裱，然究竟不定里面是何等材料，即有小小风雨，打成几个窟窿，随时补葺，亦可支吾应付。乃必欲爽手扯破，又未预备何种修葺材料，何种改造方式，自然真相破露，不可收拾，但裱糊匠又何术能负其责？"李鸿章的沉痛，在于他比梁启超和克利夫兰都更清楚他效忠的这个国家这个政府的底细，他知道他的所有努力都只不过是为了敷衍一时，他虽然位极人臣，却仍只是无足轻重的裱糊匠，他只能为帝国做这么多。至于必欲爽手扯破者为谁？显然就是庚子年的民族英雄们，从幕后的慈禧到台前的载漪、载勋，再到曹福田、张德成诸位大师兄二师兄，以及他们身后面目模糊，却汹涌而来，上演了一场集体狂欢的万千民众。

李鸿章死后，安葬于其家乡合肥郊外。作为臭名昭著的汉奸、卖国贼，他死后亦未能得享安宁：他的坟墓在1958年被挖开，其时，身着黄马褂的李鸿章遗体尚保存完好，随即被狂热的群众用绳子拴着，系在拖拉机后面游街，直到粉身碎骨。那是又一个狂热的群众运动到来的前夜。

西狩一年多之后，《辛丑条约》的签订，确认了慈禧不会受到列强追究，她仍然是这个垂而不死的老大帝国的最高领袖。现在，她可以怡然自得地起驾回京了。出京之时，慈禧身着布衫，了无长物，回京时，装载箱笼的车辆竟多至三千余辆，这就是太后西行打猎的收获。她经行的从西安到京师的两千多里路途上，地方官员们忙于为她修筑御道，缮治行宫，"一驿之费，几五万金"。

慈禧以拳乱祸首的身份得到列国谅解，一在于李鸿章以及赫德极力说服各国，二在于同意了列国协商后提出的条约。条约中，有两条重要内容，其一是惩办罪犯。列强最初开列的罪犯名单上，慈禧赫然排在首位。经过斡旋，慈禧的名字去掉了，但必须得有其他一些官员遭到最严厉的处罚，才能平息列强的愤怒。

联军原本要求处死十二人，包括端亲王、庄亲王、刚毅、毓贤、李秉衡、徐桐、董福祥、英年、赵舒翘、徐承煜、启秀和载澜。最后的处理情况，与原初略有不同：端亲王载漪因其子为大阿哥，他得以捡回一条性命，与载澜一同被发往新疆，永远监禁。其子溥俊虽是大阿哥，但顽劣无状，"其父戍边，亦无戚容"。返京途中，慈禧将其废黜。董福祥是职业军人而非政治家，对他的处分最轻：革职。至于刚毅、徐桐和李秉衡，已于此前身死，对他们的处分是夺回原官，撤销朝廷给予的谥评。此三人中，刚毅系在随两宫赴西安途中病死，他的死，可谓及时地逃避了紧逼而至的审判，保全了最后的尊严，未尝不是一件好事。至于李秉衡，其兵败自杀，也算是相对体面。徐桐的死，却比较乌龙。

徐桐，汉军正蓝旗人，官拜体仁阁大学士，是晚清帝国这艘风雨飘摇的破船的掌舵者之一。这是一个道貌岸然的高级官员，以理学自命，日诵《太上感应篇》，"恶新学如仇"，他家住在东交民巷，与洋人的使馆相接，因厌恶见到洋楼，每当他出城时，宁肯绕上一大圈，也不从洋楼前经过。眼镜是洋人的发明，虽然连雍正晚年都戴眼镜，但徐桐却极其看不惯这舶来之物，他的同事中有人戴眼镜，徐桐见之即不悦。当此庚子年时，徐已年逾八旬，即便是慈禧召见他，也因他是年劭德勋的老臣，"恒改容礼之"。为此，徐晚年尤其骄横。听说世间还有一种叫义和团并以扶清灭洋为己任的义民时，他不由大喜过望，"谓中国自此强矣"。尽管义和团大师兄们都是些目不识丁的文盲，这位理学大师仍亲赠对联一副：创千古未有奇闻，非左非邪，攻异端而正人心，忠孝节廉，只此精诚未泯；为斯世少留佳话，一惊一喜，仗神威以寒夷胆，农工商贾，于今怨愤能消。

联军入京后，徐桐的儿子、侍郎徐承煜告诉他：您庇护拳匪，夷人来了，肯定不会放过您，您就有失大臣之体，还是赶紧自杀吧，我也随后追随您于地下。徐桐虽过八旬，却一点不想死。在儿子的一再劝告下，只得把颈项放进了儿子为他准备的套索中。喜剧的是，父亲自杀后，徐承煜却并没有追侍父亲于地下。他离家潜伏，后来被日军抓获。及至议和事成，徐承煜是为必须处死的罪犯之一。当时，他和启秀关在日军监狱。正法之旨下达时，徐脸色大变，极呼冤枉。不知他是否想起了一年多前许景澄临刑前的那番话？

毓贤此前已发配新疆，赴疆途中，处死他的圣旨下达。刑前，他为自己作了一副挽联：臣罪当诛，臣志无他，念小子生死光明，不似终沉三字狱；君恩我负，君忧谁解，愿诸公转旋补救，切须早慰两宫心。对联里流露出的意气，不像是一个有罪而被国家正法的罪人，反倒像一个出师未捷身先死而劝勉同仁的烈士。

英年与赵舒翘原定为斩监候，相当于死缓。此后，下令两人自尽，算是给他们保留了一点大臣的体面。英年自尽无甚可说，赵舒翘却自尽得艰难而屈辱。赐赵舒翘自尽时，他被关在西安狱中，由在庚子事变中迎驾有功而大获慈禧赏识的陕西巡抚岑春煊监督执行。赵舒翘不相信慈禧真的会赐其自尽，以为随后一定会有另外的旨意到达，他老婆比他明白：你不要再心存幻想了。我们夫妇今天同死吧。老婆给他递上用于自尽的金子，他勉强吞了少许，过了三个时辰也没死亡的征兆，还在喋喋不休地处分家事，并不断咒骂刚毅，认为是刚毅害了他。岑春煊急于复命，等得很不耐烦，又给了他一些烟土。但吞食烟土两个时辰后，还是不死。接着又上砒霜，这一回终于偃卧呻吟，但到了半夜依然气息不绝。岑春煊无奈，也顾不得为赵舒翘保留大臣的体面了，他令手下用厚纸蘸上热酒，盖住赵舒翘七窍。这样，命硬的赵舒翘终于在恋恋不舍中告别了人世。

《辛丑条约》中至关重要的另一条，是清政府向西方列国赔款四亿五千万两白银，分三十九年偿清（也就是到1940年为止），年息百分之四，合计九亿八千万两。这笔赔款以海关税、厘金、常关税和盐税作担保。再加上各省教案赔款，总数在白银十亿两以上。中国的所有重要收入，除了田赋外，其余全部用于偿还赔款。当时中国全年的总收入尚不到白银一亿两——苟延残喘的清政府，沦为了为列强征收赋税的管家。

有关庚子年的民族英雄们的壮举与结局，已经可以告一段落。想多说几句的是由庚子赔款引出的另一件可能令当事人完全没想到的事情：这笔庞大的赔款中，俄国占的份额最多，达百分之二十九；德国次之，百分之二十；再次是法国和英国，分别为百分之十五点七五和百分之十一点二五；日本和美国差不多，一个百分之七点七，一个百分之七点三。1904年，中国驻美国公使梁诚——此人乃发轫于容闳的第四批留美幼童——在和美国国务卿海约翰协商赔款到底用黄金还是白银支付时，海约翰无意中表示：庚子赔款实属过多。作为一个优秀的外交家，梁诚立即中止和海约翰争论支付方式，而是进一步探讨赔款过多的问题，以便"乘其一隙之明，籍归已失之利"。在梁诚的努力下，美国方面终于决定向中国返还部分赔款，并与中国方面约定：退还的庚款，用于向美国派遣留学生，并在国内建立一所留美预备学校。后者就是如今清华大学的前身。十多年间，通过清华派往美国的留学生多达一千余人，有梅贻琦、胡适、赵元任、竺可桢等。

美国的此种举动，自然有基于本国利益的考虑，就像伊里诺大学校长詹姆士说的："哪一个国家能够做到教育这一代中国青年人，哪一个国家就能由于这方面所支付的努力，而在精神和商业上的影响取回最大的收获"；"商业追随精神上的支配，比追随军旗更为可靠。"但客观上讲，美国的这种意愿，对中国社会的进步，无疑是巨大推动。在美国的示范之下，后来另一些国家也纷纷数量不一地向中国退还赔款。如果说庚子拳乱给中国民众带来了什么好处的话，那就是这些原本来自中国的银子，终于用到了刀刃上，它让为数众多的青年有了亲近现代文明，接受现代教育，确立普世价值的机会。1956年，台湾重组清华，是为新竹清华大学。直至今天，新竹清华大学每年都还能收到来自美国的庚款支票。

在以美国为首的各国纷纷退还庚款时，惟有一个国家不为所动，一分未予退还，而是用这笔横财发展国内经济，振军经武，并于庚子事变三十余年后，对中国这个苦难深重的国家发动了旨在一举吞并的侵略战争。这个国家就是东邻日本。

庚子年之初，当各种谎话连篇的揭帖翻飞如鸽群时，当越来越多的中国人相信刀枪不入的义和团可以将洋人一举杀尽时，北京和天津这两座重镇，顷刻之间便成为义和团的大本营。那时候，哪怕是一个最逆来顺受的草根小民，只要一旦加入了义和团，也敢于向官人和洋人自豪地宣称：俺是洪钧老祖派来的天兵天将，俺是来拯救这个国家的。然而，几个月后，当联军进驻，大地就像陶轮一样翻转过来：天津民众纷纷在门首插上了表示归顺投降的白旗，行人上街，也手举白旗，上面写着某某国顺民，某某国良民，至于这某某国，可以写日本，可以写美国，可以写俄国，独独不能写中国或大清。至于被联军分区驻防的北京，居民们纷纷向洋兵赠送以前只送给父母官的万民伞；而略通外语之人，则一时间身价百倍，一下子从二毛子成为抢手货。其情其景，史家所谓："昔则挟刃寻仇，灭此朝食，今乃忝颜媚敌，载道口碑。"

不仅人民如此，最高统治者亦如是。经历庚子之变后，在慈禧的默许和鼓励之下，原本被她废除的戊戌新政，重又颁行全国。这位铁腕人物此举，一者当然是想通过她一知半解的新政，来挽救大清江山；另一方面，更是想用施行新政的方式向洋人表明，我并非一个蒙昧的不开化之人，你们没有必要推翻我。

西狩期间，慈禧对光绪态度稍有好转，有时甚至在决定重大事件时还问一问他的意见。等到重返紫禁城，"乃渐恶如前"。临朝听政，光绪如同庚子事变前一样，一言不发，形同木偶。他打算以这种庸暗的方式示弱，以便求全自保。他还年轻，他明白，只要不被推下皇位，江山迟早得由慈禧手里交还给他，到那时，他便可以像他艳羡不已的明治天皇那样，实施一场旨在中兴与崛起的改革。然而，事与愿违，他却莫名其妙地早于慈禧一天死去。其实，即使光绪不死，即使他能顺利地接过慈禧的权杖，他要让这个满目疮痍的帝国重获生机，也将是一件没有多少胜算的小概率事件。对这个国祚延续已近三百年的老大帝国来说，只有死亡，才能给它的子民带来重获自由与富强的机会。

二十一年后的演讲

昂山素季

> 法国人说分离就是一点点的死亡，遗忘也是一点点
> 的死亡。

译者按：1991年，诺贝尔委员会将和平奖授予缅甸民主运动领袖昂山素季女士，以表彰其通过非暴力斗争方式争取民主和人权。由于她遭到软禁而未能亲自前来领奖。二十一年以后，2012年6月16日，昂山素季终于来到挪威首都奥斯陆，发表了诺贝尔和平奖领奖演说。以下内容为演说全文。

国王和王后陛下，王子殿下，阁下们，挪威诺贝尔委员会尊贵的委员们，亲爱的朋友们：

多年以前，有时似乎是多生多世以前，我在牛津同我的儿子亚历山大一起收听广播节目《荒岛唱片》。那是个很有名的节目——据我

所知这个节目还在播出——邀请各行各业的名人来谈谈，假如他们被放逐到一个荒岛上，随身想带的是哪八张唱片，是除了《圣经》和莎士比亚全集之外的哪一本书，以及哪一件奢侈品？这个节目，我们俩都很喜欢。在节目结束的时候，亚历山大问我是否可能受邀上《荒岛唱片》节目，我随口答道："为什么不会呢？"因为他知道一般只有名人才能参加这个节目，于是他抱着纯真的兴趣问我，凭什么理由自认为可以受到邀请。我想了一会儿，然后回答说："也许是因为我会得诺贝尔文学奖吧。"然后我们俩都笑了。这个愿景看起来不错，但几乎不太可能。

我现在不记得我当时为什么会这么回答，也许是因为我刚好在读一位诺贝尔文学奖得主写的一本书，或者也许是因为那天《荒岛节目》的名人碰巧是一位著名作家。

1989年，当我第一次被软禁时，我的丈夫迈克尔·阿里斯来看我，他告诉我有个名叫约翰·菲尼斯的朋友提名我为诺贝尔和平奖候选人。那一次我也笑了。迈克尔惊讶了一下，然后才明白我为什么会笑了。诺贝尔和平奖？一个很美好的愿景，但完全不可能！因此，当我真的获得诺贝尔和平奖的时候，我到底是一种什么感觉呢？这个问题我思考了很多次，这无疑提供了一个最合适的场合和机会，让我审视一下诺贝尔奖对我的意义以及和平对我的意义。

正如我在访谈中多次说过，有天晚上我从广播里听到我获得了诺贝尔和平奖的消息。这个消息并没有完全让我吃惊，因为在之前一周，好多新闻广播都报道我是该奖的领先角逐者之一。在起草今天的演讲时，我非常努力地回忆我对获奖消息宣布时的第一反应是什么。我想，我不敢十分确定，我的反应就像是："哦，他们决定把这个奖颁给我了。"那看起来不像是真的，因为那时我自己感觉也不像是真的。

在被软禁期间，我常常觉得我似乎不再属于这个真实的世界。我的世界只属于那所房子，另一个世界属于他人，他们虽然也不自由，但都被关在监狱里，彼此有一种归属感；那个世界也是属于自由人的世界。在一个冷漠的宇宙里，每个世界都是一个不同的星球，都有着各自不同的轨道。诺贝尔和平奖将我再一次从那片孤独之地拉回到他人的世界中，让我恢复了某种真实感。当然，一开始我并没有深刻理解其重要性，但随着时间的流逝，各方对获奖反应的新闻通过电波不断传来的时候，我才开始理解诺贝尔奖的重要意义。是它让我重新变得真实起来，是它让我回归更广阔的人类社会，更重要的是，诺贝尔奖让全世界的目光聚焦在缅甸争取民主和人权的斗争上。我们没有被遗忘。

被遗忘。法国人说分离就是一点点的死亡，遗忘也是一点点的死亡，它削弱了把我们与其他人凝聚在一起的纽带。最近访问泰国时，我会见了缅甸的移民劳工和难民，许多人呼喊："别忘了我们！"他们的意思是说："别忘了我们的苦难，别忘了去做你能帮助我们的事，别忘了我们也属于你的世界。"当诺贝尔委员会将和平奖授予我的时候，他们就是承认了，缅甸的被压迫者和被孤立者也是世界的一分子，他们就是承认了人类的同一性。因此，对我个人而言，接受诺贝尔和平奖意味着，我对民主和人权的关注超越了国界。诺贝尔和平奖打开了我心中的一扇门。

缅甸人对和平概念的理解是，幸福来自于消灭一切妨碍和谐与健康的因素。nyein-chan这个词，在字面上可被翻译为"当火被扑灭后随之而来的有益的清凉"。但苦难和冲突之火却在世界各地燃烧。在我自己的国家，北部地区的战火仍未停息，就在我开始这次访问旅程的前几天，西部地区的种族暴力冲突导致的纵火和杀戮正在发生。在世界的其他地方，暴行绵延不绝，饥饿、疾病、流离、失业、贫穷、不公、歧视、偏见、偏执是我们的家常便饭。到处都有消极的力量在侵蚀和平的根基，到处都可以发现人们在轻率地浪费物质与人力资源，而这些对维护我们世界的和谐与幸福必不可少。

第一次世界大战是对青春和潜能的一次极大损耗，是对我们星球正力量的一次残酷损害。那个时代的诗歌作品对我有特别的意义，因为当我首次读到那些诗时，我正好与那些年轻人同龄，但他们却不得不面对青春的花蕾刚刚盛开就枯萎的命运。一个在法国外籍军团作战的美国青年，在1916年战死之前写他面对的死亡："在一些争夺激烈的街垒"，"在一些弹痕累累的山坡上"，"在午夜一些燃烧的城镇中"。为了毫无意义地去争夺那些无名的、被人遗忘的地方，青春、爱情和生命就此永远地被毁灭了。究竟是为了什么？将近一个世纪过去了，我们仍未找寻到一个令人满意的答案。

如果对待我们的未来和我们的人性，只是少一点鲁莽，少一点短视，少一点暴力，难道这样我们就没有罪了吗？战争不是唯一扼杀和平的领域。只要苦难被忽视，就会埋下冲突的种子，因为苦难让人堕落，使人怨恨，叫人愤怒。

与世隔绝生活的一个好处就是，我有大量的时间来沉思那些我生命中所知与所接受的文字和戒律的真谛。作为一个佛教徒，我从小就听说了dukha这个词，一般翻译成"苦难"的意思。当遭受痛苦和疼痛时或遇到一些不顺时，我身边一些老人们和年纪不是那么老的人，几乎每一天都会低声默念"dukha"、"dukha"。然而，只是在我遭软禁期间，我才开始去研究思考六种大苦的本质。这六种大苦是：生、老、病、死、爱别离、怨憎会。我审视了每一种苦难，不是从宗教的意义上，而是从我们日常普通生活的意义上。如果苦难是我们存在不可避免的一部分，我们就应当用务实的、世俗的方式尽可能地去减轻苦难。因此，我仔细考虑过关于妇女产前、产后检查规划、儿童保育，关于完善老年人的设施，关于提供全面的医疗服务，关于慈善护理和善终服务等事宜。我尤其对后面两种苦难感兴趣：爱别离和怨憎会。我们的佛陀在自己的生命中经历了什么样的磨难，才会将这两种苦纳入大苦中呢？我想到了囚犯和难民，想到了移民劳工和人贩子的受害者，想到了那些被连根拔起的芸芸众生，他们被迫离开家园，与家人朋友分离，被迫在不欢迎他们的陌生人群中艰难谋生。

我们有幸生活在这样一个时代，就是人们意识到社会福祉和人道主义援助不仅是需要的，而且是必要的。我也有幸生活在这样一个时代，就是任何地方的良心犯的命运都会受到世人的关注，民主和人权已经被广泛地认为是所有人类的一种与生俱来的权利，即使未被普世接受。在我被软禁期间，我常常从《世界人权宣言》序言中我喜爱的几段文字里汲取力量：

……鉴于对人权的无视和侮辱已发展为野蛮暴行，这些暴行玷污了人类的良心，而一个人人享有言论和信仰自由并免于恐惧和匮乏的世界的来临，已被宣布为普通人民的最高愿望。

……鉴于为使人类不致迫不得已铤而走险对暴政和压迫进行反叛，有必要使人权受法治的保护。

如果有人问我，为什么我要为缅甸的人权奋斗，那么上述文字就是我的回答。如果有人问我，为什么我要为缅甸的民主奋斗，那是因为我相信，民主制度和实践对保障人权必不可少。

过去的一年，缅甸出现了一些迹象，那些相信民主和人权的人士付出的努力开始开花结果，缅甸发生了积极的变化，民主化的步伐开始迈进。如果我说我主张谨慎的乐观，不是因为我对未来没有信心，而是因为我不愿鼓励盲信。如果我们对未来没有信心，如果我们不相信民主价值和基本人权不仅是我们社会必需的也是可能的话，那么我们的运动就不可能经受住岁月的磨难而坚持到现在。我们的一些战士倒在了他们的岗位上，一些人抛弃了我们，但仍有一批具有献身精神的核心骨干保存了下来，强大而坚定。当我回顾过去的岁月时，我惊诧于在最艰难困苦的情况下，竟然还有这么多人依然忠贞不渝。他们对我们事业的信念不是源于盲目，而是基于对自身坚忍的力量和对我们人民愿望的深切尊重所作出的清醒考量。

由于我的国家最近发生的变革，我今天才能与你们在一起。之所以会发生这些变化，是因为你们以及其他热爱自由与正义的人们做出了贡献，让世人了解了我们的处境。在继续谈论我的国家之前，请允许我为我们的良心犯说几句话。在缅甸，仍然有良心犯被关押。我担心的是，因为最著名的几个良心犯获释了，余下的不知名的良心犯将会被大家遗忘。我站在这里，因为我曾经也是一名良心犯。当你们看着我、聆听我演说时，请不要忘记那个已被重复多次的真理：即便一个良心犯仍嫌太多。在我的国家，那些至今未获释、至今还未获得正义的良心犯们，数量远远多于一个。请记住他们，竭尽所能争取他们尽早、无条件的获释。

缅甸是一个多民族的国家，相信其未来也只能建立在一个真正的联盟精神的基础上。自从1948年我们获得独立以来，我们的国家没有一刻处于完全的和平当中。我们无法建立可以根除冲突的信任和理解。自九十年代早期以来，我们维持了停火协议，从而带来了希望，但到了2010年的几个月中，希望又破灭了。一个草率的行为就足以破坏长期得到维持的停火。最近几个月，政府与少数民族武装之间的谈判取得了进展。我们希望，停火协议能够带来最终的政治解决，这一政治解决方案应当建立在人民的愿望和联盟精神的基础上。

我的党——全国民主联盟和我准备并愿意在民族和解的进程中发挥任何作用。吴登盛总统的政府提出的改革措施只有得到缅甸所有内部力量（包括军方、少数民族、各政党、新闻媒体、公民社会组织、商业团体和广大的民众）的睿智的合作时，才能获得持久。只有人民生活得到改善，我们才能说改革是成功的。在这方面，国际社会可以发挥关键作用。发展和人道主义援助、双边协议和投资要协调一致，符合标准，以确保这些投资和援助能够促进缅甸社会、政治和经济的平衡和可持续发展。我们国家的潜力巨大，应当培育和开发这种能力，创造一个不仅是更加繁荣也是更加和谐、民主的社会，在这个社会，我们的人民可以生活在和平、安全和自由的环境中。

我们这个世界的和平不可分割。只要恶的力量胜过善的力量，我们大家就都处于危险中。也许有人会问所有恶的力量都可以除尽吗？简单的回答就是：不能！因为善恶共存于人性中。然而人类应当努力增强善的力量，减少或抵消恶的力量。虽然绝对的世界和平无法实现，但我们必须持续不断地朝此目标进发。我们的眼睛必须紧盯这个目标，就像沙漠中的一个旅行者，他的眼睛必须注视指路的星星，这颗星星将指引他获得拯救。即使世界的完美和平因为不存在于人间而无法实现，但我们争取和平的共同努力，会将我们每个人、每个国家团结起来，铸造信任和友谊，让我们的人类社会变得更加安全、更加仁慈。

我是经过深思熟虑后使用"仁慈"（kinder）这个词的，应该说认真思索了许多年。苦难中的乐趣并不多见，我找到的最美好、最宝贵的东西是我学到了仁慈（kindness）的价值。我获得的每一份慈爱，无论小爱或是大爱，都使我确信，在我们这个世界上仁慈永不嫌多。仁慈，是用敏感的心去体察他人的期望，是用温暖的情去回应他人的需要。即使是最简单的慈爱的触摸，也能点亮一颗沉寂的心灵。仁慈可以改变人民的生活。挪威就是仁慈的典范，她给世界上的流离失所者提供家园，给那些在本国失去安全和自由保障的人提供庇护。

世界各地都有难民。最近我访问了泰国的湄拉难民营，见到了一些热心人，他们每天努力让难民的生活尽可能地摆脱困厄。他们谈起对"捐助疲劳"（donor fatigue）的担忧，这个词也可以翻译成"同情心疲劳"（compassion fatigue）。"捐助疲劳"一词是指捐款的减少，"同情心疲劳"指的是本身不太明显地减少关心。两者互为因果。我们能够承担放任同情心疲劳所产生的后果？难道满足难民的需求所付出的代价要比漠视他们的苦难而随之带来的后果更大吗？我呼吁全世界的捐助者们要去满足那些在寻求帮助而往往是徒劳无功的人民的需求。

在湄拉，我与负责达府（湄拉难民营和其他别的难民营位于该府）行政管理的泰国官员进行了富有价值的讨论。他们让我了解到难民营存在着一些更加严重的问题：违反森林保护法，滥用违禁药物、私造酒，以及控制疟疾、肺结核、登革热和霍乱等疾病的问题。政府关心的问题和难民关注的问题都是合理的。泰国政府在应对与他们的职责相关的这些困难时，也应该得到考虑和获得实际的帮助。

最终，我们的目标应当是创造一个没有流离、没有无家可归和没有绝望的世界。在这个世界，每一个角落都是一个真正的庇护所，人们将自由、安宁地生活。增强善良和健康力量的每种思想、每一句话、每个行动，对和平都是一种贡献。我们每一个人都有能力做出这样的贡献。让我们大家携起手来，努力创建一个和平的世界，在那儿，我们可以在安宁中入睡，在幸福中醒来。

诺贝尔委员会在1991年10月14日的声明中写道："挪威诺贝尔委员会将诺贝尔和平奖……授予昂山素季，意在表彰这位女性坚持不懈的努力，彰显对世界各地致力于通过和平手段奋力争取民主、人权和民族和解的人民的支持。"当我参加缅甸民主运动时，我从未想过我会获得任何奖项或荣誉。我们为之奋斗的真正奖项，是一个自由、安全和公正的社会。在那里，我们的人民有能力实现自己的全部潜能。这个荣誉取决于我们的努力。历史已经给了我们这个机会，让我们献身于我们所信奉的事业。当诺贝尔委员会选择将这个荣誉授予我时，我自己所选择的这条道路将有更多的人追随而不孤独，为此我要感谢诺贝尔委员会、挪威人民以及全世界的人民，你们的支持坚定了我共同追求和平的信念。谢谢。

本文经诺贝尔基金会（The Nobel Foundation 2012）授权刊发，翻译：徐龙华

女诗人相册

庄加逊

生活就是车站，我很快就要离去了，去哪儿——我不说。

诗人小传

玛丽娜·伊万诺夫娜·茨维塔耶娃（1892–1941），俄罗斯白银时代杰出的女诗人，二十世纪俄罗斯最具世界性影响的伟大诗人之一。父亲伊·弗·茨维塔耶夫是莫斯科大学的艺术史教授。母亲玛·亚·梅伊恩是著名钢琴家鲁宾斯坦的学生。童年的她立志成为诗人，六岁开始写诗，十八岁出版诗集《黄昏纪念册》，获得众多文学前辈的肯定。国内战争和十月革命使茨维塔耶娃的生活和创作发生了巨大变化。1921年，茨维塔耶娃出版了诗集《里程碑》，这本诗集大多描写了诗人对丈夫的思念及其个人生活的艰难，对未卜前途的忧虑和困惑。1922年，茨维塔耶娃得知丈夫艾伏隆流亡国外后，追随丈夫到法国。这一时期茨维塔耶娃的作品大多以祖国、俄罗斯为主题，抒发诗人对祖国的思念和远离故土的痛苦。1939年,茨维塔耶娃结束了长达十七年的流亡生活回国。严酷的"大清洗"时代,女诗人一家也在劫难逃。1941年,她和儿子被疏散到叶拉堡市。在那里,她甚至被拒绝做洗碗工来养活儿子。8月31日,绝望中的她自缢身亡。

2007年,我写的这段文字几经修改删减最终定稿,被收入上海辞书出版社《外国传记鉴赏辞典》的附录部分。当时对这四百字以内的"人生概述"左右为难,总感觉错位。玛丽娜·茨维塔耶娃,这个一生都追求"最浓缩语义"(安娜·阿赫玛托娃语)的人令我头一回领教了文字精简的挣扎。女诗人的出版物在中国不算丰富,即使在她的家乡俄罗斯,解禁前的作品出版亦受到绝对的限制,没人可以读到茨维塔耶娃的诗作,女诗人自嘲的苦闷一针见血:"在祖国没有我的作品,在这里(国外)没有我的读者。"上世纪六七十年代开始,出现了茨维塔耶娃的"解冻"。莫斯科人排着长队购买她的诗集,有些人边读边流着泪。布罗茨基曾说:"茨维塔耶娃是二十世纪最伟大的诗人。"人们自然多问了一句,"您说的是不是俄罗斯最伟大的诗人?"布罗茨基说:"不,我说的是全世界最伟大的诗人!"

2012年,女诗人诞辰一百二十周年,读着俄罗斯专家安娜·萨基扬茨的《玛丽娜·茨维塔耶娃:生活与创作》,其中文字颠覆了不少我以往的茨维塔耶娃印象。小传中,单一句"这一时期茨维塔耶娃的作品大多以祖国、俄罗斯为主题,抒发诗人对祖国的思念和远离故土的痛苦",便值得推敲。比起哀愁,苦境引发的反向破坏力更像诗人的缪斯。茨维塔耶娃对俄罗斯的态度十分矛盾,宛如晃动的钟摆。1934年,正为回国的权利而奋斗的丈夫艾伏隆已经具备了回国的条件,茨维塔耶娃不止一次在书信中提到,艾伏隆犹豫不决下不了决心,最大的障碍其实是因为她自己明确表过态:不想走。她在工作札记中写道:"我的灵魂不会留在巴黎……让我魂牵梦萦的地方是莫斯科、科克捷别里、塔鲁萨……"极度思念的同时是极度的排斥,尤其是回国前急速加剧的担忧令"俄罗斯"完全沦为恐惧不安的代名词。几乎在同一时期,茨维塔耶娃还写下这样的话:如果让我在俄罗斯和笔记本中间做一个选择,那么我舍弃俄罗斯。没有俄罗斯我能活,没有笔记本我活不了。如今看来，十七年的流亡生活与回国后的日子相比是无比幸福的。回国后的茨维塔耶娃说，"我的祖父、父亲、母亲为俄罗斯贡献了博物馆和无数的藏书，而它是如何对我的。它驱逐我，令我无家可归。"女诗人临终前对于国家的恨与怕，该是要与爱一样多了。

近几十年，除去遗失的部分，茨维塔耶娃的书信解密出版，从未公开的照片、画像也渐渐浮出水面。如今若在网络上搜索茨维塔耶娃的图片，很多当代的作品带着"先锋"意味，她生前是被艺术家抛弃的对象，而今却可以是人们愿意琢磨的脸：冷漠、扭曲、奇特。纪念应该是简朴的，是回归。看着"入画的脸"，我决计修补五年前的描述，为画中人再添上几笔。

毫不夸张地说，从诞生起，茨维塔耶娃每分每秒都在强化作为"诗人"的形象：长长的连衣裙、过于紧张的束腰具有典型的古希腊精神，高高的额头用具有"僵硬线条"的直刘海覆盖着，胸前的琥珀项链，硕大笨拙的银戒指，宽大的雕刻着大鸟的银手镯。她抽烟，用

"作为女人，茨维塔耶娃说不上有吸引力。"

一种木雕的烟嘴，从不属于任何一个团体，即使是在经济危机和政治动乱的双重威胁之下，也拒绝在流亡者社交的政治和文学沙龙中找到自己的一席之地。黑白相片显现不出猫一样的绿眼睛，淡淡的金色发绺，微黑透着绯红的肤色，所有这些色彩都增添了茨维塔耶娃的秀美风韵……照片中的人有十分奇特的姿势与别扭的眼神，尤其当她直视镜头，灵性、生动、温柔就会退回眼睛的黑洞里，现出空洞呆板的神情。她总是嫌弃自己不够有线条感的脸，把阿赫玛托娃的画像拿来比较，她希望自己也成为"如阿赫玛托娃般要命的女人"。不过最终人们对于她总会说："女性特征并不明显，作为女人，茨维塔耶娃说不上有吸引力。"她更像一个体态轻盈的少年，渴望人人都爱她。这听上去像是对着水面孤芳自赏的水仙。可有时候，当她别过脸，侧面的轮廓映在相片上，你会为她的傲慢和霸道感到吃惊——一张"少女沙皇"的侧脸。越想精准地描述就越不相像，她适合草草几笔的素描，可谁又能抓住那两三笔的乖张呢？

还是从头说起。

茨冈人

1892年10月9日，茨维塔耶娃出生在茨维塔耶夫教授家，母亲为她不是一个男孩而备感失落，她曾提前为孩子备好名字，唤作"亚力山大"。父亲是鲁缅采夫博物馆的馆长，心里嘴上只惦念"博物馆"：另一个亚力山大——亚力山大三世博物馆。母亲与父亲没有缱绻之情，她日日沉浸在自己的音乐哀愁里，郁郁寡欢，茨维塔耶娃的诞生并没让她有多少欢喜，反而对女儿过早表现出的犀利聪慧产生厌弃，对她壮实的身形不满。这培养了茨维塔耶娃男人般的灵魂。日后，诗人总是不能原谅女性应有的阴柔气质，对其大加斥责，在众多辱骂对象中她唯一原谅了阿赫玛托娃。

四岁时，茨维塔耶娃认为自己喜欢上了谢尔盖。（她的父亲茨维塔耶夫的第一任妻子瓦尔瓦拉，是著名历史学家德米特里·伊洛瓦依

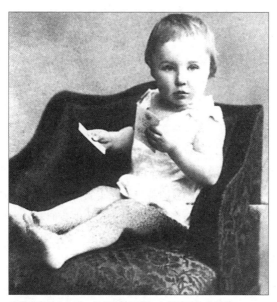

茨维塔耶娃出生时，母亲为她不是一个男孩而备感失落。

1903年，茨维塔耶娃（左）与妹妹阿霞（右）和母亲合影。

斯基的女儿。伊洛瓦依斯基结过两次婚：瓦尔瓦拉为第一任妻子所生；第二任妻子亚历山德拉·亚历山德罗夫娜·科夫拉伊斯卡娅，一个比他小三十岁的美人儿，生下了谢尔盖和娜佳。谢尔盖和娜佳的美丽令年少时代的茨维塔耶娃十分着迷，她将伊洛瓦依斯基的婚姻、房子和孩子写进了另一篇著名的传记随笔——《老皮缅的宅子》。）她认定谢尔盖是她爱上的第一个男子。谢尔盖鼓励小茨维塔耶娃给自己朗诵诗作，并承诺不再取笑它们。"亲爱的谢辽沙，"过了一些年后她写道，"请接受这个不讨人喜欢、大脑袋、短头发、平凡的小姑娘的谢意。你从她的手里如此小心翼翼地接过活页本。用这样的姿势——你把它交给我。"茨维塔耶娃经常被他人的美貌所吸引，对自己的外貌则很不满意。她总在努力减轻体重，她希望看上去更清秀，更浪漫。茨维塔耶娃仇视自己的外貌：红扑扑的双颊，圆鼓鼓的脸蛋，壮实的身体，完全不适合她所渴望拥有的浪漫形象。她既害羞又自负，在照片中我们看到的是一个圆脸庞、大眼睛，表情严肃，不苟言笑的少女。

玛丽娜·茨维塔耶娃的童年时光除了讨好母亲练钢琴，学习和琢磨语言的用法，最喜欢的是把书里的故事用自己的话表达出来，有时候用一些大人看来无聊幼稚的诗句，因此她并没有什么听众，家里大部分的人都嘲笑她，而唯一可以明白的母亲和妹妹阿霞也对她的"创作"不感兴趣。趁着爸爸去博物馆，妈妈去剧院的工夫，玛丽娜给自己找了两个"发泄对象"：阿霞的保姆及其女裁缝朋友。她给她们讲她心爱的普希金的《茨冈》，关于爱和自由，关于复仇和情杀。她有充分的理由对茨冈人感兴趣：有人说她的保姆就是茨冈人，人家送她一对耳环，她发现耳环不是真的，而是镶金的货色，便连皮带肉从耳朵上扯了下来，用脚把它踹到镶花地板里。这种火热的天性令茨维塔耶娃印象弥深。她对茨冈人的迷恋表现在对银手镯、戒指和琥珀项链的终生爱好。

（1916年）我在阿尔巴特大街上走着，碰上——就像碰上一个柱子似的，碰上一个身穿肥大蓝色衣服的中国女人，她长得非常难看，一身银饰品。生下来我就喜欢银子，就喜欢大戒指。……正因为这是——戒指，古老的，民间的，硕大的戒指——它们大如盾牌，在

194

上面能写下所有东西——硕大的，但却戴在每个手指上的。……成交了：我把自己所有的卢布都给了她，而她把自己所有的戒指都给了我，既有不带图案的，也有带有图案的，希望那犹如盾牌般的戒指上的图案刻的是誓言，而非咒语！可是，走出几步后，我眼前突然闪现了一个大银圈，那闪光变得越来越刺眼：我意识到，我没买走她那漂亮的，带只鸟的图案的手镯。可等我再返回时，中国女人已经不见了。我寻遍阿尔巴特广场，普列琴斯捷恩斯基街心花园，沃兹德维仁卡街——那女人消失了。

几天后，还是在阿尔巴特街上——我简直不敢相信自己的眼睛——我看到了她！赶紧看她的手：它完好无损！（话说回来，整个莫斯科城，除了我，谁还稀罕这银手镯？）……直到现在我还戴着有飞鸟图案的手镯。（选自《中国人》）

1922年春，茨维塔耶娃准备到柏林与失散多年的丈夫谢尔盖·艾伏隆会合，女儿阿利娅后来从茨维塔耶娃的笔记本中抄录下一张她们随身携带的"贵重品"的清单，而这总计三十件的心爱之物透着股"漂泊的茨冈人"的味儿：

带有图奇科夫人像的插铅笔用的纸板盒子

带有鼓手人像的墨水瓶（沙勃洛夫的礼物）

画有狮子的盘子

谢辽沙的茶杯托

阿利娅的像

缝纫盒

琥珀项链（她用面包从乡下换来，直到去世前仍放在身边）

阿利娅的毡鞋

自己的毡鞋

红色的咖啡壶

蓝色的杯子，新的

煤油炉

丝绒狮子

……

茨维塔耶娃1915年10月曾写过一首惊奇的诗，仿佛一把钥匙暗含了性格与命运："茨冈人是多么热衷于分离！刚一碰面——就各奔东西！"我们再看女诗人的照片，觉得她就是一个漂泊的茨冈人。

　　1910年夏天，父亲茨维塔耶夫教授为博物馆事宜去了一趟法国，他把两个女儿带到临近德累斯顿的一个牧师家庭，希望她们在那儿学到管理家务的技能。事情并没有获得预期效果。"我抽烟。"茨维塔耶娃写道，"剪短了头发，（穿上）高跟鞋……我到丛林里观看半人半马雕像，分辨不出甜菜和胡萝卜（在牧师家里）——我的失败难以尽数。"将烹饪取而代之，她准备出版自己的诗集。

　　茨维塔耶夫教授领着女儿们到柏林参观石膏模型雕刻室，他让她们每人挑一座雕像。尽管玛丽娜并不真正喜欢雕像，她仍在众多雕像中挑了一个。"我不曾挑选，第一眼就相中了，这正是我喜欢的，选定了下来。"这座雕像是一位亚马逊战士，"头垂到肩膀上，因痛苦而皱着眉头，没有嘴，只有喊声。"它正是茨维塔耶娃自己的形象。

　　说到雕像，茨维塔耶娃自己并不是一个合格，或者说合适的模特。艺术家们把责任都推到女诗人的相貌上，她的相貌在摄影、绘画

柯朗基耶夫斯卡娅于1915年雕塑的诗人头像。

196

罗泽维奇在六十年代为女诗人创作了一系列绘画和雕塑作品。

阿利娅给予罗泽维奇的作品最高的评价：她面带忧郁，她的微笑不易察觉——总而言之，她活着。

以及其他艺术表现形式当中效果都不甚理想。她的生动并不是杰出的技巧就能呈现的。玛格达·纳赫曼是科克捷别里的本地画家，她跟沃洛申一家很熟，也认识艾伏隆，这位女画家曾为茨维塔耶娃画过一幅肖像，画面上一个黄头发的年轻女子，身穿蓝色衣服（衬托以红色背景），一脸冷漠，毫无表情地望着。给茨维塔耶娃塑过像的艺术家更是凤毛麟角，目前可以看到的有娜·符·柯朗基耶夫斯卡娅为茨维塔耶娃做的雕塑头像，属于科克捷别里时期，头像有两份样稿：白色大理石像和着色的石膏像。造像仅仅注意了外形的相似，因此谈不上有生命力。我们现在依然能在茨维塔耶娃的故居博物馆中看到白色的大理石像，人的表情与石头一般僵硬。而另一位康斯坦丁·波列斯拉沃维奇·罗泽维奇，在六十年代创作的根雕头像，却有令人震惊的动感和生气。此人因与茨维塔耶娃的罗曼史而被热议，其中有诬蔑诽谤，有赞美，也有类似解剖似的旁敲侧击。罗泽维奇在女诗人生前和逝世后，以她和她女儿为对象创作了一系列绘画和雕塑作品。连因"婚外情"而嫉恨他的阿利娅都不得不给予罗泽维奇作品最高的评价：她面带忧郁，她的微笑不易察觉——总而言之，她活着。

初恋少年

1911年，科克捷别里，度过十九岁生日的少女玛丽娜·茨维塔耶娃在黑海铺满卵石的海滩上与谢尔盖·艾伏隆相遇。艾伏隆比她小一岁，很英俊，黑头发，细高个儿，有一双暗绿色敏锐的大眼睛。阿霞前来与茨维塔耶娃会合，她被姐姐肉体和精神上的变化吓了一跳："她幸福的激动令我感染到她的欢乐！因为打童年起她就没有欢乐，老是孤零零，老是惨兮兮。"茨维塔耶娃晒得黑黝黝的，头发一度剪短了，长成金色的卷发。她身穿灯笼裤，光脚套着凉鞋，她看上去变年轻了，漂亮了。

艾伏隆姐姐身边的演员朋友称他们俩是给人留下深刻印象和文雅的一对：

1911年，茨维塔耶娃在科克捷别里。

女诗人在科克捷别里与谢尔盖·艾伏隆相识，相恋，
完婚。

我看见一头浓密的头发。我站在她背后。她穿的是怎样的连衣裙！如此优雅，用金褐色绸缎缝制而成，宽大、精致——直垂到地板；纤细的腰紧束着一条古老的腰带。微微袒露着脖子——像浮雕。上世纪迷人的少妇。她从旁边走过时，我注意到她不是一个人。伴着她的——是一个年轻的男人，眼睛不曾离开她……高大匀称，有点佝着腰。脑袋模样高贵，浓密的黑发梳得光光，斜斜地分开。深绿色的大眼睛，极为突然地忽闪着男孩子般的淘气和幽默机敏的感情。

科克捷别里，茨维塔耶娃一生中天堂般的时光，短暂、不会再有的时光。她与艾伏隆读书、散步、创作。两人都很忙，玛丽娜准备出版诗集《神奇之灯》，而艾伏隆则准备出版小说《童年》。《童年》一书最出色的部分是题为《仙女》的最后一章，描绘了十七岁的玛拉的精彩形象，知情者一眼就能看出，他写的就是玛丽娜·茨维塔耶娃："身穿蓝色水兵服的半大女孩，留着浅色短发，圆圆的脸，碧绿的眼睛，直勾勾地望着我的眼睛。"

玛拉到一个女朋友家做客，她家的两个小弟弟被告知玛拉是"疯子"。她确实有点怪。晚上她绕着房间兜圈，白天黑夜都吸烟，喝浓茶和咖啡，吃得很少，嘲讽有规律的作息时间。当男孩们问她何以要

1916年，茨维塔耶娃和她的第一个女儿阿利娅合影。女诗人的面貌悄悄变化着。

摧毁自己的健康时，她答道："我极其需要刺激，只有在兴奋中我才真实。"玛拉还是一个叛逆者，她反对普通人认同的庸俗论调。十八岁的美少年谢尔盖·艾伏隆在1911年便准确地勾画出茨维塔耶娃的灵魂，而他也成为女诗人一生都未放弃的爱。

1912年9月5日，他们的第一个女儿阿里阿德娜·艾伏隆（即阿利娅）出世了。女诗人的面貌悄悄变化着：圆润的脸略显消瘦，五官的轮廓更加分明，侧面看上去似乎更严厉。这个时期一些展现侧脸的照片格外有韵味，她喜欢给自己的头上扎上有纹饰的发带，刘海齐眉，长发几乎垂到双肩。她给人的印象是体态无比轻盈——她把自己比喻为男孩子，比喻为少年（"在你看来，我是飞速奔跑的男孩儿"）。腰身纤细，丝毫不受生育孩子的影响，腰带扎得很紧。茨维塔耶娃的衣着最好看的是上身穿翻领衬衫，下身穿裙子或者灯笼裤……

诗人在给朋友的信中，迫不及待地表露对漂亮的迷恋："我的新衣服明天就会做好，华丽的节日盛装，耀眼的蓝缎子衬托着一朵朵小小的玫瑰花，鲜红亮丽。您不必惊奇！这完全是一件奇妙的老式服装。天啊，人生这么短促，这些难看的叫人丧气的英国式短上衣怎么能穿上身呢？现在我深受服装美丽的吸引。平时就该穿得漂漂亮亮，尤其是出门去什么地方，譬如在一个荒无人烟的岛上，穿着华丽只为自我欣赏！"

生活、工作与面子

1917年4月13日，茨维塔耶娃的第二个女儿伊丽娜出生了。伊丽娜高高的前额来自父母，一双大眼睛特别像父亲，眼睛是黑的，头发也是黑的。玛丽娜·茨维塔耶娃在笔记本里写道："本来我想给她起名叫……安娜（为纪念阿赫玛托娃）。可转念一想，命运从来没有重复的，也就罢了。"这个小女孩后来活不过两年。

11月，茨维塔耶娃回到莫斯科，时年二十五岁，带着两个小女孩，穷于应付周遭的骚乱和随之而来的苦难。当时军事共产主义成为新的统治准则，动员所有人保卫革命，政府是商品唯一的生产者和销售者，建立一种定量供应卡的制度。只有工人或著名的知识分子和艺术家有权拥有供应卡。像茨维塔耶娃一类的知识分子经常难得温饱，只好卖掉藏书换来食品和木柴。

回到莫斯科不久，伊里亚·爱伦堡描写过茨维塔耶娃："她以其傲慢和茫然的表情而令人吃惊。她的神气很高傲——有着高高的前额的脑门向后仰着，她的眼睛给人慌张的感觉，大而无力，仿佛视而不见。"根据新规定，茨维塔耶娃必须与陌生人共住她的房子，只有饭厅和卧室归自己处理。爱伦堡描写了这栋类似许多同时代人居所的房子："很难想象那种乱七八糟的情况。在那些日子里，所有人都在非常情况下过活，但都存活了下来。玛丽娜似乎要有意破坏自己的居所。一切都乱抛乱扔，蒙上烟灰和灰尘。"这就是她找到的新"自由"。

盘旋在莫斯科上空的危险、紧张和挑战的气氛反而把她从深深厌恶的平庸生活中挣脱出来，金钱、习俗和舒适已变得不重要。混乱的世界，生存重于一切，强调爱与死、超越和抓住时机的永恒主题，后者正是茨维塔耶娃特有的。她描述了自己有代表性的一天：

我醒来——上面的窗子微微发灰，寒冷，水洼，锯末，篮子，罐子，抹布，到处是孩子的裙子和衬衣。我劈柴，在冷水中洗马铃薯，用茶炊煮……我穿着同一袭褐色的连衣裙散步和睡觉，荒谬的是，它是在1917年春亚历山德罗夫于我不在时为我缝制的，老早就起了皱褶，因落上煤屑和烟灰而千疮百孔，袖子用橡皮筋在手腕上系紧，眼下则松垮垮的只好用大头针别住。

清洁后，烧过饭，洗过衣服和碟子，给孩子喂过饭，她在十一点或十二点上床了。"我在床头享受着小灯盏，宁静，香烟，有时是面包。"

有一回，昔日的房东、忠实的共产党人，出乎意料地来探访她，被她的生活条件吓了一跳。"您就这样活着？"他问，"这些碟子您不洗一洗！""里面——洗过了。"阿利娅答道，"表面就不洗了，妈妈是诗人。"在他坚持她母亲要找一份工作时，阿利娅仍用同一个答案回答："妈妈是诗人。"

因为要写诗，茨维塔耶娃拒绝找工作。然而在莫斯科，这时候，她看不见任何靠写作维生的前景。最后，在1918年11月，她弃械投降，接受了民族人民委员会的工作。随笔《我的工作》中，茨维塔耶娃回忆了在这个办公室度过的五个半月。人们佯装工作，却在喝茶、聊天。她"怪模怪样而怯生生"地走进来。"身穿男装鼠灰色的毛衣——像一只耗子。我穿得比这儿所有人都糟，但这并不能让我感到高兴。皮鞋系上绳子。可是，在什么地方会有鞋带，但……又有谁会需要呢？"她的工作是把报纸的报道撮要记下，或为档案室粘贴和归档有关白军溃败的剪报。茨维塔耶娃厌烦不已，遂躲到自己的白日梦里：人民委员会位于一栋古老的大楼里，那优雅的环境颇能激起她浪漫的幻想。在宫殿似的阶梯上，当她走过大厅骑士高高的塑像时，她想"静静地摸一下那锻造的脚"。同事被她描述成"两个脏兮兮、阴沉沉的犹太女人，有点像鲱鱼，不显老，红脸，浅头发——有点怪，像变成香肠的人——拉脱维亚人"。还有两个人，"一个有鼻子但没下巴，另一个有下巴没鼻子"。在她后面是"一个十七岁大的孩子——红扑扑，健康，头发卷曲"，茨维塔耶娃给他取了个外号："白皮肤的黑小子"。她的主管是一个世界语的热心宣传者，不关心政治，与茨维塔耶娃相互利用。在他想休息时请她加以包庇，作为报偿，则对她的迟到不予理会。

有一回，获悉将要分配冷冻的土豆，茨维塔耶娃回家去取阿利娅的破雪橇。她从挤满人的石阶下到地窖，取得珍贵的土豆，然后拖着口袋回家。她觉得："眼下我们与土豆一模一样。"有一些士兵透过她褴褛的大衣，识破了她布尔乔亚女士的身份，嘲笑说："她身处最高尚的阶层！知识分子！没有仆人他们连脸都不会洗！"她捱到回家，土豆和幽默感都完好无损。

1919年4月25日，她离职了。茨维塔耶娃尝试过找别的工作，但很快就离开，发誓再也不找工作，"无论何时，即使我死了"。

我们没有见过1917至1919年期间茨维塔耶娃的相片。有关玛丽娜·伊万诺夫娜这段时间的外貌，只能凭借为数不多的回忆文章加以猜测，其中她女儿的回忆最有价值。1966年阿利娅看到诗人巴·戈·安托科尔斯基写的文章，给他写了一封信，认为他写的茨维塔耶娃的外貌过于粗糙：

您写的是：她身材匀称，肩膀宽阔……走起路来迈着男人的步伐……而实际上，她个子不高……很瘦，看上去像个少年，像姑娘，体型却有点儿像男孩子。这里使用匀称一词未必妥当，用苗条可能更合适……她走路的脚步也不像男人……只是快速、轻盈，有点像男孩子。她举止优雅、温柔，还有几分顽皮……她一向都很轻松……尽管一直不喜欢追求流行时尚，可她身上并不缺乏女人味儿，她有浪漫的情怀，也很关注穿着合适的衣着服装。一辈子看重整洁……她穿"鲍仑克雷德"款式的连衣裙，能够显示腰肢的纤细和身材的苗条，像贝蒂娜·冯·阿尔尼姆！……妈妈的眼睛没有一丁点灰色，眼珠碧绿澄澈明亮，像醋栗，又像葡萄，眼珠的颜色始终没有变化，从来没有变得灰暗！

茨维塔耶娃本人笔记中不经意间的自我评价更是多得数不过来：

我绝对是个失去社会地位的人。从外表看——我算什么人？……短头发，穿一件带风帽的绿大衣，扎一条不上漆的宽皮带（城市里学生用的）。深绿色的帽子是自己做的，很像一顶僧帽。再看斗篷下面，两只脚穿着从市场上买的难看的灰袜子，皮鞋不好看，经常不擦（顾不上！）。脸上却是快乐的表情。我不是贵族（谈吐不像，也不会愁眉苦脸），不是家庭主妇（太爱笑），不是普通老百姓……也不是落魄的文学家（鞋子不干净让我感到难堪，文学家的忧愁令我开心——他们知道了我的看法，一定会破口大骂）。在我背后——空荡荡一无所有。

无论什么时候，她都一再强调自己的快乐，不愿意摘下面具，这"脸"与"脸面"之间存在着巨大落差。

捷克，罗泽维奇

布拉格时期是茨维塔耶娃创作的顶峰，其中的《山之歌》与《终结之歌》曾带给帕斯捷尔纳克极大的震动，它们皆源自一个叫"罗泽维奇"的人。

罗泽维奇引发了女诗人一生当中最强烈的激情。

除了丈夫谢尔盖·艾伏隆，这是茨维塔耶娃遭遇的一次最为激烈
又充满诗意的爱情。罗泽维奇是谢尔盖·艾伏隆的好友，茨维塔耶娃
对于罗泽维奇露骨的呼喊令艾伏隆感到绝望，一度想放弃自己与茨维
塔耶娃的婚姻。即便从茨维塔耶娃身边走过的男子无数，女诗人也常
常会有精神上的"红杏出墙"，但这一次，这个人给玛丽娜·茨维塔
耶娃留下了鲜明印象，可以说引发了她一生当中最强烈的激情。

故事只能由罗泽维奇自己来说。

1978年，根据茨维塔耶娃研究专家安娜·萨基扬茨的请求，康·
波·罗泽维奇写了"个人自传简介"寄给了她。以下文字摘自原文，
未作任何更改：

1895年11月2日我出生于列宁格勒。（原件如此，这是罗泽维奇的
笔误，应为彼得堡。）

······

二十年代初，我辗转到了布拉格，（跟很多俄罗斯军官一起）获
得了捷克政府提供的助学金，在大学学习。

我在布拉格逗留两年，读完了法律专业的所有课程，拿到了毕业
证书，甚至有机会在科学研究部门从事民法研究。但是这个美好前景

注定不能实现。命中注定我下一步要走上不同的道路。

离开布拉格以后，从1926年起我定居巴黎。起初是巴黎索邦大学法律系大学生（攻读博士学位），后来放弃了学业，化名"路易·科尔德"，站在法国左派一边积极参与政治斗争。

法国成立人民阵线政府以后，我参加了所谓的"革命作家与演员联盟"，这一组织联合了法国文学界、戏剧界最杰出的代表人物（比如：巴比塞、阿尔贡、尼当、艾吕雅、维昂－古鸠里叶、毕加索等等）。这个联盟的主要任务就是使知识分子的创作尽可能接近工人阶级。

1936年，比利牛斯山脉那边爆发了佛朗哥将军领导的叛乱，我就由"路易·科尔德"变成了"路易斯·科尔德斯"，让自己完全听从西班牙共和国的调遣。

我（在安德烈·马尔罗支持下）参加了由专业军人组成的"国际纵队"，以后亲自指挥由"爆破手"组成的中队，战士来自各个民族，反法西斯思想把所有的志愿兵团结在一起。

西班牙共和国沦陷以后，我又返回巴黎，仍然做过去做的那些事。不过，和平的日子没过多久，由法西斯挑起的第二次世界大战就爆发了，法国被德国军队占领以后，我参加了法国反抗运动的部队。

1943年我不幸被捕，被押送到德国的集中营（先后在奥拉宁堡、丘斯特林、卑尔根－巴里津等地的集中营）。在这些集中营里，不顾环境的险恶，所有的反抗者都有决心坚守道德底线，有时候还要保护难友的性命。

1945年5月，节节胜利的苏联军队在德国罗斯托克市解救了我，当时我是被集中营里那些准备逃亡的头目们驱赶到那里去的。经过短暂的喘息，我再次回到巴黎——从反抗运动战友们身上感受到了友情的温暖。

我被关在集中营的时候得了严重的疾病，此后两年进行休养治疗（在法国和瑞士）。

……

战后进入稳定时期，我集中精力从事雕塑。这仿佛回到了遥远的往昔，因为年轻的时候我曾经幻想在艺术领域有所作为。

206

坦白地讲，新的尝试并没有给我带来多大的名声，不过，有些成果毕竟得到了好评：我的几件木雕作品曾在巴黎许多艺术画廊展出（甚至进入了高雅的巴黎大画廊，有时候还能给我带来可观的报酬。对，这也是成功的一个真实信号！）

最后我想强调说：虽然我一生当中大部分时间都是在国外度过的，可是我在思想、感情上与祖国的联系从来就没有中断过。

这篇简短的自传行将结束，我还想就布拉格那段生活说几句话，其中的原因比较特殊。

在布拉格，我有幸遇见了玛丽娜·茨维塔耶娃，不管岁月过去了多么长久，我一直珍藏着对她的记忆。

玛丽娜·茨维塔耶娃的抒情诗和长诗生动地反映了我们的相爱与我们的分离。因此我克制自己不作任何解释。平庸的语言怎么能够诠释业已成为诗歌经典的内容呢？

1978年11月

1977年8月，罗泽维奇曾给安娜·萨基扬茨写信："时至今日我仍然觉得应该珍惜我跟玛·茨的关系，尽力躲避流言飞语以及无聊好奇心的滋扰。可是这种关系已经被玛·茨写进她的抒情诗和长诗，所以我从来也不把它当作秘密。玛·茨在国外的生活虽说悲惨，却依然有桀骜不驯、精彩亮丽的一面，许多细节至今我记得还十分清晰。她生活中的本质方面苏维埃报刊已经有了详细的描述，不过，要把详情细节的每滴汁液都榨取干净似乎也没有必要。"正是基于这样的原因，当一位女记者请求他揭示《山之歌》与《终结之歌》所涉及的"隐含的经历"时，他断然加以回绝："不要怂恿读者只关注转眼即逝的日常生活（'生活毕竟是生活'），最好把目光投向诗歌所塑造的不朽的艺术形象。"

罗泽维奇说没有能够跟茨维塔耶娃生活在一起，都怪自己轻浮、软弱，这也是他们俩最后分手的原因：他认为，当时他对于她的诗歌缺乏兴趣，反倒沉迷于各种各样的政治活动；他承认自己1926年结婚，娶了一个不爱的女人，这跟他的"机会主义"思想有关，当时他想在巴黎有个栖身之处。除了已经讲过的各种情况，他还对自己参与秘密活动有明显的暗示，说是后来"加入了那些在法国领导政治工作的苏联人士的行列"。

随着时间的推移，在康·罗泽维奇的意识里逐渐形成了诗人玛丽娜·茨维塔耶娃的形象，可惜失去了生动具体的个性特征，让他用自己的语言为茨维塔耶娃描绘一幅肖像，他觉得困难。1978年1月28日他在给萨基扬茨的书信中承认："至于说到您的请求，她在我的心目中究竟是什么样子，用简短的语言描绘她的形象——我真感到无能为力！玛·茨的胸襟如此广阔，个性丰富，并且充满了矛盾，要用简练的语言给予概括，对我来说简直是难以想象的！"分手后，他"在不同的阶段，在命运不同的转折时期——依旧回忆"，创作了大量的茨维塔耶娃画像和雕塑作品，形象各异，真实生动。罗泽维奇说："与其说这反映了茨维塔耶娃的某些特征，倒不如说纯属我自己的主观想象。"

罗泽维奇保存了玛丽娜·茨维塔耶娃写给他的所有信件。1960年，他通过弗拉基米尔·布罗尼斯拉沃维奇·索辛斯基之手把这些书信交给了阿里阿德娜·艾伏隆。阿里阿德娜没有看这些书信，就把它们严密地封存起来，阿里阿德娜去世以后，这些书信又原封存入了档案。1976年，罗泽维奇在莫斯科跟阿里阿德娜见过两次面，后来把他的一些素描作品寄到了莫斯科，存入茨维塔耶娃的档案。阿里阿德娜说："回想起妈妈，他流下了眼泪。"

1988年春天，罗泽维奇在巴黎近郊的一所老人公寓去世，享年九十三岁。弗·布·索辛斯基后来不止一次地对人说："人们应该了解这件事，这是茨维塔耶娃最为强烈的爱情。"

梦中人

安娜·伊琳尼奇娜的女儿维拉·安德列耶娃在回忆录中曾经描写过玛丽娜·茨维塔耶娃1926年的模样：头发晒成了浅灰色，明亮的灰眼睛微微泛出蓝绿色，脸晒得黝黑，牙齿洁白，双腿修长，瘦瘦的双臂，目光专注地望着大海，让沙子从指缝中间随风飘洒。在维拉

"跟所有其他人相比，玛丽娜·茨维塔耶娃的面部表情最为僵硬，即便利用修版的技术手段进行软化或美化处理都无济于事。"

看来，此时此刻，那个跟"海"有关的名字跟她特别匹配……（茨维塔耶娃不喜欢大海，这跟她的名字其实并不相符，"玛丽娜"正是从"大海"一词衍生出来的。）

其间，茨维塔耶娃一些非常出色的艺术照片保存了下来。瓦洛佳·索辛斯基为茨维塔耶娃拍过几张照片，其中一张玛丽娜·茨维塔耶娃面带微笑，显得温和而优雅——这并非她固有的外貌特征。阿里阿德娜·切尔诺娃在给索辛斯基的一封信中写道："照片上，跟所有其他人相比，玛丽娜·茨维塔耶娃的面部表情最为僵硬，即便利用修版的技术手段进行软化或美化处理都无济于事。玛丽娜·茨维塔耶娃最为美丽的特点——明亮的眼睛、衬托微黑面孔的淡金色秀发——消失不见了。"以后，茨维塔耶娃再也没有机会吸引艺术摄影家惊奇的目光了，三十年代留下来的大量照片都由亲友拍摄。

这一年，对于女诗人创作生活中最为人熟知、最重要的事件是与里尔克、帕斯捷尔纳克的三人书简。尽管茨维塔耶娃和帕斯捷尔纳克之间有更多的个人感情联系，但在茨维塔耶娃和里尔克之间同样不乏这种联系。茨维塔耶娃与帕斯捷尔纳克有相同的孩提记忆，他俩的母亲都是有才华的钢琴家，都因为时代的偏见而放弃了职业的抱负。茨维塔耶娃和里尔克都是热情的诗人，都感受到各自母亲的失望——里尔克的母亲希望生一个女儿，把他打扮成女孩的模样，并在游戏中称之为"小姐"；茨维塔耶娃不会忘记母亲想生一个儿子。这些早年被各自母亲遗弃的感情，令他们感同身受。他们之间互寄诗歌与照片，照片与照片相互依偎在床头，代表"日夜相见"，他们总是在酝酿着相见的计划，却一直未有实现。抛开茨维塔耶娃与里尔克之间柏拉图式爱恋的话题，帕斯捷尔纳克在1926年4月20日致茨维塔耶娃的一封信中用"梦"描画了女诗人：

……我梦见城里的夏初，一家明亮、纯净的旅馆，没有臭虫，也没有杂物，或许，类似我曾在其中工作的一个私宅。那儿，在楼下，恰好有那样的过道。人们告诉我，有人来找过我。我觉得这是你，带着这一感觉，我轻松地沿着光影摇曳的楼梯护栏奔跑，顺着楼梯飞快地跑下。果然，在那仿佛是条小路的地方，在那并非突然来临，而是带着羽翼、坚定地弥漫开来的薄雾之中，你正实实在在地站立着，犹如我之奔向你。你是何人？是一个飞逝的容貌，它能在情感的转折瞬间使你手上的一个女人大得与人的身材不相符，似乎这不是一个人，而是一方为所有曾在你头顶上漂浮的云朵所美化的天空。但这是你魅力的遗迹。你的美，照片上反映出的美——你在特殊场合下的美——亦即硕大的精神在一位女性身上的显现，在我坠入这些祥和之光和动听音响的波涛之前，它就已经在冲击你周围的人。这是你所造就的世界状态。这很难解释，但它使梦境变得幸福和无限。

……

给你寄上一张照片。我很不像样子。我也就是照片上这个模样——照片照得很成功。我只是眯缝着眼，因为我在对视太阳，这就使照片变得特别糟糕，眼睛应该闭上。

这是茨维塔耶娃的形象仅有的一次登上别人"梦的舞台"。形象模糊，却是精准的，与女诗人喜用"梦"入诗的气质吻合。这三位文学巨人在照片上都谈不上"好模样"，或者反过来说，气质已经大大压过了皮囊，要精确地表现很艰难，更像梦。

三十年代，财务依然是诗人首先要解决的问题。茨维塔耶娃组织的年度诗歌朗诵会对于她是一个重要的收入来源，但听众较初到巴黎时已减少许多。法国人对于她的诗歌和翻译有一些隔膜，她渐渐失去寄予资金支助的沙龙贵妇和庇护者。这是一个要命的问题，在捷克她还能以艺术家的身份领取救助金，后来这笔钱也被截断。丈夫的刊物并不能很好地支撑家庭开支，更何况来自恐怖政治的调查正在步步向艾伏隆紧逼，令他陷入困局。而艾伏隆与茨维塔耶娃都还浑然不觉。1932年3月12日，应俄罗斯犹太人俱乐部邀请，茨维塔耶娃到比利时去作题为《诗人与时代》的报告，为的是挣些钱。当时的一个女大学生列·格·艾普施坦因－季卡娜回忆了她在安特卫普跟茨维塔耶娃见面的情况。她描绘诗人脸色苍白、疲倦，身材匀称，衣着朴素。就在茨维塔耶娃到达的那天下午，大家决定跟诗人一起照张合影留念，不料却出现了一幕令人尴尬的场面。玛丽娜·茨维塔耶娃谦虚地站在边上，人们请她站到中间，跟宿舍管理员换一下位置，谁知那个女人拒绝调换，居然大声说她不想站在边上作陪衬，不愿意把中间的位置让给"神奇的猫"（嘲讽玛丽娜·茨维塔耶娃的外貌）。茨维塔耶娃听了连眉头都没有皱一下，这完全符合她的性格。

此时的茨维塔耶娃不厌其烦地描写家里脏乱，写被虫子蛀过的衣服，写女儿没吃完剩下来发了霉的夹肉面包以及诸如此类的生活琐事。4月28日这封寄给维拉·尼古拉耶夫娜的书信有幸保存了下来。透过日常生活的垃圾与烟灰，诗人为自己描绘画像，这需要足够的勇气，不给自己留任何情面，当然，这样写也可能出于幽默。茨维塔耶娃心里最清楚，这件事当然不该责怪阿利娅，而该归罪于运气，归罪于命运。"我身上总是很脏，总是拿刷子，端簸箕，总是匆匆忙忙，

总是倒霉，总是鼓捣煤——活像个垃圾桶！……很多很多人认为我
'富有诗人气质'，'超脱于实际生活'，以为日常生活里的我是个
傻瓜，再不就是秉性傲慢，像个暴君，周围的人都是牺牲品。他们根
本看不见，家人的脏乱使我难以应付，我像个奴仆双膝跪倒在地，没
完没了地洗衣服，刷锅洗碗，简直不知道什么时候能熬到头！……我
老得很快……头发几乎都花白了……脸色发青，跟眼睛的颜色差不
多，几乎没有差别，照照镜子，呸，都想啐口唾沫，可是，我一点儿
也不为这些变化烦恼，我在二十岁的时候，一头金发，满面红润，也
没有多少人喜欢我，真要有人喜欢（金色、红润的面颊：不过是外表
的象征）——我反倒生气，觉得受了侮辱，甚至会张口骂人。"

祸不单行。这一年，朋友谢尔盖·米海伊洛维奇·沃尔康斯基过
世，丈夫因刺杀赖斯事件被捕①，站在街上的茨维塔耶娃孤零零的，一
副失魂落魄的样子。

12月，尤·伊瓦斯克来到巴黎，玛丽娜终于有机会跟这个长期
通信的对话者见面。伊瓦斯克在日记中写道，他们俩见过三次面：12
月19日、21日和22日。面谈的时间很长，朗诵诗歌，回顾往事。茨
维塔耶娃跟往常一样，对她所信任的人，说话坦率，开诚布公。伊瓦
斯克后来回忆说，他看到茨维塔耶娃面色憔悴，白头发很多，鼻梁隆
起，总是把目光瞅着旁边，尽力避免跟别人交谈，她的"动作有点儿
奇怪，让人联想到蹦蹦跳跳的鸟儿"。茨维塔耶娃说她愿意做一个小
国家的女儿，俄罗斯太大。她一再说，已经下定决心，返回俄罗斯，

---

① 1937年9月4日夜晚至5日凌晨，在洛桑郊区通往皮尤里的公路上发现了一具被人开枪
打死的尸体，此人身上有一本伪造的护照，上面的名字是捷克商人艾别尔哈尔德，他就
是伊格纳季·赖斯，真名是留德维格·波列茨基。波兰籍犹太人，共产党员，世界革命
的鼓吹者，不知何时加入了苏联情报机关。他以赖斯为笔名在报刊上发表文章，后来成
为苏联在西方的间谍头目。随着时间的进展，他逐渐清醒地意识到，自己根本不是为世
界革命奋斗，而是为斯大林体制效力。1937年夏天，他给苏联共产党中央委员会写了一
封信，呼吁反抗斯大林主义，为新的社会主义，为组织第四共产国际进行斗争。他不慎
把这封信交给了苏联使馆，随后采取秘密行动，与妻儿一起潜逃。毫无疑问，他中了圈
套，已被人监视跟踪（他的家人有幸逃脱）。而正是谢尔盖·艾伏隆负责组织对他的跟
踪监视。早在1931年，谢尔盖·艾伏隆就已经开始为苏联情报机关工作，或者按照后来
官方文件记载：已被内务部人民委员会招募为工作人员。

212

茨维塔耶娃与儿子穆尔、女儿阿利娅的合影，她的目光依然看向
远方。

1936年，茨维塔耶娃在火车站送阿利娅回苏联，茨维塔耶娃躲在
第二排，眼神看向他处，右二为阿利娅，她为即将回到苏联幸福
不已。

"为了穆尔，他在那边才有前途"。对于将来能不能出版自己的作品，她不抱任何幻想，不过她希望能靠翻译文学作品挣钱维持生活。与此同时，她似乎期待有什么人来劝阻她不要这样做。最后的印象令人惊讶：伊瓦斯克隐隐约约觉察到茨维塔耶娃内心的焦虑：要走的决心不可更改，同时又预感到这一步是迈向死亡……

1937年10月29日，在俄语大报《复兴》中刊出一封匿名信，点名艾伏隆作为回归祖国联盟的领导成员之一，在内务部人民委员会的指令下参与"肃清侨民中的不受欢迎分子"。茨维塔耶娃也遭到抨击，作者要求她彻底揭发丈夫所接受的布尔什维克的任务。没有人确切知道茨维塔耶娃何时发现丈夫的政治行为，或者她了解了多少。直到法国警察审讯时，她对此仍一无所知。眼下她完全被抛弃了。10月，斯洛尼姆遇到了她：

> 她看来很糟。我大吃一惊，看见她随即变老和有一点发干。她突然啜泣起来，柔和而无声。我第一次看见她的眼泪……我被她的眼泪和不抱怨命运所震撼，同样，因某些绝望的必然性，无意义的搏斗，只能不可避免地接受。我记得，她的话说得多么朴素和老套："我想死，但我应该为穆尔而活着；阿利娅和谢尔盖·亚科夫列维奇不再需要我……"当问及她将来的计划时，她说要回俄国，并为此申请苏联护照，因为"无论如何"，没有钱和出版的地方，我都不能在巴黎呆下去。到处都充满了怀疑和敌意。

最后一张照片

1939年6月12日，动身的日子。十七年前，茨维塔耶娃带着女儿离开莫斯科到柏林，送行的只有一个人。如今她带着儿子穆尔离开巴黎，一个送行的人也没有。他们在圣拉扎尔火车站上了开往勒阿弗尔的列车。第二天换乘开往列宁格勒的轮船，船上有许多西班牙难民。过了一个星期，6月19日，茨维塔耶娃和儿子抵达了莫斯科。女诗人抵达后得到的第一个消息是：妹妹阿娜斯塔西娅已在1937年9月被逮捕。

1939年，茨维塔耶娃在巴黎。

1940年，茨维塔耶娃骄傲的侧脸犹如女王。

回到苏联的诗人，鲜少创作，只翻译作品。她从未像现在这么孤独，整天的劳作并不算悲惨，至少现在一家人重新团聚了。女儿阿利娅正在快乐的热恋中，丈夫艾伏隆似乎也振作起来，看起来无忧无虑。但是敏锐的直觉给了茨维塔耶娃不祥的预感。两个月后，8月27日夜晚，一辆小汽车停在家门口，搜查、逮捕，隔天早晨带走了阿利娅[①]，虽然女诗人对于丈夫和女儿先前的"革命工作"几乎一无所知，但是如今她不好的预感一一兑现。10月10日谢尔盖·艾伏隆被捕。

艾伏隆的被捕，标志着茨维塔耶娃在苏联较"正常"生活的结束。她不再待在鲍尔舍沃，没钱购买食物并常常处于被捕的恐惧中；她几乎没有朋友，人们害怕"白色流亡者"；爱伦堡、扎瓦茨基、吉洪诺夫和其他赞赏她的诗作的人都对她敬而远之；她的同父异母姐姐瓦列莉亚，拒绝来看她。其间，茨维塔耶娃两度给贝利亚写信恳求批准与丈夫相见，这当然是天真之极，依旧杳无音讯。就这么，过了两年。

1941年6月18日，大概是最后一个向她露出笑容的日子。

这一天，克鲁乔内赫，年轻的莉季娅·利别津斯卡娅，陪同茨维塔耶娃和穆尔，一起到莫斯科东郊的库斯科沃庄园游览。克鲁乔内赫在那里租了一间"小小的贮藏室"作为消夏避暑之地。花园里竖立着许多大理石雕像，有池塘，有"荷兰小屋"、"意大利小屋"、各式各样的凉亭。茨维塔耶娃走过舍列梅捷夫家族的夏宫长廊，那是她心仪已久的十八世纪建筑，这座宫殿如今成了陶瓷博物馆，风光优美的庄园。当地的一位摄影师为他们四个人拍了照片，当天傍晚就洗了出来，茨维塔耶娃以开玩笑的口吻在利别津斯卡娅那张照片背面写了一句话："优美的宫殿，真想住在里面！"在另一张照片背面，她写道："亲爱的阿列克谢·叶里谢耶维奇·克鲁乔内赫留念，感谢您让我们观赏此地的一流美景——库斯科沃——湖泊与小岛——瓷器——这是我回国两年来的第一次。玛·茨。1941年6月18日。"

---

① 逮捕后，大约有一个月的时间，阿利娅接受拷打审问，一连几天几夜不让睡觉，被关进寒冷的囚室，脱光了衣服。9月27日终于被迫招认其父亲似与法国特工有关联，尽管她后来自己推翻了口供，认为是屈打成招。后阿利娅被判流放劳改营八年，被流放至科米自治共和国。

这是茨维塔耶娃平生拍摄的最后一张照片，她站在后排，身穿朴素的翻领上衣，头戴一顶贝雷帽，帽子下一侧有翘起的头发。她是那样的"平凡"，对自己的外表毫不在意，她的表情跟一个普通妇女没有什么区别。

1941年7月6日，对谢尔盖·艾伏隆和他的五名"从犯"宣布了判决：判处最高惩罚——枪决，没收全部个人财产。最终判决，不准上诉。判决于1941年10月16日在莫斯科执行。

这些日子，茨维塔耶娃像一个幽灵，蒙着一块黑色头巾，衰老得几乎让人难以辨认。她决定放弃帕斯捷尔纳克提供的避难所，离开莫斯科，到作家协会准备疏散必要的证件。大部分疏散者被分配到鞑靼苏维埃共和国的一个小镇奇斯托波尔。茨维塔耶娃在奇斯托波尔停留了三天。许多人当时都见过茨维塔耶娃，记住了她的模样：面色苍

这是茨维塔耶娃平生拍摄的最后一张照片，她的表情跟一
个普通妇女没有什么区别。

白，甚至发灰，一双疲惫不堪的眼睛，头戴一顶小贝雷帽，帽子下边露出灰白的头发……有人看见叶·阿·桑尼科娃陪伴她在市场上买东西。无意间听见她说了一句话："我一直觉得自己丧失了个性。"

8月26日，茨维塔耶娃面临又一道难关。一出庸俗的闹剧在奇斯托波尔市苏维埃办公室里开场了。玛丽娜·茨维塔耶娃被叫了去，她必须为自己申辩从叶拉布加来奇斯托波尔居住的理由。她像被告一样站在那里，面对所有出席会议的人，用麻木的声音解释为什么她要住在奇斯托波尔，并请求安排她当个洗碗工。这种做法无疑让当事人感到屈辱，可是大多数出席会议的人认为这是必要的。茨维塔耶娃的申请书留了下来，那是在从学生练习本里撕下来的半页纸上写的申请：

文学基金委员会：

请安排我在基金会开设的食堂里当个洗碗工。

玛·茨维塔耶娃

1941年8月26日

莉·柯·楚科夫斯卡娅一整天都陪着玛丽娜·茨维塔耶娃。几天后，她把经历写成了笔记。她的笔下出现了一个具有莎士比亚悲剧性格的人物：这个女人身材不高，形容消瘦，面色发灰，内心却蕴藏着诗人的伟大精神。此刻她戴着一顶贝雷帽，怀里抱着装着毛线的布袋子，徘徊街头，举目无亲，可怜无助，又一次体验到了二十年前她自己诗句中描写过的无上幸福的孤独时刻。她心慌意乱，用目光追逐着行人，似乎在恳求他们千万别抛弃她。她的心情时时在发生变化，从希望转变为绝望，从短暂的平静转变为突发的恐惧。

突然，她像挨了针扎，受了打击（实际上不过是细枝末节的小事儿，但是茨维塔耶娃过于敏感，她的反应总是强烈上千倍）：原来楚科夫斯卡娅提到了安娜·阿赫玛托娃，为她没有来到奇斯托波尔感到庆幸。她说，阿赫玛托娃要是来到这里，准得要了她的命，因为她应付不了这里的日常生活，她什么都不会做，没有那样的生活能力。不料，茨维塔耶娃听了，突然用愤怒的声音喊叫道："难道您以为我就能应付吗？阿赫玛托娃不能，您以为我能？"

茨维塔耶娃一生都与这个"要命的女人"较劲。回国后，她曾拿到阿赫玛托娃出版的诗集，封面上女人的侧脸令她大为光火。阿赫玛托娃依旧可以出版诗集，自己却不能。如今听到这"无心之词"，自然要暴跳如雷。

塔·阿·施奈杰尔，后来成了康·格·帕乌斯托夫斯基的妻子，这样描述1941年的茨维塔耶娃："她头上戴着一顶毛线织的贝雷帽，颜色像骆驼毛，样子很难看。身穿一件钟式长裙，是质量很好的蓝绸子做的，可是由于时间和旅途的原因，裙子的颜色显得陈旧。脚上穿着一双凉鞋。上身穿了一件缝着纽扣的运动服。"

这样详细描写茨维塔耶娃的外貌，不仅在她临终之前是唯一的一次，大概也是她整个一生当中唯一的一次。

塔季雅娜·阿列克谢耶夫娜继续写道："样子很可怜。黄色的眼睛流露出狂热的眼神，她一刻不停地在房间里来回奔走，一根接一根地抽烟。一开始抽烟卷，后来我们一起抽马哈烟。她坐在我们的房间里，不停地捻动自己搓成的烟卷。她忽然明白过来，说了一句：'我搓的烟卷又松了……'她的目光里流露出无助的忧伤……我们一起喝茶，她喝了一杯又一杯，吃抹了奶油的面包，吃了一片又一片，还吃了夹肉面包。她总是推辞，仿佛既不想喝茶，也不想吃东西，可实际上既喝茶，又吃东西，为的是摆脱自己的烦恼……她痛苦地抱怨说，对面临的这些苦难，她一点儿也不理解……她提出来想要忏悔。虔诚地悔过，留下了眼泪……她脱了上衣，摘掉了帽子。这时才发现——原来她长得很美，身材匀称，腰肢像姑娘一样灵活；手腕上戴着银镯子……玛丽娜·伊万诺夫娜看了看我的双手说道，'您干了那么多活，您的双手还那么美！'一边说一边看着她确实粗糙的双手，手腕上戴着银镯子，可这双手写出了多么迷人的作品啊！后来我们沉默了片刻。她俯下身来亲吻了我。真不好意思——我也感激地亲吻了她。很快她就走了，她说要回来过夜，可是没有回来……"

8月31日，星期天。茨维塔耶娃没有去跳河，她在邻居家的棚子里看到了悬空的"钩子"。她用最后的时间有条不紊地写了几封信，交代好她关心的两件事：为穆尔和手稿、作品清样找好可以托付的对象。

穆尔雷卡！原谅我吧，往后日子更艰难。我病得很重，我已经不是

219

从前的我了。我爱你爱到狂热的地步。你该明白，我再也没有办法活下去了。如果你能见到爸爸和阿利娅，告诉他们，直到最后一刻我都爱他们，并给他们解释，我已经深陷绝境。（最后写给儿子的信）

1941年9月1日，经法医鉴定，政府为女诗人发放了死亡证。9月2日，玛丽娜·茨维塔耶娃被埋葬。穆尔于1944年2月应征入伍，同年6月战死沙场。

六十年代初，阿娜斯塔西娅到叶拉堡市，没有找到姐姐下葬的确切地点，便在一个大概的地方立了十字架。几年后，作家协会用一个简陋的纪念碑取代了十字架。

答调查问卷

茨维塔耶娃说到了终点，断断续续的马塞克拼接出大体四十年的肖像。1926年4月3日，帕斯捷尔纳克给茨维塔耶娃寄去一份调查表，要求她"随意做出回答"。该表是由国家艺术科学院革命艺术研究处革命文学办公室散发的，目的是编纂一部二十世纪作家传记字典，该表的内容如下：

一、姓名（笔名）

二、地址

三、诞生地和准确的诞生日期

四、社会出身

五、简历：（1）环境；（2）童年时代的影响；（3）工作的物质条件；（4）旅行；（5）创作进程

六、普通的和专业的教育

七、主要专长

八、文学、科学和社会方面的活动

九、处女作

十、最初的反响

十一、文学影响

茨维塔耶娃用简明的语言回味了大半生，并给自己与家人下了判词。我们就以茨维塔耶娃的回答结束文章。年轻时，她曾追求漂亮的衣服，追求要命的女性形象，最后她连脏兮兮的如老鼠般的样子都毫不在意，她的美最终都只在这简短的诗句中，今天依然有俄罗斯人热衷演唱她的诗句。她说：生活就是车站。

玛丽娜·伊万诺夫娜·茨维塔耶娃。

1892年9月26日生于莫斯科。

贵族。

父亲，弗拉基米尔省一个神甫的儿子，欧洲语文学家（他的学术著作《奥斯铭文》和其他一系列著作），博洛尼亚大学荣誉博士，先后在基辅大学和莫斯科大学担任艺术史教授，鲁缅采夫博物馆馆长，俄国第一家艺术博物馆（莫斯科，兹纳缅卡）的奠基人、策划人和个体收藏家。劳动英雄。1913年在莫斯科去世，当时他的博物馆刚剪彩不久。个人财产（数量不大，因为他乐善好施）捐献给了塔里津村（他的出生地，在弗拉基米尔省）的学校。他通过艰难收藏获得的数量巨大、版本珍贵的藏书，一本不剩地捐给了鲁缅采夫博物馆。

母亲出身波兰公爵家族，是鲁宾斯坦的学生，具有罕见的音乐天赋。她很早过世。有一些关于她的诗。她把藏书（自己的和外公的）也捐给了博物馆。因此，在莫斯科有我们茨维塔耶夫家捐赠的三个图书馆。如果我没有在革命年代被迫售出自己的藏书，我也会捐出自己的藏书。

童年——莫斯科和塔鲁萨（奥卡河畔鞭笞派教徒的集居地）；从十岁到十三岁（母亲在这一年去世）——国外；十七岁（？）以后又回到莫斯科。我从未在俄国乡间住过。

最主要的影响来自母亲（音乐，自然，诗，德国。对犹太文化的激情。一个人反对全体。史诗英雄）。父亲的影响更隐蔽一些，但同样巨大（对于劳动的激情，没有对仕途的追求，朴实，与世隔绝）。父亲和母亲的综合影响——斯巴达生活方式。一个家庭里的两个主题：音乐和博物馆。家庭氛围既不是资产阶级的，也不是知识分子的，而是骑士风格的。崇高的生活方式。

心灵事件的渐进过程：整个童年——音乐，十岁——革命和大海（涅尔维，在热那亚附近，侨民集居地），十一岁——天主教，十二岁——最初的祖国感觉（《外来打工仔》，旅顺口），十二岁起至今——在1905年被斯皮里多诺娃和施密特粉碎的拿破仑崇拜，十三、十四、十五岁——民意党主义、《知识》文集、顿河口语、热列兹诺夫的政治经济学、塔拉索夫的诗，十六岁——与思想性的决裂、对萨拉·伯恩哈特的爱（《小鹰》），波拿巴主义的爆发，从十六岁到十八岁——拿破仑（维克多·雨果，贝朗瑞，费雷德里克·马松，梯也尔，回忆录。崇拜）。法国和德国的一些诗人。

与革命的第一次相遇——在1902年至1903年间（侨民），第二次在1905年至1906年间（雅尔塔，社会革命党人）。没有第三次。

相继迷恋过的书籍（每一本书都构成一个时代）：《水仙花》（童年），豪夫的《列支敦士登》（少年），罗斯丹的《小鹰》（青春早期）。后来直到如今：海涅——歌德——荷尔德林。俄国小说家——在我今天看来——列斯科夫和阿克萨科夫。当代作家中间——帕斯捷尔纳克。俄国诗人——杰尔查文和涅克拉索夫。当代诗人中间——帕斯捷尔纳克。

童年时最喜欢的诗，是普希金的《致大海》和莱蒙托夫的《热泉》。从七岁起直到如今——普希金的《茨冈》，非常喜欢。从来没有喜欢过《叶甫盖尼·奥涅金》。

喜爱的世界名著，即人们会与之终生相伴的那些作品：《尼伯龙根》，《伊利亚特》，《伊戈尔远征记》。

喜欢的国家——古希腊和德国。

教育：六岁——佐格拉夫－普拉克辛娜音乐学校，九岁——第四女子中学。十岁——辍学，十一岁——洛桑天主教寄宿学校，十二岁——弗赖堡（黑林）天主教寄宿学校，十三岁——雅尔塔中心，十四岁——莫斯科阿尔费罗娃寄宿学校，十六岁——勃留哈年科中学。读完七年级，八年级退学。十六岁时在巴黎大学听过法国古代文学夏季讲习班课程。

在第一批法语习作（十一岁）下的评语：过分的想象，不足的逻辑。

六岁开始写诗。十六岁开始发表诗作。也写作法语和德语诗作。

第一本书——《黄昏纪念册》。自己出版，当时我还是一位中学生。第一篇评论它的文章是马克思·沃洛申热情洋溢的长文。我不知道什么文学影响，我只知道人的影响。

喜爱的作家（当代作家中间）——里尔克，罗曼·罗兰，帕斯捷尔纳克。发表过作品的杂志有《北方之花》（1915年），如今在流亡中，主要有《俄罗斯意志》、《走自己的道路》和《善意》（文学左翼），也有一部分作品发表在《当代纪事》（较右一些）上。发表作品的报纸有《时代报》，也有一部分发表在《最新消息报》（较右一些）上。从不在左翼报刊上发表作品，因为他们极不文明。

我过去和现在都不属于任何诗歌和政治上的派别。在莫斯科，纯粹出于生活原因，我曾是作家协会会员，好像还是诗人协会会员。

在这个世界上最喜欢的东西：音乐，自然，诗，孤独。

对社会舆论、戏剧、造型艺术和视觉艺术完全无动于衷。对财产的感觉只限于孩子和笔记本。

要是有一面盾牌，我就会在上面写上："Ne daigne."（法语：不要屈尊。）

生活就是车站，我很快就要离去了，去哪儿——我不说。

玛丽娜·茨维塔耶娃

抗战最后两年

傅惟慈

战火纷飞、动荡不安的岁月，给许多年轻人制造出横冲直闯的机会，让他们过一段"迷茫莽撞"的日子。

永兴场

二十世纪末的一个秋天，我重访贵州，寻找年轻时遗落在那里的足迹。秋天，贵州本是阴雨连绵季节，但是这次我的运气好，漫游期间，竟遇到一连串风和日丽的日子。当我漫步在郊野或某个小镇上的时候，半个多世纪前初次踏入这一夜郎古国时的许多往事不由又涌上心头。我在遵义和湄潭几个地方转悠够了以后，搭上一辆东行的小旅游车，来到距湄潭三十里路的永兴场。1943年秋至次年暑假，我在这里读过一年书。那是一个我混沌无知却尽情呼吸着自由空气的时代。

我又一次走在永兴小镇自西向东不过两三里长的老街上，街道两旁虽然添加了几处网吧和发廊，但低矮的店铺依然未减往昔破败、凋敝景象。街头行人寥寥。不少店铺在门前架起摊位，徒然把时兴货色陈列到户外。过去泥泞的马路已经铺上一层沥青，供不多的几辆机动车行驶。镇上最巍峨的两座建筑仍然是江西会馆（江馆）和湖南湖北会馆（楚馆），这是我最熟悉的地方，因为浙江大学永兴分校——我当时就读的地方——男生宿舍就设在楚馆。江馆较大，在楚馆东面，共三进，教室、饭厅和女生宿舍都挤在院内，也有一部分男生宿舍。建筑最后一层是一座三层高的魁星楼，那是浙大永兴分校的图书馆。

浙江大学原来在杭州。1937年抗日战争爆发，杭州告急，浙大开始西迁。几次转移校址，最后于1940年在黔北落户。工学院、文学院设在遵义，农学院、理学院设在湄潭。师范学院按不同系级分设两地。由于遵义和湄潭两地校舍不足，学校当局又在永兴场设立分校，接纳一年级新生和先修班学员。

我是在1943年年初逃离沦陷后的北平奔赴大后方的。之后，有大半年时间，一直在不同地方漂泊。这一年夏天，我在陪都重庆沙坪坝度过，冒着炎暑跑了一趟青木关，拿到教育部准许我到浙江大学借读的批文。从四川重庆到贵州遵义是一段艰辛的旅程，我托人求公路局海棠溪车站的站长帮忙，等待了一个星期才搭上一辆往贵州运井盐的大卡车。多亏两位同赴浙大报到的女同学照顾，解决了一路食宿问题。从遵义到一年级生分校永兴，近一百公里路程，为了节省些钱入学后交饭费，我是步行大半程山路过来的。

那一年我徒步走进永兴场，也适逢一个晴朗的秋天。从蛮荒郊野乍进一个吵吵闹闹的小镇，眼望一家家店铺（多是应浙大学生需要开设的）簇拥在街道两旁，我的精神不由也振奋起来。我注意到有两家店铺自己很快要必须照顾，一家是文具店，我的一支自来水笔（今天人们惯常使用的圆珠笔，是二战结束以后才发明的）早已没有墨水，很快就连字都写不出来了；另一处是永兴场西头一家缝制皮鞋的手工作坊，橱窗里摆着用牛皮缝制的粗糙的翻毛皮鞋。从北平出来，我带着两双鞋，一双寄居在沙坪坝学生宿舍的时候被"川耗子"咬得破烂不堪，另一双随我长途跋涉，鞋底早已磨穿，离开遵义，我只能找两块硬纸板垫在脚下。我希望能买上一双新鞋，或者至少能把旧鞋换上一双坚实的鞋底。

我在学校教务处报到注册，分到一个学号，又缴纳了一个月伙食费。学校在楚馆男生宿舍分配给我一个床位。宿舍是没有隔断的两层筒子楼，楼上楼下挨次摆着一张张上下铺双人木床，沿窗有一排长条课桌，每人一只木凳。这里没有电灯，每个学生都领到一盏陶瓷碗油灯。油灯用的是当地产的桐油，两三根灯草做灯芯，光线昏暗。一年后我升学到遵义后，除少数机关学校有电灯外，我看到有人使用带玻璃灯罩的煤油灯，灯罩安在铁皮烟罐或者罐头盒上。这种改良的油灯亮度大，有人说这是浙大一位进步教授费巩（此人1943年在重庆失踪）发明的，学生就称之为"费巩灯"。但当时在大后方马口铁极珍贵，罐头也是稀罕物，所以这种改良油灯并未得到推广。

初步熟悉环境，安排好生活以后，我开始考虑今后——至少今后一年将依靠什么生活下去。抗日战争期间，国民政府为支持青年人从沦陷区前往大后方参加抗战，除在各地设有各种职业训练班外，还为有资格入学读书的人每月发一定数额的饭费，称"贷金"。金额不多，勉强可以支付一个月的伙食费。按照当时教育部的规定，从沦陷区来的学生每人都能领到贷金，但是需要证明文件并通过各种手续。当时我担心自己申请不到这笔钱，无法继续读书，经过一番考虑，决定向学校申请转入历史系。因为历史系学生算师范生，而师范生享受公费待遇，就连饭费都不用自己掏了。我离开北平时，英语已有一定基础，远远高于内地高中毕业生。如果我有志学外语，靠自修同样可以学成，并不一定非要在外语系攻读。但后来事情发生变化，我转系的计划并未实现。

一年级新生入学后有两门必修课，一门是英语，一门是国文。因学生人数多，程度参差不齐，需要按程度分成三个班。所以开学前举行了一次测试，之后不久张榜公布考试结果，我的国文和英文考试均得第一名。国文课测试成绩与名次对我关系不大，且公布的是我的学号，不为人注意。英语考试却写出我的姓名，而且成绩远远超过他人，在同学中引起轰动。分校外语系主任费培杰老师很快就找到我，

226

告诉我助学金会有我的名额，叫我安心读书，不必转系。另外还有一个好消息，费老师兼任先修班英语课，他需要一名助手，帮他批改作业。他问我愿意不愿意做这个工作，可以挣一些生活津贴。这当然是我求之不得的事。我在大后方求学读书的经济问题，就这样解决了。

口袋里有了一点富余钱，除了置备一些必要的日用品和文具纸张外，第一个欲念还是把一直受苦的肚子填饱。学校食堂虽然供应一日三餐，但早餐两碗稀粥，中午和晚上八人一桌，只有四小碗不见荤腥的白菜豆腐或豆芽，吃第一碗饭还可以抢到两口三箸蔬菜，第二碗饭就只能将碗底的盐汤拌饭吃了。我当时正是个二十岁的大小伙子，一天到晚感觉饥肠辘辘，不得不想办法吃些补充品。宿舍斜对面有一家贵州米粉店，我三天两头走过去吃一碗脆溜米粉，"溜"字我可能写得不对，字典上标义是用泔水、米糠、野菜等煮的饲料。我用来谐音。贵州管猪油炼后余下的油渣叫"碎shào"。一碗连汤带水的河粉，加上半勺油渣，吃到肚里非常滋润，是我在永兴求学时代的营养剂。后来我离开学生宿舍搬到一家专门接待学生的私人小旅馆。旅馆入门处有广东夫妇两人开的一家餐馆，卖叉烧包和汤面，我也常受几位手头富裕的同学邀请去那里打一顿牙祭。

为什么要离开集体宿舍，搬出来住呢？这里面有个故事。原来我住进楚馆宿舍后，隔两张床住着一位四川籍的先修班学生，名叫张六平。他要在浙大先修班复读一年高中课程，然后重考大学。和我熟悉以后，我们各自介绍了一些自己的情况。张的老家在四川涪陵，父亲早年留学日本，家中有不少田产，学成回国后没有外出谋职，只在家乡过着乡绅生活。几年之后他父亲在长江中游泳，不幸溺水身亡，便由母亲出头管理田产，操持家务。张六平和他哥哥都出来读书。哥哥在内迁到四川九龙坡的交通大学读航海系。很久以后，我和张六平更加熟稔，他才透露给我，原来他母亲是日本人，是父亲当年留学时结婚带回国的。中国同日本后来打起仗来，而他母亲已经在中国生活了二十余年，一口四川话，早已成为一位乡下老太婆，也没有人注意她原来的日本国籍了。我和张六平从认识起就成为好友，至今联系未断。五十年代中我去上海找他，他已把母亲从老家接出来和他同住。我见到的是一个慈祥的小老太太。她同我叙家常，谈上海洋场的生活同四川农村如何不同。她很为自己两个大学毕业、为中国海洋事业作贡献的儿子骄傲（张六平在我认识他的第二年也考取了交通大学航海系）。这位日本老妈妈让我深感贤妻良母型日本妇女的美德。我新交的同学张六平曾参加过高考，因英语太差，没有被录取。认识我以后，就求我为他补习英语。他的经济情况比较宽裕，嫌住宿舍太嘈杂，所以在街上找到一处公寓，租了楼上一间屋子，邀请我和他同住。

自从搬到小旅舍同张六平同住以后，我在永兴场的生活有了很大变化，认识了不少人，交际圈子扩大了。每天不再是机械地上课、下课、吃饭、睡觉，平添了不少消遣、娱乐。和同学聊天、叙叙家常，也不排除畅谈各自的抱负和对未来的希望。这家作为学生公寓的小旅舍除了我同张以外，还住着另外两三个学生。一个叫陈雍的农学院学生，是个来自上海的白面书生，嘴里总哼着歌，不停给一位在贵阳工作的海外归来的广东小姐写英文信。我住进来以后，自然成为他的英语顾问。时间长了，我们自然也常常谈故乡的事。有一天，我信口哼唱当年流行的一首英文歌《落日红帆》（Red Sails in the Sunset），陈雍听到，马上接着唱下去。他告诉我，这首歌他很熟悉。抗战爆发，日本人进攻上海，炮弹已经频频落到离他家不远的闸北，他姐姐却不管不顾，一边整理头发，一边哼唱这支歌。我们这些流落异乡的游子就是这样，只要有人提个头，说到老家的事，大家你一句我一句说起来就没完没了。而最引起人思乡情绪的，莫过于哼唱过去常唱的老歌了。我本无音乐才能，唱歌荒腔走板，可是在当时的氛围里，确实也借助音乐解除了不少寂寥。

同旅舍的学生，还有一个与我同系级的学生向联银。这人本是孤儿，是川东长老会一位传教士太太把他抚养成人的。他用略带美国音调的英语说一些日常用语没有问题，只是词汇量不大。向同学最擅长的是弹风琴，在家乡的时候，教堂做礼拜，他总是弹琴为教徒唱圣诗伴奏。可惜当年浙大分校穷得连一台风琴也没有，让这位同学英雄无用武之地。1943年年底，第一学期快要结束的时候，时机来了，学校突然来了一位身份不凡的客人。这人身材不高，穿一身西装、足

228

蹬尖头皮鞋，是一位满口宁波话的"小开"式学生。他是从浙江经江西、湖南、广西几省长途跋涉来校报到的。难为他大箱小笼居然随身带来五六件行李。自九月初动身，路上走了三个多月。学校虽然早已开学，却允许他注册入学，毫不留难。原来这个人大有来头，他叫翁心梓，是中国鼎鼎大名的地质学博士，也是国民政府高官翁文灏的侄儿。翁心梓到永兴后，也住进我们旅舍。他带的箱笼，装满四季衣服和内地稀缺的生活用品。最令人吃惊的是一只小提箱里装的竟是一台舶来品手风琴，声音洪亮，音色优美。这下会弹琴的向联银可以大显身手了。

翁心梓不只喜欢音乐，而且颇有组织才能，没过多久，他就把小旅舍的全体住户组成了一个合唱团。我们既唱聂耳、黄自作曲的中国歌，也唱福斯特的黑人歌曲和像《当我们年轻时候》那类美国电影歌曲。合唱团给我们平凡、单调的日子带来了活跃的、生气勃勃的气氛，我至今仍然佩服这位远方来客，聪敏、活泼、脑子十分灵活。翁来了以后，我们这些只知道死读书的人仿佛被吹了一口仙气，开始手舞足蹈，准备上演一出活剧了。翁野心勃勃，在指挥我们唱会几支短曲外，竟准备排练至少有双声部合唱的《蓝色多瑙河》。他梦想扩大合唱队伍，招进几名女生来。可惜第二年开学，正当万物回春的时候，他突然接到家中拍来的电报，叫他急速去重庆。原来他的有财有势的亲族，已经为他安排好去美国留学的手续。他一到重庆，就将出国了。这帮同学自然非常惜别，但也为他能有机会出国深造感到高兴。翁为了轻装走上征途，行前把他带来的绝大部分衣物都分散给同学。一套西服他本想送给我，可惜他身躯瘦小，衣服我无法穿。我只拣了一件比较肥大些的春秋衫留下，作为对这位朋友的纪念。在写这篇文章的时候，我查了一下因特网，看看有什么关于这位老同学的资料。我查到的信息说，翁心梓先生是著名旅美华人，曾任美国多种资源公司顾问，美国国会中国问题顾问，也曾担任过我国冶金部钛公司顾问。他在国内创办过宁波中原小学，八十年代曾不断回国探视。不知道他今天是否健在，如有机会我真愿意同他畅叙一下当年在永兴场共同度过的时光。

该简单谈一下我在浙大永兴分校学习的情况了。先说说在学校教英语的几位教师。负责外语系的教师是费培杰老师,他是贵州人,清华大学毕业,在美国留过学,在永兴教我们英语精读和语音学。费老师精通音乐,会拉小提琴,在新年联欢会上表演过。后来,据我的一位老同学回忆,他教外文系学生英文语句声调时,曾借助一支笛子,吹奏出高低音调示范。费老师身体不好,患有肺病,但教学非常认真,教我们的教材均系自编。另外,由于学生基础知识差,他每周又增加两节英语辅助课,并为之编了一套简易教材,通过问答,既让同学熟悉英语基本句型,又扩大了词汇,纠正学生发音。我的英语程度虽然比同学略高,这一辅导课却也参加了。在当时那种既听不到英语广播,又无录音设备的年代,能有机会多多听说一些简单英语也是好的。一年级第二学期有一段时间,费老师因病不能来校授课,我们全班学生就自己组织起来胡乱学习。后来他病情有些好转,我们就去他家上课。费老师住在永兴场东头郊外的一幢平房里。他并无家室,只有一名中老年男仆服侍他。我看到他家中有一个玻璃柜,装着二三十本原版书,多是社会学、教育学等专论书籍,也有一两本语言学理论书。我在永兴一年,感到最苦恼的就是无书可读。图书馆可以借到的英文书只是抗战前商务版的《莎士乐府本事》、《伊尔文见闻录》、《威克斐牧师传》等二三十种老书。国内新文学创作和文学刊物也极少。缺少书籍,是抗战期间内迁学校的普遍状况。除了少数几个大城市,读书人无一不感到文化饥渴。

除费培杰外,还有三位教公共英语的教师。学生按程度分成三个班,三位教师各准备一个学期三分之一教材,用同一材料,轮换为各班上课。这样也好,教师节省了备课时间,学生也可以吸收每个教师的长处,比一个教师一学期或一学年从头到尾教一个班更可取。我们外文系学生在上费老师的专业课之外,也必须上公共英语课。一位说话带浓重南京口音的矮胖老师,我对他印象不深,至今连姓名也想不起来了,只记得他的教材中有一篇选文名字是《新哀洛伊斯》。这篇文章是从法文翻译过来的,原来的作者是鼎鼎大名的卢骚,但内容同语言都没有什么特色。这位南京口音的老师讲起课来摇头晃脑,声调铿锵,充满感情,非常好笑。另两位，一位是个学者型中年人，名宋雪峰。解放后他可能在张家口军事外语学校授课，五十年代我曾在某个刊物上读到过他翻译的几首英文诗。另一位是永兴唯一的女老师，冯斐女士。浙大迁返杭州后，我听说她因为思想左倾曾被国民党逮捕，后来是浙大校长竺可桢把她保释出来的。宋、冯两位老师当时都是单身，有时我去看其中一位，常发现另一位也在座。我之所以同这两位老师比较亲近，是因为从授课、选材中，感受到他俩都有较高的文学造诣。冯斐为学生选定的教材中有济慈、雪莱的诗。我那时正做着文学梦，迷醉于写新诗。但是我的品位不高。何其芳当时已经去延安投身革命，但我还是抱着他早年写的《画梦录》不放。我喜欢的另一位诗人是大学教授、翻译家赵瑞蕻。抗战期间，赵毕业于西南联大外文系，曾先后在云南南菁中学、重庆南开中学和四川中央大学外文系执教。我偶尔在后方报刊上读到他翻译的法国象征派诗歌，总是抄下来赏读。宋雪峰好像同赵有一定关系，我从他口中听到不少有关诗歌翻译同写作的谈论，但从来不敢把自己的幼稚习作拿出来向他们求教。

在永兴读书的第二年春季，某一佳日，遵义来了一位外语系老师看望我们读英语的学生。这人不是遵义外系主任（主任是佘坤珊），却与学生关系非常密切。他不只在教学上循循善诱，而且在课后与学生打成一片，言传身教，引导年轻人认清国内形势，树立正确人生观。这位老师就是引导我走进德国文学之门的张君川。外文系同学1943年在遵义成立"戏剧班"，研讨西洋戏剧理论，实践戏剧活动，张君川老师亲自指导并积极参与各项活动。他思想进步，对国民党各种反动措施非常不满。1945年冬，西南联大惨案发生后，他毫不犹豫地参加了浙大同学在遵义举行的追悼会。次年四、五月，浙大回迁杭州，因校舍需要整修，开学推迟，夏秋两季，他在上海《侨商报》当记者，写了不少文章，抨击国民党独裁、腐败，招致当局忌恨，多次图谋暗害。幸赖校长竺可桢庇护，才未遭毒手。此事竺可桢在他的日记都有明白记载。张君川老师知道我学过德语，也胡乱涂写过一些诗文，来永兴后，曾单独同我谈过几次话。我在永兴没有德国文学书可读，手头只有一本上海盗印本的《奥托德语口语及语法》，

231

书后附有几首小诗，我在闲暇时把其中一两首翻译成中文。张君川老师看过后，为我指出几处误译的地方。他答应我，等我转到遵义本校后，他要单独辅导我读歌德、海涅、荷尔德林等德国诗人的诗篇。他毕业于清华大学，与吴宓是先后班同学，也是好友。吴宓后来去美国入哈佛大学进修，张君川却一直留在国内。他精通几国语言，研究西方戏剧，抗战后期，导演了好几出德国、俄罗斯名剧在遵义上演。1944年秋，我到遵义上二年级课，张老师果然辅导我阅读了不少德国诗歌。他还把我介绍给他的另一位清华校友，就是古稀之年费时十八载翻译了但丁传世之作《神曲》的田德望老师。田自从在欧洲学成归国后，一直教德文，但专长却是意大利语言和文学。我到遵义后，当了一名工读生，为田先生教授的德语教材刻钢板，从他那里获得了不少德语知识。

回顾我在永兴分校度过的一年，虽然跻身高等学府，却实在没有用功读书，大部分时间是在懒散和放荡中过去的。事后回忆，一是由于我离家后生活虽然苦了些，却感到无拘无束，成绩略优于他人，没有与同侪竞争的压力，便以无书可读为借口，索性什么书也不读了。更有一个重要原因是，多年以来，我一直在做文学梦，这时依然未从梦中醒来。在北平读书期间，曾经写过几篇幻想式的故事。走出"象牙塔"以后，虽然经历了社会现实不少磨炼，更目睹处于水深火热中的平民老百姓的苦难，却没有能力把所见所闻诉诸笔墨。我的思想那时非常浮浅，许多事看到的只是表面现象，不能推究其根源。我受的生活教育刚刚开始，或者说还处于启蒙阶段。直到很久以后，时间和阅历才叫我明白了一些事理。现实中的不少惨烈事例扑面而来，我冥顽的头脑逐渐苏醒。

记述一件我亲眼看到的事，初次经历叫我惊诧惶恐，百思不解。几年后，我的脑袋已开了窍，又看到某一高明人把同一件事形象化地呈现出来，令我叹服。原来我和张六平几个同学租住的小旅舍，门面房是一家小广东开的餐馆，后院住房分上下两层。浙大学生住上层单间。楼下是两大间统舱，旅舍用来接待赶场的商贩和农民，有时也整间包赁出去。我有两次看到国民党某个部队到乡下抓来壮丁，住在楼下。几名下级军官像赶羊似的把一群农民赶进楼下统舱。这些年轻农民面黄肌瘦，衣不蔽体，有人脚下连一双草鞋也没有，就打赤脚趟着泥水。更令人惊诧的是，他们都用一条长绳缚在一起，就是吃饭、睡觉绳子也不解开。开饭了，院子里地上摆上一篓糙米饭，一钵飘着几片菜叶的清汤，壮丁争先恐后地抢吃，有人有一只破碗，有人连碗也没有，只能用手抓起往嘴里填。这些人能到前线上去打仗吗？我不禁问。到部队里，绳子解开，他们不逃跑吗？他们要训练多久才开往前线？这些问题我当然不能解答。

同抗战期间很多年轻人一样，摆在眼前的许许多多矛盾都为一个最大的矛盾——民族矛盾掩盖住，认为一切灾难都是日本人入侵带来的。只要抗战胜利，问题就都解决了。前面我说的某位高明人把我在永兴看到的事形象化，就是后来人们熟知的四川方言剧《抓壮丁》。到大后方以后，有时我也把看到的事记载下来，但我记的只是一些表面现象。我更喜欢写早在北平读书时就不断编造的浪漫爱情故事。我当然也写个人的痛苦和欢乐，怀念和追求。川贵一带的胜景叫我对大自然之美悠然神往，幻想自己或许会隐遁到某一幽僻的山谷中做一个自然之子，但时不时又思念大都市的音乐厅、咖啡馆、灯红酒绿的夜生活。这些混乱无序的思想叫我写了不少毫无思想内容的诗文。

在一个闭塞的小地方，一个人常常会找到几个和自己气味相投的友伴。我在永兴也同三五个"文学青年"常常凑在一起。第二学期开学后，有一位女青年成了我的文友。她是天津人，可以算作我的小同乡，在浙大读园艺系。开始时我们只是通信。她很大胆，不久就约我会面，因为有些想法似乎只有面对面倾诉才能说得清。为了制造更多的见面机会，她提出要跟我学英语，问我有什么英文书可以借给她阅读。我从沦陷区出来虽然带了几本书，但大多是工具书和字典。英文读物只有一本，德国施笃姆写的一个短篇小说《茵梦湖》，这是我很喜欢读的一本小说。日近黄昏，一个孤寂的老人散步归来，独自坐在书房里沉思。当月光从窗外照到挂在墙壁上一个少女的肖像时，老人开始回忆他早已逝去的一段恋情。这个故事我已背得烂熟，这次随身带来，只是为了我正在读德语原文本，想用英译本进行对照。我把英文本借给她，每周学三两次，从此不愁谈话没有话题了。

　　正当我们的关系日渐亲密，向情侣方向发展时，她接到了家中发来的禁令。原来她的父亲是贵州省政府一名高官，听说女儿在学校受一名流浪儿引诱，行将出轨，就发出禁令，要她立即同我断绝往来。这位女友是个乖女儿，果然不再来找我学英文了。但她似乎还没有完全绝情，求我不要停止给她写信，她愿意继续做我的笔友。我同意了，接着写信，写得杂乱无章，实际上是在进行文学创作。当然了，我也痛苦了一段，但自我宽慰说，痛苦或许是诗人必经的淬炼吧。只不过她却逐渐不再给我写信了。过了大约一个多月，星期日，我同几个同学到乡间远足。黄昏，倦游归来，我发现门后边有她留给我的一封信。这一天中午，她家派来一辆小轿车，把她连同行李接走了。她在信中说，家中已为她办好转学重庆中央大学的一切手续。她离开永兴，并未回贵阳的家，而是直接去了重庆，因为行色匆匆，未及把我写给她的那些信和一两本书整理出来还我，暂时带去重庆，以后会找机会再处理。

　　这次一别，我同她就再没有见过面。抗战胜利，我从部队复员回浙大，接到她从中大来信，除了告诉我别后的生活情况外，还问当年我在永兴写的信要不要她寄回。我回信说，当年的书信我都不要了，就由她自由处理吧。这以后，我俩断断续续又通过不少信，直到我回北平复学。时局同我的思想这时都有了很大变化，她同她做官的父亲回到南京，父亲仍然做高官，她在大学读书，或者已经毕业，做什么工作。我们各走各的路，永远不会再汇合在一起了。最终我接到她最后一封信，和一张与一位男士合照的照片，告诉我她已经同照片里的人喜结良缘。我写信祝贺她。从此，我在贵州结识的那位小女孩的倩丽身影就从我生活中永远消失了。

　　我并不珍惜年轻的时候写的那些幼稚的东西。张君川老师到永兴来看望外文系学生，在和我交谈时嘱咐过我一句话：要想写作，对人生必须有正确的认识。什么是对人生正确的认识，我当时并不明白。如果当时我就认识自己，认识我个人的处境和国家、社会的前途，也许我会做另外一些事，而不去做白日梦了。

遵义

1944年秋季开学前，我离开永兴来到遵义。遵义地处内地南下北上通道，除省会贵阳外，是贵州省最大商埠。几年前浙江大学迁来落户，更增加了这里的繁荣。闹市区有一家播声电影院，另外还有一家湘江戏院，我们的戏剧班就曾借这两家剧场的舞台公开演出话剧。这一年冬天，为慰劳南下抗敌国军，两处剧院也都成为活动场所。我到遵义后，没有搬进何家巷男生宿舍（女生宿舍在老城巷内），而是听张君川老师安排，把简单行装搬到文庙街一幢居民楼里。文庙街是一条幽静老巷，离校本部只不过几步之遥。如果不去校本部，沿商业街东行就可以走到一个丁字口。那是遵义南北通道上的闹市口，跨过马路，可以到街对面的电影院。大学的图书馆和一部分教室也簇集在近处的山坡上。如果从文庙街不去闹市而转向西南，走过一座宽大石桥就进入荒僻的老城。

我搬进去的文庙街小楼有上下两层。楼上一边是外文系戏剧班活动的场地，那是一间近三十米的厅房，位于楼梯左手。戏剧班几乎每周都在这里集会，研读戏剧，排练中外剧作片段，或者听君川老师请来的外人做学术性报告。楼梯右手分隔成前后两间，住着外文系两位高年级生，薄学文和汪积功。这两人是我的学兄，也是戏剧班的发起人。我搬来以后，硬是在他们两人中间安置了一张行军床，从此便和两位学长成为室友。薄、汪都比我年纪大，在学习和生活上对我多有照顾，全国解放后，薄在北京外国语学院执教，我的小女儿就是在他指导下完成毕业论文，于八十年代初在外院毕业。汪积功学兄，五十年代曾蒙受不白之冤，半生颠顿坎坷，直到改革开放后，不仅重返人间，而且由于他同台湾国民党主席连战的姻亲关系（连战夫人方瑀是汪的外甥女），多次与连主席会面，一时间成为新闻人物。汪积功学兄现在荣任新安江市政协主席，为两岸交流做出重要贡献。薄学文和汪积功两人在学校读书时，学习都极勤奋，而且都担当了不少社会工作。

我在遵义外文系二年级就读，主要课程是英国诗歌和英文习作，两门课都由系主任佘坤珊讲授，教西方戏剧的是张君川老师。天气好的时候，张老师喜欢把学生带到野外，在青草茸茸的山坡上席地而坐。别的课程还有法语（教师黄遵生广东人，是一位同盟会老党员，对学生很亲切）、哲学等。我的老毛病仍然不改，上课不好好听讲，课外却胡乱翻一些我似懂非懂的闲书。遵义校图书馆在市内丁字街外侧的山坡上，藏书倒也丰富。我不爱听佘坤珊按部就班讲他自编的英国诗歌，却从图书馆借了一些玄奥、晦涩的作品，像十七世纪玄学派诗人约翰·多恩（有人说他是现代派英美诗歌最早的先驱），十九世纪后半叶的唯美派、无神论诗人斯温伯恩（他支持欧洲人民革命运动、攻击传统礼规，因此被反对者用他姓的谐音讥刺他是"罪恶之火"、"地狱中的火魔"[①]）。

这些诗我当然只看得懂片言只句，却每天捧在手中。倒是张君川老师教我读了不少歌德的诗，不只内容讲解透彻，而且为我分析语法和用词，使我获益匪浅。若干年后，我翻译了两三部德国文学重头著作，不能不感谢君川师这时对我的培育。

戏剧班成立于1943年冬。平日聚会除研讨文艺和戏剧外，有时也选择中外名剧片段，分别由学生来朗读或排演。在我去遵义前，戏剧班至少已对外公开演出过两次。一次演《寄生草》[②]，另一次演出的是一出德国三幕悲剧Maria Magdalena，中文译名为《悔罪女》，作者弗利德里希·黑贝尔。张老师是这个剧本的译者，演出也是他指导的。竺可桢校长在他的日记中对此事有过记载。我到遵义后，自然也参加了戏剧班的各种活动。我对戏剧和表演虽然兴趣不大，但这种增长知识，与同学交流思想的活动我还是乐于参加的。一次活动，戏剧班排练曹禺的名剧《日出》，我也被赶鸭子上架硬分配了剧中方达生的角色。虽然台词不多，但穿上不知从哪个同学那里借来的一身西装，马上就手足无措，连脚步也迈不开，更不必说摆各种姿势了。我的缺点一向是不善表演，这在二十余年后我国经历的一段非常时期中对我非

---

① 斯温伯恩英文姓名是Algernon C.Swinburne（1837–1909）。攻击他的人把他的姓谐音为Sin-burn。

② 洪深根据英国剧作家王尔德名著《少奶奶的扇子》改编的话剧。

常不利，应该欢呼雀跃的时候露不出笑容，该义愤填膺的时候又不能做怒发冲冠状，那就活该倒霉了。

杨孔娴和另一位女生萧绿石是和我同时在永兴报到入学的，她俩是当年外文系唯一的两位女性。开始很长一段时间我同这两人只保持着不即不离的同学关系，后来相处日久，我才发现，这两位原来也是"才女"，不仅爱好文学，看书很多，而且课余也写散文、短诗。杨笔名叫"卡斌"，萧笔名"消逝"，是"萧绿石"的谐音。这两位女性脸皮薄，不好意思把自己的写作向外公开，所以知道的人不多。到遵义以后，外文系有一位从浙江龙泉转来的写诗的学生杜念绍。我们四人凑在一起，经常单独聚会研讨新诗写作，就成立了一个诗社，杜建议叫"黎明社"，显示我们的朝气。当时还油印过两三本薄薄的册子。后来我参军离开学校，抗战胜利后复员归来，油印小册子在杜念绍一人操持下已经发展成一本铅印刊物，而且流传到当时后方好几所学校的文学青年手中。我译的一首爱尔兰诗人叶芝的诗，"当你年老、发白、睡思昏沉，在炉火边打盹……"也刊登在上面。我在永兴一度关系密切、转学重庆的女友，估计就是看到我的译诗才又写信来同我联系的。杜念绍重听，与人交谈困难，但也正因为他两耳不闻窗外事，一心与向诗神缪斯求教，才写得一手好诗。

自1944年6、7月开始，美国海军展开强势反攻，日寇因在太平洋战争中连连失利，与南洋的诸多占领区联系日趋困难，6月初在侵华战场发动了湘北攻势，急欲在旱路打通一条南北通道。国民党政府军队无力抵抗，在短短几个月内，连失名城，军队南溃五六百公里。到了11月，桂林、柳州失手，月底，日军先头部队已入侵贵州。12月初，独山陷落，贵阳岌岌可危。这时，贵州大学和浙江大学先后停课。浙大校务会议上，有人主张疏散入川，但更多人赞成留守当地，在黔北山区打游击。形势紧急，国民党政府甚至在做迁都西康准备。传说蒋经国已奉命至西康部署。9月，蒋介石在国民参政会号召："困难严重，爱国青年应该投笔从戎，执干戈以卫社稷。"又提出"一寸山河一寸血，十万青年十万军"的壮烈口号，宣传大反攻将以青年军为主力，接受美国援华的新式武器，经过三个月训练，开赴前线，收复失地。

国家正处于生死存亡关头，蒋的号召甚至在一些高等院校的学生中，也得到不少响应。特别是像我这种家乡已经沦入敌手，冒着生命危险奔赴大后方的人，原来就是来参加抗战的，如今敌人更侵入内地，连摆一张书桌的空间也要失去，与其等到敌人打来再去打游击，真还不如穿上军装，到前方战场与敌人拼个你死我活呢。就这样，没有太多的犹豫和思考，很多人都下决心报名参军了。我也是其中一名报名者，但在离开学校去四川部队受训前，自然也有另外一种声音传到我的耳中来，那是一种谨慎的、暗中带有某种警告意味的声音。那声音说：蒋介石此举其实是在树植个人势力，准备在抗战胜利后与共产党抗衡，争夺中国的领导权。只可惜这种声音在国难临头、几乎人人处于亢奋与忧惧的当口发出来，而且讲得不够清晰，对我这种思想尚在混沌状态中的人，更难明白话中的大道理。当然了，也许先知先觉的人根本就没想对我提出任何警诫。从在永兴起，我就认识一位哥们儿，一位小同乡。后来知道他是南方局派来学校的地下工作者。可能在他眼中，我是个只懂吟风弄月的纨绔子弟，不配和他坐以论道，所以就索性让我到反面教员那里去接受教育去了。这也好，后来我逐渐明白些事理，确实都是受了现实教育的结果。

我是这年11月14日在遵义浙大报的名。同我一起报名的还有我的两位好友，机械系的韩有邦和土木系的张澄亚。他们两人一个老家在徐州，一个在江阴，都早已沦陷。我们三个人，另外还有一位在永兴读过浙大先修班的北平老乡沈正衡，那几年总是摽在一起。就是在青年军，后来又考取军事委员会外事局，派往昆明受训准备当译员，也一直没有分开。虽然由于美国投掷原子弹，苏联红军出兵满洲，日本无条件投降，我们都没有轮到上前线作战的机会，但我们始终是生死伴侣。1946年浙大复员以后，我同韩、张分开了。从此天各一方，一直无缘相聚。前两三年，他们两人先后走完人生旅途，奔往另一神仙世界，走时都没想到拉我一把，就不辞而别了。

自从1943年初离开北平，我在漂泊中时不时写些东西，记载我遇到的人和事。积少成多，倒也写满三四个练习本。后来生活上几次变迁，再加上"文革"中的一场劫难，早都荡然无存。前些年偶然翻找旧书，竟在乱书堆里翻出半本残破的稿本，只剩下二十余页，记录的恰好是我在遵义读书和报名参军前后的一些情况。这次又翻阅了一遍，寻找回忆往事的一些线索。

根据当时记载，自当年十月起，前线吃紧，政府即派遣援军从四川、陕西等地源源南下。遵义是南行必经的通道，浙大师生积极开展劳军活动。遵义市内要道丁字口设有一个献金台，浙大同学轮流值班，接受市民募捐，并向过境国军捐献慰问品。戏剧班的学生积极参加劳军活动，并抓空排练了一出话剧《人约黄昏后》，为部队慰问演出。男女主角分别由外文系潘维白和萧绿石扮演。

潘维白这位品学兼优、多才多艺的外文系学长，比我大概长一两岁，同上文谈到的汪、薄两人同班，我同他后来一起参加青年军，又一起赴昆明当译员。在青年军里，他是合唱团指挥，带领几十人的乐团高唱抗战歌曲。在译员训练班他是篮球队健将，同另外几名健儿奋战美军篮球队，为国人争光。大学毕业后，他在高校从事英语教学，钻研古英语，成为这方面专家。可惜同大多数单纯、幼稚的知识分子命运相同，他五十年代遭受无中生有的打击，罚去农场劳改，度过一段血泪生活。"文革"结束后，他重返讲坛，曾写诗明志："愿将蜡炬春蚕意，换取清清雏凤声。"两年前一个冬天，我突然接到他的电话，原来他退休后，费了一番力量已经把户口从遥远的边陲迁来北京。我们约定几天后再找几位老校友聚会一次，共忆往昔峥嵘岁月。可惜还没等到聚会，他老兄就遽然离去，想来天国那边已有人等着听他讲授古英语呢。

戏剧班的一些活动中，还有一件事值得记述。由于日寇逼近桂林，原来滞留该地的文化人（不少是从香港撤回的）纷纷避难北上。这些人经过遵义，有人略作停留，也有人匆匆赶赴陪都重庆。还有极个别的人觉得遵义人杰地灵，文化气息浓厚，便有了长期居留的意愿。张君川老师不仅在文化界小有名气，而且同很多人是旧交。他总是拉着过境客不放，请他们到戏剧班来给学生讲点什么，或者讲文学艺术，或者介绍时局和形势，让我们这些长期处于闭塞环境中的年轻人长些见识。在他请来讲话的人中，有一个人是我国当代著名戏剧家熊佛西。张君川老师请他来分析介绍罗曼·罗兰的名剧《爱与死的搏斗》，张老师有意以后在遵义上演此剧。那一天正赶上我值班劳军或者做别的事，没有赶上参加这次座谈。另一位请到戏剧班的名人是我很喜欢的作家端木蕻良。日寇占领东北成立伪满洲国后继续向绥远、内蒙古一带扩张势力，端木当时正在清华大学读书，愤而投笔从戎。他和几个同学到绥远投入孙殿英的骑兵部队，准备同日寇一搏。但是他们几个学生兵并没有捞到上战场杀敌的机会，倒是常常骑马在草原上奔驰，练就了精湛的骑术。端木蕻良在部队里待了三个月就打道回府了。这以后，他并未在清华复学，不久就去了上海，专心从事写作。他是我非常心仪的一位作家。我在北平读书的时候就读过他写的长篇小说《科尔沁旗草原》。当时这本书刚出版不久，在爱国青年中风行一时。后来我又看了他写的一些短篇。《遥远的风沙》是他在绥远参军后写的一个名篇。张老师这次能把这位大作家请到戏剧班和我们座谈，叫我非常高兴。座谈结束后，大家自由发言。端木答应我们，他愿意回答任何有关文学和创作的问题。我记得我曾问他，在颠沛流离的日子，一个人无法携带很多家私，但书还是要带的，爱好文学的人随身应该带几本什么书？端木没有具体说什么书最好，他只是说，看什么书主要还是依据个人兴趣，值得反复阅读的大概还是那些经典著作和诗词，《红楼梦》、《聊斋志异》、唐诗、宋词等等。我曾读过端木用现代小说笔法演义而成的几篇红楼梦故事，刊登在当时桂林出版的一本文学刊物上，写得确实很好。解放后，他又创作了《曹雪芹传》，看来他是极其喜爱《红楼梦》的。不过我怀疑在烽火连天的战争岁月，有谁的行囊中总带着这样一部大部头书籍。他又说，懂一点儿外文的当然也可以带一两本外文书，甚至带本外语词典。端木还说了一个故事，西南联大有一名学生，抗战期间从长沙步行去昆明，随身只带着一本英文字典，每天背若干英文单词。一路走来，背会一页单词就撕毁一页，就这样在他走到昆明以后，一本字典已经撕完，但是他已经把里面的词汇全都记在脑子里了。端木讲的这件事实有其人，那人就是我国著名的诗人和翻译家查良铮（笔名穆旦）。这是若干年后我热衷阅读查译普希金抒情诗时，出版社一位老

240

编辑告诉我的。我在后方东奔西跑，因为生活不稳定，所以一直不肯用功，时间虚掷，叫我深感愧悔。见到这位我倾慕的作家后，我曾记下他给我的印象："身材高大、长方脸、高颧骨、五官棱角分明。穿一件半旧的方格西服上身，外套灰布短大衣。与人谈话时笑声朗朗，让人感到亲切。"总的来说，他的既落拓不羁又豪迈飒爽的姿态，正是我心目中一位带有某些浪漫情调的年轻作家形象。当时知道一点文坛内幕的人都在议论端木与萧红婚变的事，但在座谈会上，却没有人敢提这个问题。

綦江

1945年1月，青年军二〇一至二〇七师正式成立，分驻四川不同县份。3月又在江西成立了二〇八和二〇九师。浙江大学入伍的学生，根据竺可桢日记及个别同学记载共九十四人，加上浙大附中及另外几个与浙大有关系的青年，参军总数超过一百。这些人于1944年年底、次年年初陆续到四川綦江二〇二师报到，编入驻在綦江三溪镇的六〇四团战炮营，在进行短期入伍培训后，再分入不同兵种。入伍后除分发了新军服，每天起床集合，在操场听训话，做些徒手操练外，军营生活并不紧张。倒是当时已临近旧历新年，部队正准备过年，除了写标语、出壁报外，还预备搭一座戏台演出节目。士兵们有时被命令到乡间去砍竹、伐树，准备搭舞台的建筑材料，这倒给我们一个远足的机会。一年半以前，我初次入川，搭乘一艘小机轮沿嘉陵江南下，四川农村的田园风光令我心醉，现在终于有机会进一步欣赏这里的优美景色了。如果以前还是从远处观赏一幅画，现在却已是走入画中。可惜同美景一同收入眼帘的还有令人心酸的四川农民的悲惨处境。我们从一家农舍砍倒两棵竹子，正在往外拖，一个白发老太婆哭哭啼啼拉着我们军服不放。我们砍走的是她们一家的命根子啊。最后还是我们几个大兵掏腰包自己凑了些钱塞到老婆婆手里，才略觉心安一些。

准备新春演出，我最高兴的是练习大合唱。我们高唱抗战歌曲

《松花江上》、《八百壮士》、《中国不会亡》、《大刀向鬼子们的头上砍去》，也唱一些老歌《满江红》、《白日登山望烽火》等等。随着嘹亮的歌声在溪谷中荡漾，我们一些游子胸中的郁结也发泄出来。虽然还没有置身战场，却已经热血沸腾了。合唱团的成员几乎清一色是浙大学生，指挥就是外文系那位天才文艺家潘维白。他不只精通音乐，还有一副好嗓子。在遵义读书的时候，有一次戏剧班在播声电影院公开演出一出话剧，大幕开启前，潘维白在幕后引吭高歌一首英文名曲，使全场震动。

新兵集结的战炮连营房在三溪电化冶炼厂（那里还有几位浙大早期毕业的校友）对岸山上。一月的三溪已是隆冬季节，早上到营房山下溪水中洗脸，冰冷浸骨。然后回来吃早饭，略事休息，就开始一天的活动。

战炮连营房下瞰三江。江上有一座木桥，虽然建造了没有多久，我们住进营盘时却已未老先衰，桥身明显下沉，只能通行人，不能再承载过往车辆了。过桥就是古旧的三溪镇，唯一一条主街沿江而建，呈弧形。镇上只有几家茶馆和小餐馆，供农民购买日用品的杂货店和三两家小旅舍。倒是每逢三六九赶集的日子，狭窄的街道总是挤满用白毛巾裹头的农民，熙来攘往，一片繁忙景象。我们在营房里每天的日课是七小时以上的操练和掘战壕等体力劳动。连里偶尔抽调几名士兵（多半是浙大从军学生）到镇上巡逻，是我们企望得到的美差。原来青年军师部接获情报，有个别四川当地的"兵油子"混进青年军，一旦五千元法币安家费拿到手，穿上军装以后，就偷偷溜进某个小城镇，把军服脱下卖掉，开了小差，然后再重新入伍骗钱。战炮连派人到镇上巡逻就是检查到镇上去的士兵，有没有上级颁发的通行证。我也有两次被选派当了大半天巡逻兵，同三两个同伴装模作样地在街上兜一个来回，就找了一家茶馆，泡上一杯沱茶，一边望街景，一边摆龙门阵。在四川生活，泡茶馆实在是一种享受，我走遍大半个中国，在任何地方也没有像在四川看到那么多茶馆。从重庆沙坪坝，我就已经养成在茶馆消磨时间的习惯，参军以后，旧习难改，仍然抓空（比如派到外面出公差）坐两三个钟头茶馆。

春节到了，我们自然松散了两天。翻看我当年的记载，除夕下午军中举行庆祝会，士兵们早有准备，上台表演了几个节目。晚餐非常丰富，有鸡有肉，还破例喝了几口酒。平日吃饭的时候总要喊的"立正、稍息、开动"一套口号也免了，大家都争着嬉笑、喧哗，把一切烦恼事暂时抛在脑后。晚饭后，有人留在营房里写信、聊天，也有些人簇拥着到镇上去消磨时间。根据四川人的风俗习惯，过年要吃汤圆，镇上的三四家甜食店家家挤满顾客。这个晚上我同韩、张等几个好友，在镇上找到一家北方老乡开的馆子，吃了一盘水饺。之后又买了不少花炮，一边走一边放，身后跟了一大堆孩子。我们给了两个穿新衣服的小女孩一大把旗火（一种带一根苇杆儿的小火炮，点燃后可以钻到半天空上，当地人叫火龙）。这两人说普通话，原来她俩是南京人，父母都在冶炼厂工作。走到大木桥的时候，我叫大家每人擎着一支旗火，口喊："一、二、三"，一齐点放，霎时，一条条火龙飞上半天。只可惜火药燃烧的时间过短，片时的光焰，片时的兴奋和欢乐，很快又都被包围在暗夜里。这就是我流浪到大后方过的一次除夕夜。

春节过后，军营中有两件大事值得一记。一件是从军人员分科，根据个人填写的志愿，分到不同兵种。我大致记得浙大学生分别分配到工兵营（原来浙大土木系的几个同学分去）、通信营（电机系的同学）、山炮二营（即迫击炮营）、师直属连、辎重连和搜索连几个单位。我同几个要好的同伴不愿分开，被分到搜索连。我们原来填写志愿填的是辎重连，因为我们梦想从印度各驾一辆载重卡车回来，不仅学到驾驶、修车技术（战后如不读书，也会有吃饭的饭碗），而且能到境外游历一番，长长见识。但是后来因为报名学车的人多，所以把一部分人分到了搜索连。搜索连在作战时是尖兵，须要侦查探路，危险性较大。但我们参军既然抱着"为国捐躯"的志愿，危险不危险也就不计较了。四个月以后我和一部分同学离开青年军，考取翻译，也不是因为怕去前线打仗，而是国民党最初应许的诺言并未兑现，什么在青年军训练使用新式武器啊，三个月开赴前线啊，都是空炮，继续待在青年军，只是时光虚掷，只好另寻出路了。搜索连与辎重连营盘相连，我们在辎重连的操练场地还看到停着一辆十轮卡车，士兵轮流实习驾驶掌舵。而在搜索连，两三个月过去，只进行过两次真枪实弹打靶。还有一次旁观别人拆卸一只轻机枪，我们士兵却根本无缘插手。促使我们离开青年军的另一重要原因是，在军中几个月，我们逐渐认识到，国民党把这支精锐当做自己私产，即使最初还没有以之投入内战战场的明确想法，至少也是想扩大自己的势力[1]。

这从我们在军中亲身经历的一些事中都可以清楚看到。二月底，二〇二师举行入伍典礼，师长罗泽恺（亦作闿）出席，给全师官兵讲话。罗是黄埔军校第六期毕业生，已提升为中将。蒋介石为表示对青年军重视，要他降格当青年军师长。罗在大会上的发言，不仅笑话百出，充分表现他的无知，而且并不掩饰他的反共立场。罗吹嘘自己在西北多年（他曾任胡宗南一战区参谋长），对共产党了如指掌。说时还做了个手势，意为共产党掌握在他手心里。罗泽恺的发言有很多毫无水平的话，譬如说他把那天的入伍典礼比作三国刘关张的桃园三结义。又说年轻人在军中应如何注意"阴阳调和"，将来反攻武汉收复失地后，可以放假三天。这些无耻言语让我们从高等学府出来的人听着实在不堪入耳。最后引起大学生士兵和这位师长发生公开冲突的是有一名浙大学生当场质问他，青年军究竟是"国军"还是"党军"。罗大怒，指着军帽上青天白日帽徽说："这是什么？你们头上不都戴着党徽吗？"一时台下大哗，不断有人高喊："我们来当兵，是为了打日本，保卫国家，不是为了党。"罗泽恺非常尴尬，词穷而退。会后，同学仍然十分激动。这场纠纷最后由政治部派来一位副主任，对

---

[1]　根据江南著《蒋经国传》，蒋介石于1944年10月下令成立"青年军政工人员训练班"，委任蒋经国为中将主任。训练班第一期学员毕业后，蒋又宣布成立"青年军总政治部"，蒋经国任主任。"政工既是首脑，蒋经国等于掌握了全军灵魂……他已是实际上的统帅。"可见蒋介石成立青年军是为壮大自己力量，建立一支"蒋家军"。关于青年军参战问题，江南说："（青年军）延长训练，蒋先生有私心。他曾说，经国的嫡系部队，不到牺牲关头，绝不轻言牺牲……"1946年6月，迫于事先曾许诺，第一期招募的青年军只得复员（复员前还进行了三个月的预备军官训练），但在1947年7月，庐山会议即决定重招新兵。根据《近代中国百年史辞典》记载：这次招募新兵缩编成七个师，先后投入内战。二〇七师派往东北战场，在辽沈战役中被全歼。二〇六师1948年在洛阳被全歼。二〇五师及其余四个师残部撤往台湾。

参军学生讲了一通和稀泥的话，并明确表示，政府不会叫青年军去打内战，事情才算平息下去。

谁也没有想到，这次"党军"、"国军"之争竟触动青年军二〇二师中反共成性的高官神经。他们秘密商谈，阴谋报复。一个月后，山炮二营四连，就发生了浙大参军同学李家镐、易钟熙等五人被秘密逮捕事件。

这五人被逮捕的时间，大约在三月底。消息传出后，同学义愤填膺。部分同学立刻开会抗议，决定一方面派代表去重庆找训练总监罗卓英和政治部主任蒋经国交涉，一方面迅速把这件事向校长竺可桢汇报，请他出面与军方交涉迅速放人。竺可桢当时正在重庆开会，并为浙大失踪教授费巩奔走，听到这个消息后，于四月中旬到綦江面见罗泽恺，要求释放被捕学生。罗开始搪塞说，这件事可能是下面人所为，自己并不知情。后来不能再为自己开脱，只能承认拘人是不对的，他会查明办理。这件事竺可桢校长在他的日记中都有记载。被捕的五个人于五月获释。但其后不久，战炮连余红基、熊易生两位同学又因出墙报刊登了"言辞不妥"的文章被关禁闭。熊后来因精神失常由家人接走，余据说直到九月才被释放。在这几个被捕同学中，熊易生和李家镐后来同我关系都很密切。熊在抗战胜利后到了北京，和我都是北京大学进步学生社团呐喊社成员，解放后在育才学校当教员。李家镐同我一样，从青年军考取军事委员会译员，后来在跳伞部队工作，"文革"后任上海石化总厂厂长，曾任上海市人大副主任。可惜在我写这篇文章时，两人都已弃离人世了。

1945年从1月到5月中下旬，我在青年军服役近五个月，级别一直是二等兵。编入搜索连后，因为个子高，列队时站在队首，所以被连长指定当连属六个班中的某班班长。班长的职责包括早晨起床检查内务，看看士兵的被褥是否折叠整齐，要叠成豆腐干形才合格，列队时点名，喊立正、稍息口号，向连长报告。唯一的特权是有时出勤务，可以领几名部下走出营房，外出执行某项公差，乘机换换环境。连长隔一两周会把全连班长（我记得共六人，都是浙大参军同学）召到他的住所，同我们谈些"知心话"。譬如说，不久师里要对全体士兵进行一次笔头测验，考查文化水平。他会在事前泄露两三个题目，希望搜索连在考试中，与其他连队评比时名列前茅，为他脸上增光。连长姓名我不记得了，他年纪不大，从军前曾在北平志成中学读过书，自认与我们从军同学同属知识阶层。他说话没什么顾忌，常常发表一些过头甚至荒唐的言论，什么胜利后，青年军要驻日本本土啊等等。綦江县城里有从下江来的母女两人开了个猪油菜饭馆。母亲已经徐娘半老，女儿倒还年轻。"这两人行迹有些可疑，会不会是敌人派来刺探军情的呢？"到底是我们的连长警觉性高。他告诉我们，他正着手侦察。连长这一席话，引起不少士兵兴趣。我也同两个伙伴趁周日休假，去綦江县城吃了顿猪油菜饭。我们发现，开餐馆的"菜饭小姐"也不是什么出众的美女，只不过来自沿海地带，衣服穿得时髦一点，讲话也带着明显江浙口音而已。据连里同伴说，最近确实有人看到连长频繁出入这家餐馆。看来他已对这母女两人下工夫。不过他扬言开餐馆的女人可能是间谍却没人相信。事实是，入伍以后，我们经常听到"首长"们讲一些荒唐话，大家多半一笑置之，只是叫我们日益对青年军失望，感到这些带兵的人实在不是称职的军人而已。

　　三个多月过去，新式武器连影子也未见到，开赴前线更是遥遥无期，再加上李家镐等同学被捕，暴露了军中思想专制。另外，我们还听过从小道传来的消息，蒋介石曾经放过话：训练期满还要延长，经国的嫡系部队（指青年军）不到最后关头，绝不轻言牺牲。这就更加使我们寒心，不禁怀疑，到青年军入伍是不是抗日救国之道。要是真想上战场杀敌，一定还有别的道路可走，我们难道一定要在这里死熬吗？这种思想在参军的大学生中逐渐滋生、蔓延，个别思想激进的人甚至提出浙大同学可以考虑"集体退伍"。这当然并不现实。办了正式入伍手续，穿上军服，就很难再换回早已丢弃的老百姓的衣服了。知识青年参军，举国都在众目睽睽地注视着，我们已经迈开步子，不可能再退缩回去了。

　　我和两三个要好的伙伴，不断议论这件事。当然了，我们议论不出什么更好的"自救之路"，唯一能做到的只有等待。时间会改变一切。在青年军没有发生什么大的变化前，我们要争取到一点自由空间，多看几本书充实自己，尽量不要荒废在大学学到的一点知识。我为自己想了两个办法逃避军中的机械生活。我得到连长同意，同三两个同伴为连里编写墙报，每十天出版一期，写稿、抄录、张贴，减少了我不少出操的劳役。另外，我和一个爱读书的安徽小青年约好，每天清晨早起一个半小时，点一盏油灯，在饭厅里用功看一点书。如果可能，我还要争取写一点随笔、日记类的小文章。同我一起起早读书的小友姓裴，家在徐州，家乡早已沦陷。他跟随做小生意的父亲逃来内地，勉强读完中学，无力升学，就参加了青年军。裴几次表示要我教他英语，他说把英语学好，抗战胜利后起码能在学校教书混碗饭吃。我告诉他，学一门外语，必须长期坚持不懈。我不能保证我能在青年军里待多久。我说我可以帮助他学好国际音标，他今后可以自学。我还给他讲了那个西南联大学生一路走一路背英语词典的故事。裴同意我的办法，很快他就托人从重庆弄来一本用国际音标注音的英语词典。我同裴的早读计划进行了一个多月，虽然因睡眠少白天有些困倦，但我们一直坚持下来。

五月初来了一个好消息。第二次世界大战欧洲战场胜利结束，美军把反攻重点移至远东，加强对中国的军事援助，大批美军进驻国内，英语译员需求随之大增。军事委员会外事局想方设法挖掘这方面人才，参加青年军的大学生自然是一个丰富资源，不久师部就接到命令，叫会英语的士兵踊跃报名。五月中，外事局派来一位考官，到二〇二师下属几个基层进行面试。至今我还记得当年面试的一些情况。试场就设在我们的饭厅，考官坐在一张桌子后面，参加考试的人一个个走进考场，坐在对面椅子上等候考问。我注意到这位考官是个四十来岁的中年人，虽然是文职官员（级别可能是上校），却穿了一身笔挺的军服，桌子上摆着他随身带着的一个鼓鼓囊囊的大皮包。我们应试的人自然有些惴惴不安，不知考试是什么架势。没有想到，考试很容易，搜索连报名应试的近二十人，大部分都通过了。我记得口试分两部分。第一部分是十个句子，从中文译为英文，其中一个句子是"从中国乘船赴欧洲需要一个多月时间"，对一些不熟悉英语句型的人可能难一些。第二部分是口语问答。考官的一个问题是："你对今年三月宪政协进会提出要还政于国民大会有何看法"，当时舆论正在争议：是该还政于各党派联合大会还是还政于国民党一手操纵的国民大会。我心想，这可能是考官用以考察我们的思想、立场问题。我不想明白表示看法，陷入考官设的圈套，就回答说：我现在最关心的是进行反攻，打败日本鬼子，没有时间考虑国内政治问题。我的回答得到考官赞许。过后，他对全体应试人总结时说，如果外国人问你这类棘手问题，你完全可以避而不答。

很快就放榜了，二〇二师考取译员的共约四十人，乘一辆美制十轮大卡，被送往重庆。几天后，一架美国空军货机又把我们转载到昆明，进了西南联大代外事局设立的译员训练班培训，正式取得译员资格。

昆明

1945年5月下旬，一辆十轮大卡车把綦江二〇二师考取译员训练班的青年军士兵接往重庆，在临江一条街的空房里住了两三天以后，立刻飞往昆明。那是我第一次乘飞机，一架美军运输机，机舱里只有两排彼此面对的简易座位。我不记得座位上安装着什么安全带，我们随身带的简单行李就放在脚下。飞机从重庆白市驿机场起飞，估计不到两个小时（我当时还没有手表，无法知道准确飞行时间），就在昆明呈贡机场着陆。我不敢相信这么短时间自己就已经置身于千里外的另一座城市。重庆为两江挟持，机场常常笼罩在迷蒙的雾霭中，而这里的机场不但非常辽阔，机坪上停着更多飞机，而且碧空如洗，空气清新，虽然已进入夏季，却凉风习习，一点不感到郁热。

译员训练班在市区尽西端，靠近郊野。有时进城逛街，多走几步路，就可以穿过翠湖，在长堤上漫步，欣赏一下湖光水色和拂波垂柳。这里离西南联合大学不远，训练班除生活、后勤由军委员外事局派了几名下级军官负责外，教学及行政管理均委托西南联大代办。西南联大社会学、民族学教授吴泽霖担任译员训练班主任。吴泽霖从事教育多年，抗战爆发后赴西南联大任教。由于他同联大关系密切，译员训练班历届授课教师，除一部分直接聘请美国军中人员担任外，几乎清一色都是联大教员。我是第七期译员训练班学员，时间大约是1945年6至7月（训练期为六周，我与一部分学员提前结业）。我们上课有一套四十课的英语教材，主要是日常生活用语和军事用语。上午上大课，主讲是两个美国人（他们的身份都是传教士），另一个中国人张上校在课堂上作翻译和解释。下午分小班上课，练习口语。我不喜欢为我们上口语课的那位中国教员，他上课没有教材，每次选定一个题目，如国外生活习惯、礼俗，美国的政治，之后便滔滔不绝地信口讲下去。每节课结束前向学生提问几个问题，算是练习口语。我还记得有一次他选择的讲题是如何用英文写求职信。我心里想，我一辈子也不会写这种信，从此对上他的课就毫无兴趣了。我感兴趣的是，译训班每周都请一位联大老师给全体学生作报告。留在我记忆中印象最深的，一次是潘光旦来作报告，另一次是费孝通。当时德国法西斯已经垮台，日本在太平洋战争败局已定，美国轰炸机开始轰炸日本本土。人们对抗战胜利信心加强，转而思考胜利后中国的前途问题。联大来译训班作报告的教师或多或少对这一方面表达了自己的看法。我在青年军参加译员面试时，考官曾经问我对政府提出召开国民大会有何意见，那正是当前国内有识之士热议的问题。国民党坚持还政于自己一手操办的国民大会，而思想进步坚持中国必须走民主道路的人则主张"还政于民，还军于国"。来作报告的教授都学有专长，当时我对他们的大著，什么优生学啊、乡土建设啊一无所知，但是他们谈到的中国人口、农业发展、改善农民生活等问题，都与中国前途息息相关。我一向耳目闭塞，对现实认识不清。译训班组织的这些报告会开启了我的脑子，有如呼吸到一股清新空气，朦胧中，引起我对民主、自由的向往。

在译训班受训的一个多月，可以说是我参军以来最愉快的一段日子。思想上，视野比以前开阔了；生活上，译训班组织的各种文娱、体育活动叫人不再感觉日子过得单调。我们喜欢跟一位美军军士学唱英文歌。他发给每人一本歌集，有美国民歌、电影插曲、一战期间军中流行的歌曲，非常丰富。《到蒂珀雷里去是一条漫长的路》（蒂珀雷里是爱尔兰历史上一个有名的小镇）是被派往欧洲大陆作战的英国士兵唱的思乡曲，歌中还有匹卡底里、莱斯特广场等一些英伦著名的街区名。我们引吭高歌，不由也勾起自己的思乡之情。译训班也很注意我们的体育活动，从二〇二师考取译训班的浙大同学，有七八人都是篮球健将，刘长庚、潘维白、陈强楚、孔祥玑、沈正衡等，一上球场个个有如生龙活虎。每隔三五天译训班的篮球队都同近邻的美国驻军进行一次友谊赛。美军篮球队员虽然人高马大，交起手来有时却也败在译训班球队手里。比赛的时候，我们一些不会打球的人也都到场助威，为队加油。在赛场上，双方争夺虽然激烈，但气氛仍然是友好的。就这样，我们这些未来的译员们还没有和美军士兵在战场上并肩作战，在日常生活中就已经相互沟通，建立起友谊了。

到昆明以后，还有一件叫我大喜过望的事，就是几乎每天都可以看一两场电影。这仍然是沾了我们近邻，一座美国驻军军营的光。夜幕降临不久，值星官一吹哨，译员很快就排好队，步行一小段路，走到邻近美军营房中的一个篮球场。电影是露天放映的，银幕设在操场一端，观众分散坐在看台上或者在操场上席地而坐。放映的电影大多是新片，但偶尔也演一些老片，我在北平就已经看过，像《悲惨世界》、《纽约奇谈》等等。美国大兵似乎对这类文艺片不感兴趣，喜欢看的是歌舞片、喜剧片。一看到银幕上美女大腿如林，就又是呼哨，又是喊叫。滑稽逗笑的影片也受欢迎。胖哈代、瘦劳瑞一对活宝和马克斯三兄弟那时似乎已经过时。有点冷幽默的滑稽新星鲍勃·霍普[1]和以唱流行歌曲闻名的宾·克罗斯比[2]当时正在走红。这两位大腕曾合作拍摄了一系列展示世界各地风光的喜剧片，如《通向缅甸之路》、《通向新加坡之路》等等，大受人们欢迎。

我在昆明从军时爱看电影，另一重要原因是，每次放映某一影片，开始时都有很长一段时事新闻节目。看到美国海军、空军在太平

---

① 英国出生的美国喜剧和电影演员，1944年电台广播节目收听率最高。第二次世界大战以及以后美国对越南作战，他曾多次为军队巡回演出，获得美国国会荣誉勋章。中国人熟知的美国喜剧片《出水芙蓉》就是他主演的。

② 美国著名歌星和歌曲作者，享有国际声誉，常与黑人小号手阿姆斯特朗共同演出爵士歌曲。早年录制的唱片《白色的圣诞节》为二十世纪最流行歌曲之一。

洋上击沉日本军舰，或者美国海军陆战队强行在某一海岛登陆，日本守军被歼，大快人心。中国多年受日本欺凌、屈辱，现在终于可以扬眉吐气了。

昆明另外一个吸引我的地方，就是到市区地摊上淘书。由于大批美军涌入，随之也有大量英文书流进中国。这些书有的是消闲读物，也有不少有价值的文学和经典著作。美军看完了，一旦驻地换防，就随手抛弃，流落到地摊上，售价极低，几与废纸相等。我每次进城，总要到金马碧鸡坊一带逛地摊，选一些值得收藏的带回住所。战时美国军中版的口袋书同现在的口袋书式样不同，这种书是长条横开本，书页从中间用书钉固定，不用胶粘，所以书页不易脱落。军中口袋书按内容分大小厚薄两种，每二十本合为一集，包括不同体裁、不同时代的作品。我在昆明呆了一个多月，大概买了三四十本，我记得名字的有梅尔维写的《白鲸记》、爱伦坡的短篇小说集、狄更斯的《远大前程》和几本诗集。至今恐怕仍有三两本夹在我的乱书堆里。

在译训班上了一个月课以后，经过一次考试，一部分成绩优秀的提前毕业，转到一处叫"派遣站"的营地等待分配。派遣站设在西郊黑林铺，后来是否迁到北校场我不记得了。在派遣站里，生活更加轻松。除了上午有一个美国军人给大家上上操，按照一本教材学一些军事用语和武器零件名称外，就没有别的事干了。我们从青年军考取来的浙大同学几乎全体都提前毕业到派遣站等待分配工作。下午没有事，不是进城闲逛，就是去游览昆明郊区的一些名胜，大观楼、黑龙潭、铜瓦寺（又称金殿），这些地方我们在一周内几乎走遍了。黑林铺派遣站留给我的最佳印象是那里的伙食。宣威火腿炒饭的大米略带黏性，火腿油而不腻，至今我仍念念不忘。可惜这种神仙生活我过得很短，刚刚过了一两个礼拜，就有人相中我，把我接走了。

那是一个周一，我们集队操练后，一个美国军官把我们十几个从青年军考取的译员召集到另一处，对我们说，有一个参加实际作战的单位需要受过军事训练、英语水平较高的译员，问我们愿意不愿意做这项工作，如果愿意可以同他们派来的人面谈。我是愿意做这项工作的译员之一。来人同我单独谈了一刻钟话。他首先告诉我，他供职的军事单位任务是到敌后进行破坏活动，工作有一定危险性。我对他说，我原来在大学读书，放弃学习出来当兵就是要参加战斗。他详细询问了我的一些情况：有没有作战经验，受过哪些军事训练，掌握了什么技术等等。看来他对我还算满意，告诉我他可以录取我参加他的单位。我需要先经过一个时期训练，爆破、通讯、使用新式作战武器，必要时还要练习跳伞。后来我知道，我要参加的单位是美国战略战策作战部（Office of Strategic Services，或译作美军战略服务局）。这一作战机构成立于1942年7月，专事破坏敌占区内机场、铁路、弹药库等军事设施。战略战策作战部下分两个部分，一部称"行动组"（即伞兵部队，对外称鸿翔部队），另一部称"特别行动组"。与我一同参加OSS的浙江大学同学陈强楚、刘长庚、李家镐等人都被分到行动组。我则被分配到特别行动组中去。鸿翔部队训练跳伞的空场离派遣站不远，我们在派遣站等候分配时，就能看到远处伞兵作跳伞练习。据参加跳伞队的译员说，他们自称"突击总队"，总队下辖四个大队（一说二十个大队），由美国人进行训练。

我参加的特别行动组训练营地在开远，在云南省南部，距昆明约两百余公里。我在昆明市OSS总部报到，领取美军卡其军服和蚊帐、水壶、饭盒、手电筒等生活用品后，隔日又拿到一张去开远的火车票，就同三四个美国大兵一起乘坐火车驶往开远。这是我在内地第一次乘坐火车。滇越路是一条窄轨铁路，原为法国人在1910年兴建。抗战军兴，云南与沿海省份万里相隔，交通非常不便。在香港沦入日人之手前，从江浙和沿海一带去内地的人，不少先从香港乘海轮到河内，再转乘火车北上。1942年中国把滇越铁路收回，自己经营，但铁路上的机车、客车车厢和其他设施都是原遗留下的旧物，一切都未改变。我在车厢里甚至还发现不少用法语拼写的标志。

乘上狭窄的车厢，像是搭上一列玩具火车，第一个感觉是极不舒适，座椅与座椅之间的空隙非常狭小，很难把腿伸开。听说有的车厢根本没有座位，行李随便堆放，乘客席地而坐。真难为了与我同行的四个美国人。我同他们有一搭无一搭地闲聊。从谈话中我了解到，开远的营盘既是训练场地，也是特别行动组成员的驻扎基地。和我一起去开远的美国人有两个刚刚执行完一项任务，现在回基地休息。他们没有讲到去过什么地方，我当然也不便问。一个年轻的通信兵是第一次来中国，无论看见什么（水牛耕田、妇女用背篓背着幼儿）都觉得新鲜，不断向我问长问短。这人有个德文名字Hirschwald（直译作"麋鹿树林"），一听就是个德国姓氏。我问了问，他果然是德裔犹太移民后代，不过他的德文早已忘光。这个年轻人后来同我分到一个战斗组，如果日本晚投降几天，我俩还真会成为同生死共患难的战友呢。

我去的训练基地在开远西郊，距县城大约七八里路。这是依傍着一条大河的一块开阔地，上面除了用作办公室、教室、饭厅、食堂和仓库的几幢简易建筑物外，还搭起两排帐篷，供基地工作人员住宿（为基地服务的中国劳工另有住处）。我到开远以后，也住进一座帐篷。帐篷里摆着四张行军床，已经有一个中国译员住在里面。我后来知道，这人姓王，原来是中央大学（战时内迁重庆）的学生。他已经参加过一次战斗行动，在完成任务后，正在基地休息。姓王的同伴人很开朗，我跟他很快就熟起来，听他介绍了特别行动组的很多情况，包括他参加敌后破坏行动的经历。我到开远的第二天，有一位美军校官找我谈了一次话。这人是开远基地的负责人。他首先说了说我的培训计划：要练习熟练使用几种武器，手枪、冲锋枪、火箭筒，学会爆破本领，练习简单收发电报技术等等。训练时间为四周。四周后训练期满，就等待命令准备行动了。他把我编进由四名美国人组成的一个行动小组，今后我将与他们一起上课、打靶或到野外行军演习。这四个人的名字当时我记在一个小本子里，可惜本子"文革"中被我的专案组拿去，一直没有归还。我只记得四人中有一个是和我同来开远的那个年轻通信兵Hirschwald，还有一个叫Farmer的中尉，他是个矮胖的南方人，爱说话，性格开朗。后来我同他混熟了，问他入伍前做什么，他说："你没有看见我的姓吗？Farmer，我以前就是'农夫'。"他有自己的一个小农场，养了七八匹马。他给我看了他的家庭照片，老婆和两个胖孩子。他很想家，常常哼唱《我的家最快乐》这支感伤歌曲。另一个军人也是中尉，入伍前是中学英语教员。这个人爱看书，不管走到哪里，衣服口袋里总装着一本军中版的口袋书。

我和他谈话不多，只有一次我发现他正在看一本以中国为背景的小说《失去的地平线》。这本书我也看过，讲的是西藏的大山中的一个世外桃源的故事，"香格里拉"一词就来源于这本小说。我跟他议论了几句这类外国作家笔下的中国，他说他还看过赛珍珠写的小说《大地》。他认为中国人信奉的"与世无争"、"知足常乐"这些生活信条很有道理。不过今天到处打仗，恐怕中国人不能再过平和的日子了。

我在开远接受军事训练，学会使用各种武器，手枪、带望远镜瞄准的步枪、火箭筒、投掷手榴弹……我最不喜练习收发电报，滴滴答答的莫尔斯电报信号总是记不清。我的美国教练发现我的手指比脚趾还笨，宽慰我说，学不会没关系，我们每个战斗组都有正式通信员，你只要学会发SOS求救就可以了，那可是救命信号。同美国大兵一起轻松愉快。当头儿的也不端架子，常同下属开玩笑。有一回去野外作业，中午在外面休息，自己做饭。他们叫我到附近一个村子里去买些鸡蛋，我已经走了很远，一个美国人在后面喊，叫我再带回点儿什么，我没有听清，气喘吁吁地往回走，想问清楚。"农场主"对我大声喊："快走吧。他跟你开玩笑呢。他叫你从村子里带一个blonde（金发女郎）回来。"

我最喜欢的训练项目是野外作业。小组四五个人开一辆吉普车，在乡下乱跑。经过桥梁、小火车站，看见停在铁轨上的机车，就研究如何进行爆破，该用多少数量的炸药，如何把炸药固定在被爆破物上等等。最重要的是，要知道被爆破物的关键部位，什么地方最脆弱。比如说，要炸毁一辆机车，最好炸它的汽缸，铁路致命的地方是铁轨转辙器。小组长很想教我们炸飞机，可惜开远附近一带没有机场可以供我们实地研究飞机构造。

有很多次我们乘吉普车外出只是在外面闲荡，"游山玩水"。有一天下午，想不出要去什么地方，我建议到山区少数民族村落去看看。我听本地人说，离开远市几十里外的山区住有彝族人。美国人不同意去，他们说路太远，而且路况太坏。我想他们说得很对，进山后多半无路可走。又一次，我提议去开远南面百十里路的个旧。我知道那是中国有名的锡都，锡产量占中国一半左右。个旧县城保存完好，据说西南联大曾在城里建立过分校。这次美国人听从了，但是吉普车开到城门口，却被两名美国宪兵拦住，叫我们掉头离开。因为这一带离国境线不远，越南已为日军占领，美国军方不允许自己的士兵到处乱跑。我在美国部队期间，发现他们严守纪律，行动不敢越轨。有一次外出作业，归来经过开远市街。我因为天天在美军部队食堂吃淡而无味的美国罐头食品，很想吃一顿中国饭，换换口味，就邀请他们停车同我一起去一家面馆吃碗面条，我的美国同伴不肯。原来不在市街上吃中国饭也是美军禁令之一。

在开远受训期间，有一天我住的帐篷里又来了一位中国客人，他告诉我他叫关国华。这是他当时的化名。在以后我们相互交往的十余年间，我一直叫他这个名字。关比我年长十余岁，原籍辽宁，曾在日本留学，后来潜入关内，到国统区参加抗日。他在国民党海军部任职，这次派来是为了观察美国援华新式武器情况。关为人爽直，与我又是同乡，所以很快就同我无所不谈。我从离开老家，进了"社会大学"以后，已经受了不少教育。特别是在国民党青年军入伍几个月，对中国的现状开始有了认识。在昆明听几位西南联大教授的演讲，对我也有所触动。这次与关相识，两人随意聊天，他却有意为我分析了国内抗战形势。我逐渐了解，自从日寇入侵，除国民党部队和一些非嫡系部队在主战场抗击日军外，广大敌占区还活动着上百万游击队。这是由中国共产党领导的力量非常雄厚的一支大军，牵扯着敌人不敢大举进攻重庆。关对我说，我现在参加特别行动组去敌后进行破坏，很可能要到共产党打游击的地区，我必须对形势认识清楚。如果同游击队遭遇，一定同他们搞好关系，枪口一致对外。我们究竟是初识，有些话关国华说得还不透彻，但是话里话外，我已明白了他的弦外之音。看来中国存在着两股力量，眼下大敌当前，双方一致对外。将来把敌人逐出国门，彼此如何相处，该是一个很严重的问题呢。

关国华在开远只停留了五六天就匆匆离去，但在他走前，我们相互留下通讯地址，约定今后保持联系。1946年浙大复员回杭州，我路过南京的时候，曾在他的住所国民党政府海军宿舍寄住了十来天。他仍旧单身，我在他的宿舍里打地铺，晚饭后聊天，两人无所不谈。分别已近一年，我的思想有了很大变化。抗战胜利后，蒋介石坚持一党专政，并积极准备打内战，引起全国人民公愤。爱国人士闻一多、李公朴在昆明被暗杀，更加暴露了国民党反动本质。民主爱国学生运动在全国院校风起云涌。我复员回浙大后也积极投入各种民主活动。在与关国华通信中，我不时告诉他我的情况，他也不断寄给我上海、南京出版的进步报刊。这次在南京重逢，我同关国华相处时间较长。他在了解清楚我的思想状况后，向我透露了他的身份。原来他早已加入共产党，在国民党政府海军部任职只是伪装，实际他一直在做地下工作。他劝我回北平后，一定要找到党的地下组织，积极靠拢。中国是没有第二条出路的，他说。关国华一直留在南京工作。1946年底，国共和谈破裂，共产党代表团撤离南京。又过了一段时间，关的处境多半出了问题，他给我写信，叫我在北平为他设法从北平进入冀中解放区。我替他把事情办妥了。1947年秋天（或次年春），关同他的新婚夫人来北京，在我家住了几天，我介绍他同北平地下党接上头，平安投奔解放区去了。

建国后，我同他偶尔相互问候，但没有再见面。"文化大革命"中，关所在的组织先后有两次来人找我调查关的历史。第一次外调，来人问我问题实事求是，态度也比较和缓。第二次来外调的人却有如凶神恶煞，恨不得当场就逼我供认关是"美蒋双料特务"："你们俩不都给美国情报机构干过事吗？在云南开远密谋过什么？"我无法把事情跟他们说清。这几个在红旗下长大、入伍不到几年的"小年轻"对抗战史和中国历史知道多少？谁能为他们上几堂基础历史课？这两次外调后来都没有下文，我再没听到关国华的任何消息了。乱世今天已经过去，是非颠倒、黑白不分时代留下的团团乱麻有多少还未解开？我连自己的档案里有什么未解之谜都弄不清，哪里有暇过问别人的事呢？但话是这样说，有时候想起这位我在云南偶然认识的朋友，我思想上的启蒙人，一直不与我联系，还是怅然若有所失。我只能祈祷上苍，让他平安度过"文革"这场浩劫吧。

8月初，我在开远受训已近一个月，所属的行动小组终于接到执行战斗任务的命令。再过十天，我们将与一连中国部队配合，潜入日本占领下的越南，破坏某一军事设施。但在投入战斗前，小组还要携带武器、装备演习一次负重行军。我们需要熟练在丛林中作战本领：辨识路径、选择地形以及露营、野炊等技能。这时我们小组又派来一个美国校官任组长。我的同伴们说，这人原在海军陆战队，在太平洋岛屿争夺战中积累了丰富的战斗经验。这位组长不喜欢在大热的天气里，背着沉重包袱在丛林中走路。他决定把旱地行军改为走水路。我们营盘边上的那条大河，当地人有的说是红河上游元江的支流。组长想探察一下这条河通不通红河，能否沿河而下，直达河内。他带领我们砍了二三十根粗壮的竹子，又弄来装汽油的直径近半米的空铁桶和一捆捆铁丝。我们用这些材料制成一只长方形的竹筏，可以负载小组五六个人同武器设备。我们每人选了一根长竹竿当撑杆。就这样在一个晴朗的午后，脱下军服，每人只穿背心、短裤，全体登上竹筏，开始远征。开始一段路漂流非常顺利，我们把竹筏划到河流中间，深处最浅也有两米多，可以说畅通无阻。在一两处河流转弯的地方，水流湍急，竹筏有撞到岸边岩石的危险，我们都及时用撑杆把筏子从石崖边撑开，没有倾覆。但是大约一个多小时以后，河水逐渐变浅，经过一个浅滩时，卵石不断摩擦船底。又走了一段路，遇到更浅的一片河滩，几块大岩石突出水面，竹筏下的铁桶也不断刮蹭大大小小的卵石，耳边只听到卵石同汽油桶撞击时发出的一片叮叮咚咚的声音。终于，在嘎嘎声响中，捆绑汽油桶的铁丝有的脱落、有的断裂，两三只汽油桶同竹筏分了家，我们的水上运输工具搁浅在乱石滩上，一点也不向前移动了。幸好竹筏还被几只汽油桶托住，河水没有完全漫过筏面。我们只好把筏上的物品一件件搬到岸上，找到一块干燥的坡地，搭起帐篷，准备宿营。因为找不到正路，第二天身负重担，兜了大半天圈子，直到黄昏，才狼狈不堪地回到营地。我们总算完成了一次伟大的行军演习。

休整了两天，马上就要奔赴战场，形势突然发生了变化：日本宣布无条件投降。消息是8月15日传来的，实际上从八月上旬起，日本战败就已成定局。8月6日，美国在广岛投下第一颗原子弹，8日，在长崎又投下另一颗，9日,苏联百万红军在中苏、中蒙边境向日本关东军发动全线进攻。10日下午，重庆中央电台就已经播出日本通过瑞士向盟军乞降的消息。但是直到14日，日本天皇在皇宫内召开了御前会议，才宣读《停战诏书》，正式宣布无条件投降。抗战八年，中国军民伤亡两千余万，财产损失巨大，无法计量，但终于把侵略者逐出国土。举国上下，扬眉吐气，欣喜若狂。胜利消息传来没过几天，驻在开远的特别行动组营地即行撤离，我参加的战斗组也宣布解散。我随着美国人回到昆明，领到一笔复员费，回到遵义继续读书。我的抗战梦从此结束。

结束语

1944年年底，在我告别大学生活赴四川入伍前，与我同居一室的汪积功同学送我一本日记簿。他在簿子的扉页上写了几句临别赠言，并摘录了作家萧乾一段话："青春原是一枚酸杏，一阵疟疾，一匹自天上飞来的瀑布。它迷茫、莽撞，谁能捉得住它？只是一瞬，而这金色的一瞬又有多少人为它闪得睁不开眼而任它飞去呢？"[①]

当时我刚刚二十岁出头，正是青春晃得睁不开眼的年纪，已经挣脱家庭羁绊，在外面漂泊了一段日子，其后又重进大学读书。一方面感到生活空间如此辽阔，任我扑扇翅膀，另一方面又苦闷、焦灼，不知奔向何方。同两年前离家出走时的心情一样，我又开始厌恨自己的平凡、无能，不是读书的材料。身体虽然坐在课室里，灵魂却不知遨游到什么地方去了。这时，日本人又逼近了，湘桂大撤退，学校停课，政府号召青年从军，用美国援华的新式武器训练，进行反攻，收复失地。我心旌摇摇。在硝烟弥漫的战场上接受一次洗礼，未必不是一条出路。再说，当年我逃离沦陷区的初衷，就是要参加抗战，打日本鬼子，就这样，没有经过太多考虑，就同两个要好的同学（他们同

---

① 此处引文与1982年重印的《梦之谷》（载《萧乾选集》，四川人民出版社）中文字略有差异。

我一样，老家也早已沦陷）一起在参军的报名册上签了名。萧乾的比喻暗合我的心境，我正在咀嚼一枚酸杏，渴望品尝一下人生的苦涩吧。可惜事与愿违，由于当政者对青年军的规划和两颗原子弹的投掷导致战局骤变，我白白做了一场战地梦，枪林弹雨始终与我无缘。日本投降，美军在中国设置的作战机构解散，我也重返学校，再拾起扔掉的作业本和英语教材。一场折腾留下了什么？大概只留下几条小辫子，供日后政治运动中叫人抓在手里审查、批判，以之定谳吧。

　　倏忽间，六十余年已经过去，风风雨雨早已把年轻时的激情和冲动洗刷殆尽，如今再追写那一时期的陈年往事，我还能写些什么呢？只是这样一篇平平淡淡的记述，一些还没有从记忆的网眼中漏掉的碎片而已。是的，我写了一些人的名字，一些我到过的地方，除了生活上几次变化外，还穿插了几件趣事，那只是想给呆板的文字增加些活气而已。我本可以再写几个人、几件事，比如说，我还可以记述我在昆明郊区岗头村等待领取遣散费时认识的一个叫姜学濂的人。他比我更早参加了特别行动组做译员，曾被派到敌后破坏日军一个飞机场。我非常羡慕他带在手腕的一个铝片打制的手镯。我跟他要，他却不肯给我，原来那是他的一件战利品——用被炸毁的日军飞机上的金属废料制作而成。姜学濂是个肌肉发达、身体健壮的小伙子，同我一起住在岗头村营盘里等待复员。自从在昆明分手后，我在北京还见过他几次，后来就再没有消息了。没想到的是，三十几年以后，我客居伦敦时竟和他不期而遇。我因为给英国广播公司写广播稿，需要不断去公司总部，姜早已移居英国，也在广播公司当雇员。我们相遇的时候，他已经退休。我们也谈了些往事，只是我没想起问他那个当年让我羡慕的铝制手镯的去向。另外一个我可以记载的人，是与我同住一顶帐篷的王姓中央大学学生。他作战归来带回一枚没有使用的手榴弹。美制手榴弹体积小巧，形状像一只不大的菠萝，我们在军中就叫它菠萝（pineapple）。我和王同住的时候，他闲来无事，冒着很大危险把这只菠萝的盖子拧掉，一点点把炸药取出，再恢复原状，让它成为一只钢铁小菠萝。撤离开远时，我再三乞求，他终于割爱，把小菠萝给了我。这是我参战的唯一纪念品。但建国后不久，美帝国主义成为中国人的头号敌人，我不想再留着这些与美帝有关的物品，找不自在。在一次派出所收缴居民手中残存武器时，虽然那枚手榴弹只是个空壳，毫无杀伤能力，我还是把它连同我在美军服役时的钢盔一并上交了。

类似这样的与我参军、当译员有关的人或事，不少我都省略未记，因为话说多了，就难免有自诩之嫌。我怕人说我"投笔从戎"多么爱国，也不想把我参加美军战略部看成多么需要胆量的冒险行动。其实这都是出于我的不守本分的性格，年轻时鲁莽无知，控制不住青春的血液在体内躁动。当然了，还得感谢那个时代，战火纷飞、动荡不安的岁月给许多年轻人制造出横冲直闯的机会，让他们过一段"迷茫莽撞"的日子。如今战乱年代早已过去，我沐浴在落日余辉里写了这样一篇大事记似的回忆文章，只是希望年轻时的凌乱脚印在时间的沙碛上多留一些时日而已。

舌染红尘

荆 方

味道所记忆的酸甜苦辣、缠绵悱恻乃至爱恨情仇。

　　自从有味蕾以来，人生就是一段由味道组成的日子，大到豪华盛宴，小到儿时吃过的一块芝麻糖，点点滴滴铺满我们的一辈子。

　　在我们的一生中，每一次吃过的味道，就像录下的磁带，由味蕾转存至脑海。不管过去多久，当味蕾再一次触碰到这个味道，大脑立刻翻出当年的存储，那段味道所记忆的酸甜苦辣、缠绵悱恻乃至爱恨情仇，一股脑地翻涌而至，随着味蕾的感受占领你的思维。你被味道打碎，又被味道重塑，那一瞬间物换星移，你嘴里的食物还没咽下，你的心已走过万水千山，和当年的自己拥抱握手。

西瓜酱

　　顾名思义，西瓜酱就是用西瓜做成的酱，但真正的开封人从不把他们的西瓜酱称为西瓜酱，他们叫它"豆豉儿"。开封是西瓜之乡，沙土地多，是出产西瓜的沃土。开封西瓜个大、籽饱、脆沙瓤，没有籽的中间部分脆甜多汁，有籽的部分沙沙糯糯，香甜可口。一到夏天，水果店里就不说了，单是各个小街道的拐角处、荫凉处，都是临时搭建的卖西瓜的帆布棚子，棚子里堆满刚从乡下采摘的西瓜。除此之外，近郊的农民套上胶皮大轮的马车，马车里藏着满满一车刚采摘的、带着露水的滚圆大西瓜。在清晨四五点钟摸进城里（八点后城市就不允许马车进来了），走街串巷，卖上一天，傍晚出城时马车空空如也，钱包鼓鼓囊囊。他们的西瓜又新鲜又便宜，我记忆里最低卖过三分钱一斤。

　　豆豉儿，就在这种情况下应运而生。豆豉儿的制作工艺是这样的：把黄豆煮熟，拌上干面粉。将拌好面粉的豆子放在一个密封的容器里捂上。一直捂到豆子外面长了一层淡绿色的"毛"，就是霉菌，这才算捂好了。将大西瓜一切两半，用手将瓜瓤连籽一起掏出来，连瓤带汁掺到长绿"毛"的黄豆里面，搅和匀了。然后放上花椒、大料等香料，还有大量的盐。把这个红红绿绿的混合物放进一个扁平阔口的瓷盆里，为防蚊蝇叮，在盆口蒙上一层细白纱布，然后就把它放在夏日的骄阳下暴晒。小时候每到夏天的午后，院子里蝉鸣阵阵，骄阳似火，奶奶颠着小脚端出盆子，放在大太阳下，微风过处，是各家各户一字排开的豆豉儿。晒够半个月，豆豉儿就成了。掀开白纱布，一股浓郁的酱香扑鼻而来。

　　豆豉儿除了酱香，还带有一股西瓜的清香，味道上也略带有西瓜的酸甜，非常可口。豆豉儿必须炸熟才能吃，用葱、姜、蒜、干红辣椒，和豆豉儿在油里一炒，开封话叫"炸"，用油炸好的豆豉儿，上面红嘟嘟的一层油，下面是深色的酱，浓香扑鼻。小时候开封家家晒豆豉儿，谁家的新媳妇要是不会晒，那要被老奶奶教训说是"不会过日子"，因为它是缺乏蔬菜时全家人唯一的菜肴。豆豉儿出身贫贱，

但它是一味百搭的美食。小时候的我，尤其爱用烤得焦黄的馒头片，先抹层荤油（肥猪肉熬炼的油），再抹层豆豉儿。两片馒头一夹，焦里有软，咸中带香，我一气能吃六七片。前不久在广州花园酒店吃自助餐，有一道菜是鹅肝酱抹在咸脆饼干上。我一尝之下，觉得像极了焦黄的馒头片抹荤油，只可惜少了主角豆豉儿。我当时心中哂笑：什么黄油、鹅肝酱，和荤油是一个道理嘛。如果再配上豆豉儿，那不把外国佬香一个跟头？炸好的豆豉儿，不但可以配米饭、配面条、配馒头，甚至可以当汤。妈妈说她刚大学毕业分到医院当医生，正赶上六零年食物匮乏，一台手术下来，她经常累得要虚脱，又没吃的。后来在两台手术之间，她把一勺豆豉儿放在茶缸里，再沏上开水一搅，一茶缸"味噌汤"就做成了，喝下去就能顶一阵饿。

豆豉儿还有一个十分露脸的用处，就是炒凉粉。开封小吃炒凉粉远近闻名，上至达官显贵，下至贫民百姓，无不热爱。而开封炒凉粉的必要配料，就是豆豉儿。离开了豆豉儿的炒凉粉，就像不放花椒的川菜一样，不对味。我有个朋友，小时候在开封跟着奶奶长大，后来回到南方父母身边，成了知名艺术家。他后来每次回开封省亲，必去马道街吃炒凉粉。每次去，他都出其不意地用地道的开封话交代炒凉粉的师傅："焦点儿！焦点儿！"一个留着长发、络腮胡子，风度翩翩的艺术家，站在一个脏了吧唧的凉粉摊前，突然说出地道、简洁的开封土话，这场面相当戏剧化。

豆豉儿就是这样一个可以和你共患难的亲人。她本就是穷人家的女儿，有着一颗安分的心，再苦难的日子她也能安之若素。因为这份泰然，她可以把窘迫的日子安排得温馨、从容。作为她的家人，你可以发迹，也可以落魄，而上善若水的她，默默地包容着任何状态的你。

五香花生

每个家族都有一样大家都爱吃的食物，这款食物作为常客频频出现在这家人祖祖辈辈的餐桌上，见证家族的兴衰悲欢。花生，对于我家来说，就是这样一个重要的角色。开封是花生之乡，出产的花生个大子饱，油多味醇。我从小就会猜一个谜语：麻屋子，红帐子，里面坐个白胖子。这说的就是花生。

我和花生的缘分尤其长，还不会吃饭的时候，奶奶就把嘴里嚼好的五香花生米糊糊抹在我嘴里，现在听起来有点不卫生，但当时的我可是视为珍馐，吧嗒吧嗒小嘴就咽了。稍大一点后，每逢妈妈在医院值夜班，姐姐就带着我去找她。妈妈经常会花一毛钱从外面提篮的小贩那里买来一两五香花生米，分给我们姐俩，然后让姐姐带我回家。每次从医院出来，我和姐姐拍着被白胖的花生撑得满满的衣兜，脸上洋溢着富足的喜气，心里充满了豪迈和骄傲。

爸爸也很爱吃花生。爸爸和妈妈是大学同学，他是从军队里考上大学的，每月有二十七元工资，而妈妈他们普通大学生的生活费只有九元，所以那时候爸爸经常请全班同学吃炒花生。带壳的炒花生是开封常见的小零食，大街小巷都有挎着篮子卖炒花生的小贩。那时候卖炒花生的小贩篮子里都有两种花生，一种是正常大花生，另一种叫

"二瘪"，是指那些不太饱满的、从正品花生里挑出来的二等品花生，相当于北京花生里的"半空儿"。二瘪花生看上去跟普通花生没区别，但是因为分量轻、价格便宜，所以同样的钱，买二瘪的量要比买正品花生的量多很多。爸爸自己吃的和用来请客的，都是二瘪，但是他请妈妈吃的，都是五香花生米，从二瘪带壳花生，到无壳五香花生米，高了好几个档次，这中间体现的巨大诚意可见一斑。父亲和母亲的爱情，在五香花生的培育下水到渠成，爸爸终于将北京姑娘娶到河南，生下我们姐弟三人。

听爸爸说，我从未谋面的爷爷也很爱吃花生。爷爷是国民党员，解放前曾任县长，解放后到河南大学做了教师。爷爷是旧式文人，一生洁身自好，清高内敛。兄弟三人，他是老大，所以肩负着赡养父母的责任。太爷爷本是大房产主，解放后家产充公，变成了一介平民，太爷爷有一妻一妾，也就是我的两位太奶奶，他们就靠爷爷教书的工资过活。同时，我爷爷还要扶养未出嫁的妹妹，也就是我的姑奶奶。除此以外，他还要养活自己的妻子和六个儿女。全家老少十二口的日子，就系在爷爷的教鞭上。

家道中落以后，爷爷把原来的爱好都戒掉了，由一个吟诗作对、只问风月的文人雅士，变成了一个为五斗米折腰的教书匠。他只保留了一个爱好：喝一点小酒。我想这也是可以理解的吧，在那样的政治环境和经济压力下，如果没有这点酒，日子可就太难熬了。何况下酒菜只有五香花生米，酒则是小酒馆里打来的散白酒，最便宜的那种。

爷爷吃花生米极为节省，每颗花生米他都先一掰两半，然后仔细地掰掉花生上面的那个芽，那个小芽较苦，会影响花生米的口感——即便是穷困至此，他也保持着对味觉的忠诚。然后，他把掰掉小芽的半颗花生米再一掰两半，一个花生米就变成了四小块儿，这时，他才捏起一块儿放进嘴里慢慢地咀嚼。有时候，孩子们在旁边眼巴巴地看着，他就会拿起半颗小芽还没去掉的花生米，对孩子说："看这个，像不像个小老头？"那小芽还真像一个长着山羊胡的脸，而花生米的形状则像一个缩着脖子的身体。孩子叫："像！像！"爷爷一伸手："喏，拿去吧。"孩子接过那半颗花生立刻丢进嘴里，心满意足地笑了。

　　后来河南大学院系调整，爷爷被调到新乡上班，交通不便，几个月才能回家一次。独在异乡清苦的生活，加上长期的营养不良，爷爷患了肝病，辗转两家医院，因病势沉重而救治无效，最后家人打听到了一个乡间的老中医，带爷爷去看。当时爸爸和大姑都参军在外地，家里除了老弱妇孺，只有十五岁的二叔算是壮劳力了。二叔独自拉着架子车带爷爷去乡间看病，回来的路上，二叔突然觉得车子蓦地一沉，他急忙停车查看，发现爷爷已经撒手人寰。在七月的骄阳下，在陌生的荒野上，一个少年眼睁睁看着父亲的生命远离，但他不敢停下哭泣，因为路途遥远，回去晚了怕尸体发臭，他边抽泣边拉起架子车，脚步不停地往城里走去。那年爷爷四十七岁。

　　后来，父亲去新乡收拾爷爷的遗物，发现了一个账本，里面用极其娟秀的毛笔字，记录着每日的开销。开销少得可怜，除了生活必需品之外，就只有两样东西是经常出现的：五香花生米和散白酒。

炒八宝饭

炒八宝饭，这个名字听上去有点无厘头。既然是八宝饭了，为什么还要炒？而炒都是咸味的菜肴，这八宝饭是甜饭啊，又该怎么炒呢？我带着这些疑惑吃了一次炒八宝饭之后，又一次为人类花在味蕾上的心思而深深折服。

炒八宝饭的制作程序是这样的：准备一碗事先蒸好的软烂甜糯的八宝饭，然后锅里烧猪油，植物油也可，但可能就没有猪油炒出来那么滑润香口；油热后八宝饭入锅开炒。"炒"字说来容易，其实怎一个炒字了得，这个炒是熬炒，就是用勺子不停地在饭和油之间翻炒，带着糖分的饭稍不注意就会粘在锅底，所以手不能停。要饭和猪油充分融合，所以炒的时间要长，直到油里有饭，饭里有油，看不出米粒的形状了，这才算合格。一个八宝饭炒下来，胳膊都会酸痛不已。炒好的八宝饭，饭里有猪油的醇香，又带着冰糖的甘甜，入口即化，却并不腻口。我很爱吃。

炒八宝饭是不是开封的特产，我不知道，但我第一次吃炒八宝饭是在这里。那是我离开家乡若干年后第一次回去省亲，正好是千禧年春节期间，改革开放的春风把六朝古都吹得春意盎然、财源滚滚，家乡的发小们，擦干了吊在鼻子下面的鼻涕，换下了打补丁的裤子，开上了POLO，听开了蔡琴，摇身一变都奔了小康。大家听说我回来了，纷纷设宴款待。小城市人情味浓厚，从初一到初十，我被各种宴会邀请，而被宴请的常委除我以外，也基本都是同一桌的人，每次总是到宴会快结束时，一个喝得红头涨脸的哥们儿就站起来，胖手一挥："明天，原班人马，黄河沿儿农家乐，我请！"

就在一桌人基本要轮下来的时候，一个一直没露面的发小出现了。他是这群人里唯一一个公务员，官至科长。科长最喜欢穿梦特娇，胸前那朵金丝线绣的小花熠熠生辉。梦特娇请客那天，来的人最齐，有一位开文化用品公司的发小也来了。这位发小虽然开的只是用品公司，但一举一动都是文化人的范儿，他一身纯棉，脚蹬阿迪达斯运动鞋，透着文化人的随意和潇洒。

这顿饭很热闹，菜式也豪华，菜里面就有这道炒八宝饭。酒席开始的时候，气氛很融洽，大家互相叫着小名儿，互相抖落着小时候的丑事，从推杯换盏，到推心置腹。

我一吃之下，就爱上了炒八宝饭，趁他们热火朝天地聊天，我一次次把玻璃转盘上的八宝饭转到我的跟前儿。就在我第N次盯着炒八宝饭转盘子的时候，看到一只胖手突然从天而降，"唰"地一声落在我心爱的八宝饭上，然后以秋风扫落叶之势，一下把我的八宝饭扫落到地上。随着盘子落地清脆的响声，一声暴喝从那胖手的主人口里发出："你说的是个屁话！"

我惊呆了，循声看去，胖手的主人是梦特娇，他怒骂的对象是阿迪达斯。只见阿迪达斯也不示弱，趔趄着纯棉的身躯站起来，满嘴酒气地哀鸣："你不能这么说我！"在他们激烈的言来语去里，我弄明白了缘由：一年前，阿迪达斯卖给梦特娇所在政府部门三十台联想电脑，当然是梦特娇牵线。但是买回来后梦特娇才发现，阿迪达斯卖给他的不是联想电脑，是贴了联想牌子的组装电脑，这让梦特娇在局长那里十分难堪，甚至影响了他的仕途。而阿迪达斯对此的解释是，那批电脑除了牌子不是联想，配置其实比联想还高，对于使用者完全是物超所值的。况且，梦特娇给的价钱也只能买组装机，不能买到真联想，因为梦特娇他们局长对回扣的胃口太大。对此，梦特娇说，其他几家竞争公司比阿迪达斯给的回扣多多了，要不是想拉发小一把，他根本不会说服局长要阿迪达斯的货。就因为这事，梦特娇和阿迪达斯结了梁子，憋了一年都没见过面，这是因为我回来，两人才坐在一个桌子上的，但没想到又因为这事呛起来了。

两个人越说越气，最后梦特娇露出决然的神色，一挥胖手："从此你走你的阳关道，我走我的独木桥！"说完，他大步流星地向包房门口走去。但他的悲壮只保持了三步，第四步就踩上了刚才被他划到地上的炒八宝饭。只见他凌空飞起，双脚离地，然后一个结实的屁股墩摔在地上。发小们立刻惊呼一声，扑上去扶，但是大家本身都喝得东倒西歪的，自己也不慎踩到那滩八宝饭上，纷纷摔趴在他身上。折腾半天，一群醉鬼才一步一滑地把梦特娇搀扶到座位上。可怜梦特娇

贵重的皮大氅沾满了黏糊糊的八宝饭，金亮亮的梦特娇标志也被一坨油污糊住了。

就在这时，阿迪达斯突然自尊爆发，他也大步流星地向门口走去，撇下上来劝阻的众人，执意提前退席。但是他走到了梦特娇摔倒的地方，突然左腿前伸，右腿后蹬，上身遽然下降，来了个大劈叉，就听"兹啦"一声，纯棉休闲裤的裤裆不幸破裂，他整个人也歪倒在那摊油污里。至此，我们全体醉鬼在醉意朦胧中都明白了那滩炒八宝饭的威力。那是猪油、冰糖和糯米的结合体，世界上最滑腻的物质莫过于此。于是，包房门口的那块被炒八宝饭布满的地面，好似布满地雷的雷区，脚步虚浮的醉鬼们谁也不敢再把脚往那里探一步。

梦特娇被搀扶到一张沙发上，阿迪达斯被搀扶到另一张沙发上，众人分成两拨，一拨儿给摔青了屁股的梦特娇端茶递水，一拨儿对裤裆开裂的阿迪达斯温语相劝。大家也不喝酒了，包房里放着两大壶开水，大家就沏了茶来慢慢喝着。喝着茶，气氛由喧闹转为沉静，大家的酒意渐渐消退，又开始有一搭无一搭地聊天。这次聊的都是生活的不易和现实的烦恼，比起宴会开头虚头八脑的逗贫嘴，多了一份真实和知心。

不知道聊了多久，梦特娇突然冲着阿迪达斯的方向喊："兄弟，刚才我失语了！对不住了啊！"被众人环绕的阿迪达斯闻言一愣，眼圈立刻红了，粗着嗓子说："咱兄弟俩，没事！"

酒席结束后，众人走出酒店，天空飘起了白雪，我远远看到梦特娇和阿迪达斯站在梦特娇的奥迪前面紧紧拥抱，这场面看得我心生感慨，突然意识到，这次宴会上功劳最大的就是那碗炒八宝饭，如果不是它及时阻止了梦特娇和阿迪达斯的中途退场，那么两个人可能一辈子都失去了和解的机会。更重要的，如果没有它阻止梦特娇提前退场，那么我们这一桌的单将无人认领，那一桌价值八九百的菜单，只有先富起来的梦特娇认领最合适，我们这些小民哪个认领都不合天意。善哉，善哉，救小民于水火的炒八宝饭。

狗肉

狗肉一直占据中国人的食谱，但随着宠物狗的盛行，最近几年吃狗肉不再是一个名正言顺的事情了，吃狗肉和不吃狗肉的人在各种媒体上进行论战。吃，或者不吃，成了一个问题。

我第一次吃狗肉是九十年代初，当时我在北京进修。进修班住在北京郊区一个干部管理学院里，这个学院里住的都是各省来京的进修干部，伙食自然比普通大学要好。但是对于我们这些来自小城市的刚毕业大学生来说，这伙食不但没有什么意义，反而多添了一份折磨。那时候的物价已经开始腾飞，我们这些揣着小城市工资的大学生，每天面对食堂里琳琅满目的美味，常常是扼腕叹息，有心无力。

记得每当家乡有同学来京看我的时候，我就给自己一个奢侈的机会，领着那些在大学生食堂天天吃熬白菜的土包子，到我们豪华的大食堂消费一回。看着他们被干部食堂的土豆炖牛肉和四喜丸子震撼得忘了合上的流哈喇子的嘴，我在旁边就得意地暗笑，全然忘了他们走后我要吃好几天的熬白菜。

一次，一个同学来京出差，我又在我们学院食堂招待他。那天学院食堂卖卤狗肉，狗肉是新卤制好的，刚刚被大师傅从操作间端出来。冒着热气的大块狗肉往案子上一放，那个窗口前"呼啦"一下聚集了一群人，看着同学那眼巴巴的目光，我也就挤进队伍买了一块。

吃完饭同学就走了，而我却怎么也睡不着午觉。当时是春末夏初的天气，我觉得浑身燥热，手心出汗，于是去操场溜达。操场跑道中央的草坪上自动喷淋龙头正在给草坪浇水，风吹着水线飘到我脸上，丝丝凉意使我顿时感觉全身舒畅。于是我脚步一拐，从跑道直冲进草坪，跑到了自动喷淋器的下面。冰凉的水线瞬间穿透我的衣服，浸润肌肤，燥热消失，清凉无比。操场边上几个慢跑的人慢慢停下脚步，站在跑道上怜悯地看着我：他们认定这个在喷淋器下乱跑乱笑的女生是受了失恋的打击，失心疯了。后来我看到某篇文章，说冬天吃狗肉对身体很好，因为狗肉热性大，吃了能御寒，一些地处寒冷地区的少数民族都把狗肉当成御寒佳品。我这才知道为什么那天吃了狗肉我会"失心疯"。

第二次吃狗肉，是在海南岛。当时我在首届国际椰子节组委会接待处，接待内地和岛内的商人、官员、媒体。用我们组委会主席的话说，海南是一块神奇的土地。当时我觉得主席说的话特别对，我每天都能见到一些不富即贵的大人物，经常吃到一些珍贵而奇特的食物，真的很神奇。

有一次，主席招待一位电视台导演吃晚饭，我们一行六人开车到了远郊的一个小村落附近，在一个农家院子前停下。车一停稳，我就听见一阵犬吠，我们下车进院。这是一个很幽静的小院子，院子里花木扶疏，院子的中央摆了几张原木桌椅。我们落座后主席就点了狗肉火锅，他不无夸耀地对来宾说，这里的狗肉是他吃过的最嫩、最香的。说话间，一锅热腾腾的狗肉端上来了。但是，我身后的树影里传来了犬吠，我回头一看，我身后十几米的地方，隐藏着一排铁笼子，里面关着各种活狗，刚才我们在门外听到的狗叫，并不是这家的看家

　　狗的叫声，那是这些笼子里待宰的狗们的叫声。听到这些叫声，我顿时如芒刺在背，再没有食欲去夹一块狗肉了。那位电视台的导演大概跟我一样，他也不怎么吃肉了，只是礼貌性地夹几筷子青菜和豆腐吃。只有主席谈笑风生，泰然自若，显然对于这种吃狗肉的环境非常适应，或者说心生豪迈也说不定。

　　如果说第一次吃狗肉给我上了一次科普课，那这次吃狗肉就给我一个强烈的恶性刺激，以后我一看到狗肉，就想起这次的经历，眼前就出现那些关在铁笼子里的狗们。后来有意无意的，我跟狗肉也几乎绝缘。

　　最近这几年，很多爱狗人士言辞激烈地说狗肉吃不得，但同时也有很多以烹制狗肉为业的人士，旁征博引地说狗肉自古就吃得。这两种心态我都理解。其实中国吃狗肉的历史从周朝就开始了，狗肉甚至被列为皇上饭食里的"八珍"之一。以后历朝历代都没断过对狗肉烹制的探索。汉高祖刘邦的大将樊哙就是专门卖狗肉的，刘邦未发迹的时候经常去樊哙的狗肉摊上蹭狗肉吃，樊哙虽然不堪其苦，但也一直让刘邦白吃。从这里看，屠狗为业的樊哙，人品比刘邦忠厚多了，绝不是人渣。

丰子恺先生曾画过一本《护生画集》，由弘一法师配文。这本画集里说，不但吃狗、鸡、羊、猪所有动物是残忍的，吃稻、麦、豆、菜所有植物也是残忍的。我看了这本画集后，恨不得马上把自己活埋谢罪，为自己平生吃过的所有生命。但这可能吗？所以，还是丰子恺先生说的好，他说画《护生画集》的目的并不是劝人不吃肉、不吃饭，而是想告诉大家：护生者，护心也。去除残忍心，长养慈悲心，然后用此心来待人处世。我以为，作为万物之灵的人类，保持一颗慈悲心，善待他人，善待万物，比拘泥于吃或者不吃狗肉，要重要的多。

牛肉饭

在海南晃荡半年，我终于找到了一份真正靠劳动吃饭的职业：时装设计师。不过我在制衣厂上班的时候，厂里并没有我的宿舍，因为厂里在我到来之前没有白领，除了老板就是制衣女工，女工们住在海口乡下的厂房宿舍里。不过老板在海口市有一家很大的服装专卖店，老板就安排我先住店里，等办公室找好了，再进行设计工作。专卖店由老板的远房侄女，一个叫梅姐的女孩负责。梅姐还带着一个售货员倩倩，她们一起住在店里。

专卖店在海口繁华的大街上，店面后面连着一个小仓库，我和梅姐、倩倩住在仓库里。仓库里堆满了各式各样漂亮的时装，触手可及。我们几乎是睡在衣服堆里。老板说所有服装随便穿，只要不弄脏，还能挂出去卖就行。我和倩倩身材好，老板总是鼓励我们多换几套，招徕顾客。对于二十多岁的女孩子，还有什么比这个更有吸引力呢？所以那段日子我很快乐，甚至不想去坐办公室搞设计了，就想这样每天换着不同的漂亮时装逛来逛去。

我跟倩倩年龄相仿，她也是北方人，性格温顺又带点倔强，我们俩很合得来。梅姐的老公也在海口市打工，所以她经常出去幽会，店里经常剩下我和倩倩。公司管住不管吃，所以我和倩倩开始时候天天买着吃，想吃什么就买什么，基本是月初进馆子，月中买盒饭，月尾吃泡面。后来倩倩发现这样存不下钱来，于是我们决定自己做饭吃。店里只有一个电饭煲，但这就足够了，更完善的烹饪设备对我们也是没用，谁都不会使。

做米饭学起来很容易，很快我们学会了蒸米饭。梅姐某一天从超市买了一盒五香牛肉罐头回来，她在蒸米饭之前，把一整盒牛肉罐头连肉带汁掺进米里，蒸出来的米饭带着牛肉的香味，真好吃啊！这真是一个好办法，不但省事，而且连菜带饭都有了。接下来的几天，我和倩倩轮流蒸牛肉饭吃，然后某天倩倩又放进去了一点豌豆，口感更好，于是某天我又试着加了土豆丁，呵呵，牛肉和土豆是绝配啊。就这样，我们慢慢摸索和完善着我们的牛肉饭，完成了从猿到人的直立行走，我和倩倩都成了熟练的老厨师。最后，我们的牛肉饭里面有豌豆、土豆丁、洋葱丁、西红柿等，简直豪华得离谱，连梅姐吃了都说好吃。

倩倩有个老乡叫小娥，经常来找她玩。小娥在一家夜总会上班，每次来都是描眉画眼的样子，梅姐很不喜欢她，但是倩倩很喜欢小娥，总是背着梅姐去找她玩。

牛肉饭吃了几个月，出了一件事情，断送了我和倩倩的牛肉饭生涯。

海口特别爱刮台风，每次刮起来简直有山崩地裂的感觉，我和倩倩是北方来的，没见过这阵仗，所以特别害怕。我们的店面是卷闸门，拉下来在地面锁上。台风来时，狂风撞击着卷闸门薄薄的一层铁皮，铁皮被狂风摇撼得"哗啦哗啦"巨响，就像有一个巨人在摇动我们的房子。有一天夜里，梅姐不在店里，台风来了，大地颤抖，万物齐鸣，我和倩倩瑟缩在床角，凝神听着外面的动静。这时候就听前面店堂里传来"咚""咚"的声音，我们俩吓得花容失色，我说："不会是有人来砸门吧？"倩倩凝神听了一会，失声说："不好了！是电

274

饭煲！"这时候我想起来，晚上我们做完饭把电饭煲放在店堂一角了，店堂窗户没关严，肯定是风把电饭煲吹起来撞到了卷闸门上，才发出这样的巨响。倩倩迟疑了一下，说："电饭煲要是摔坏了，我们就没办法做牛肉饭了。"说完，她拉开房门，冲进了那令人心悸的黑暗店堂。看着她义无反顾的背影，我觉得她就是刘胡兰、欧阳海等所有英雄人物的化身。

电饭煲虽然被抢救回来，但已经被磕出两个大坑，不能用了，从此我们做不成牛肉饭了。电饭煲坏了一个月后，倩倩提出辞职。我和梅姐都极力挽留，但倩倩很坚决，就像她那天晚上冲出去抢救电饭煲一样坚决。倩倩走后几个月，老板给我安排了办公室，还给我和梅姐安排了一处宿舍，一房一厅，厨卫齐全。我搬进宿舍后第一件事就是去找倩倩，我想让她回来跟我继续做同事。

这是倩倩辞职后我第一次见到她，差点认不出她了，她化了妆，淡蓝色眼影下的丹凤眼里多了一层风情，肉嘟嘟的小嘴唇抹着粉紫的口红，裙子的领口开得很低。她告诉我她在夜总会做服务员，但我凭直觉认为她在说假话。我劝说她回来上班，她说卖服装赚钱太慢了，她家里的几个弟妹都等着出来投靠她呢，她必须赚多点钱，买个房子给他们住。她说，她不想让弟弟妹妹们跟她一样住仓库，吃牛肉饭了。

我说现在好了，我们搬宿舍了，工资也会涨的。但她轻轻撇了一下红嘴唇说："我跟你不能比，你有文凭，到哪里都吃得开。我不行。我们不是一样的人。"我听了这番话，感觉一道从未有过的鸿沟从我和倩倩之间划开，之前我一直没觉得我们有什么不同。

那次别后，我再没见过倩倩。后来听梅姐说，她确实在夜总会做事，不过不是做服务员，是做陪酒小姐。倩倩走后我再也没做过牛肉饭，少了一个人，少了很多滋味。

玫瑰梦

任何一种派系的小吃，必须要有甜有咸，才能自成体系，只咸不甜、光辣不酸，都算不上完善的派系。玫瑰切糕，就是开封小吃不多的"甜蜜派"中的一分子。在我的印象里，开封的玫瑰切糕都是女孩子吃。但遗憾的是，少女时代的我是个假小子，从不吃甜的，就爱和弟弟一起站在炭火前龇牙咧嘴地吃烤羊肉串。长大后，反而爱上这口了，并且明白了爱吃玫瑰切糕的女人。

玫瑰切糕，顾名思义就是以玫瑰为主料，而玫瑰本身就是风情万种的化身。卖玫瑰切糕的小车，既不像卖泡馍的车一样汤水横流，更不像卖羊杂的车一样腥膻，它被擦得窗明几净，纤尘不染，雪白的糯米切糕平铺在一个锃光瓦亮的不锈钢圆盘里，切糕上面用红枣、果脯、果仁摆放成一个漂亮的图案。在切糕旁边，是几排描花的青花小瓷罐，大约有十几二十个，每个罐里都装着花花绿绿、令人赏心悦目的配料。

卖切糕的师傅一般以男人为主。他头戴一顶白色小帽，袖子高高卷在胳膊肘上，打扮得干净利索。他神态一丝不苟，全情投入。一个干净严谨的男人本身就会引起女人的好感，何况他还这么细心地侍弄着一个让人喜爱的、美丽的事业，这种细腻、体贴一下就会打动女人的芳心。

再说切糕。开封地处中原，小吃多以劲道、瓷实见长，但这玫瑰切糕，却蒸得是柔若无骨、入口即化。卖糕的师傅用小铁铲挖一块抹在盘底，那白莹莹的糯米软软摊在盘底，像一个娇羞的新娘，正像那句形容杨玉环的诗："侍儿扶起娇无力，始是新承恩泽时。"挖好糕，师傅端起装有玫瑰汁的壶，把绯红色的玫瑰汁细细地浇上一圈，然后，他以天女散花般的手法，令人眼花缭乱地把鲜红的玫瑰瓣、碧绿的葡萄干、焦黄的花生碎、白胖的杏仁，一层层地甩在切糕上，等他终于撒好所有配料，你已经完全目眩神迷。

你接过这"三千宠爱在一身"的玫瑰切糕，慢慢地挖一勺放进嘴里，玫瑰汁浓郁的甜香，伴随着糯米软烂的口感，顿时弥漫了口腔。这里没有辛辣和刺激，也没有对抗和征服。有的只是甜蜜中的安适，

软糯中的隽永，就像宫殿里的人生，优雅、精致。偶尔一颗杏仁撞到牙齿上，别样的劲道和香味，更撞起一小朵让你回味的涟漪。

玫瑰切糕里的玫瑰汁很重要，是用玫瑰花瓣加冰糖熬煮成的，清甜香纯，所以吃切糕的顾客随时可以要求"添点汁儿"。而师傅也很乐意给你添。这里的添汁儿不像卖羊肉汤的添汤一样粗率豪放，卖糕师傅一边用小壶往你盘里添，一边还会体贴地问你添多少、够不够甜？相比起其他添汤的，玫瑰切糕添的不仅是汤汁，更是一份重视和关切。

若干年前，我有一个非常爱吃玫瑰切糕的发小，每次吃到一半，她都像个小公主一样娇滴滴地叫："添点汁儿呗！"话音未落，卖糕老头就乐孜孜地举着装满玫瑰汁的小壶跑过来，嘴里还不停地叨叨着："给俺妞姐添点汁儿！"当时，我正在满头大汗地吃着被辣椒油泡红的凉皮，对于卖糕老汉乐于效劳的表现和这个女孩子的娇嗔态度，颇不以为然。因为那时我作为女人，还没"开窍"。

多年以后，单枪匹马闯荡江湖，才知道作为一个女人，哪怕是小女孩，都有被人宠爱、被人稀罕的渴望；才知道作为一个女人，最大的夙愿就是"希望有个男人当我如珍似宝"。能够永远做某个男人的公主，一辈子被他捧在手心里，是每个女人的梦想，而玫瑰切糕，就是用她甜俗的美梦，把小女人的平淡人生，装点得矜贵无比。

寿司台

我吃日本寿司和鱼生纯粹是源于一个人，一个曾经的闺蜜——若晴。

我在三十岁以前和若晴并不熟，因为她大我好几岁，跟姐姐同年，是姐姐的闺蜜。我跟她的友谊是建立在姐姐结婚而若晴依然单身这样一个微妙的历史阶段。姐姐婚后光荣退出剩女行列，我作为一个虽不资深但正当年的剩女，就出现在了资深剩女若晴的生活里。若晴是个很"死性"的人，恋旧、执拗、一根筋。她宁愿接受我这么个年龄相差悬殊但"来源可靠"的闺蜜，也不愿开拓一个和自己年貌相当、职业相近的。就这样，我和若晴开始了我这辈子最刻骨铭心的闺蜜生涯。

若晴喜欢吃三文鱼鱼生和寿司，尤其喜欢去寿司店。而我对那种粉红的生肉丝毫不感兴趣，对淡不拉几的寿司也不感兴趣。况且当时寿司是非常昂贵的舶来品，深圳只有几家日本寿司，那里的价格我这个月薪一两千元的打工仔根本不敢问津。而若晴从家乡来深圳的时候直接考取了一家报社做记者，国企，稳定、高薪。所以每次去寿司店，都是她请我。在许多个闷热的周末午后，我们仰躺在她单身公寓的凉席上，百无聊赖地喝着冰啤酒，百无聊赖地听着CD，然后百无聊赖地讨论晚饭吃什么，这时候她就会提出去吃日本寿司。最初的几次我反应并不热烈，但是去的次数多了，我就尝到了甜头。寿司店里的冷气是那么充足，以至于吃完饭从里面出来走在街上很久都不会出汗。而且那里面环境幽静，客人都温文尔雅，即便两个女孩大喝日本清酒，也决不会有人对我们肆无忌惮地行注目礼。最重要的，在那里我感受到一种只有高尚人士才能享有的尊重和优雅，这对混迹于小广告公司成天跟汗唧唧的同事们挤在电脑前加班的我来说，是一剂很有效的麻醉剂。而我一直以为，若晴只是因为爱吃生鱼片，所以才经常去价格昂贵的寿司店，其实我理解得太简单了。寿司店对于若晴，还有另外的深层含义。

在一个闷热的傍晚，天黑得吓人，黄昏就像黑夜，快要下雷暴了。大街上行人都匆匆赶路，而我和若晴依旧待在寿司店里，偌大的寿司店几乎没客人，我和若晴坐在寿司店的高脚凳上，我们的眼前是一条长长的传送带，传送带上摆满了琳琅满目的寿司。因为没人拿取，寿司们一圈一圈缓缓地转着。我和若晴沉默地看着这些寿司从眼前走过、又回来、又走过、又回来。

若晴突然"咔"地一笑，说："我每次看到这一圈圈的寿司，都觉得很像我。"

我回头看她，不明白她什么意思。

若晴饶有兴致地指点着寿司说："女人就像这一盘盘的寿司，每

天打扮得漂漂亮亮地，在寿司台上走来走去，一旦碰到个有缘的，就能把她领走。但是你发现没有？那些便宜的、卖相一般的，反而很容易被领走，而那些剩下的，无人问津的，反而都是材料好的、价格昂贵的。"

听到这里我明白了她的意思，笑着打趣她："对，你就是那个最贵的三文鱼寿司，没人敢把你领走，因为你太贵了，人家吃不起。"

若晴也笑着说："是呀，每次我看到这个寿司台，我就告诉自己：没有男人看重你，是他们没有眼光，并不是你不优秀。你不必改变自己去迁就他们的口味。"

"对！我们就要这样想。"我击掌喝彩。

"但是，"若晴依然笑着，但声音已不似刚才那样轻快，"但是我转了太多圈了，作为一个寿司，我已经不新鲜了。一个不新鲜的寿司，再好的材料也没人愿意要你。"说到这里她沉默了。用轻得几乎听不见的声音说，"再说，独自站在这里也很累啊。"

说完她立刻又笑了，戏谑我说："你还新鲜，还能再转几圈。"

若晴最后这几句话，像一记闷棍打在我心上，把没心没肺的我一下打进冰凉、黑暗的枯井，顿时闷得我喘不过气来。

若晴的这一番话仿佛是一道魔咒，在这不久以后，她就病了，医院确诊为胃癌。医生说，这种病基本都是情绪郁结而得，胃是跟精神联系最紧密的器官。那年若晴四十岁。她走那年，也是张国荣逝世那年，他们两个的离去只相差一个月。我想，若晴是不愿意面对日渐荒凉的寿司台，以及寿司台上无人认领的青春，才选择了提前退场。若晴和张国荣都是执拗而苛责自己的人，他们不允许自己的不完美，更不允许别人看到自己的不完美，他们宁愿提前谢幕，也不愿鹤发鸡皮的自己伫立在无人喝彩的舞台。若晴这样离去，不必再忍受寿司台上那些挑剔而粗鲁的目光，趁自己还未凋落之前，留给世人一个完美的背影。

我曾经那么心安理得地抛洒和若晴共度的珍贵时光而浑然不觉，以致她走后很长时间我茫然无措，不知道如何安排没有她的日子。我不再吃寿司和鱼生，但是一段时间后，我开始思念，像思念若晴一样思念寿司和鱼生。于是我又开始吃，一直到现在，已成习惯。每次遇到朋友问我：你怎么会爱上吃鱼生的？我总是在心里默默说：我爱吃它们，是源于一个人。

丸子汤

若晴生病后，他们报社的领导、工会主席、同事，轮流到医院看望，若晴单身多年，经常替有家的同事值班，同时她又是个不爱计较的人，所以在报社人缘很好。她住在肿瘤医院的小病房，单位领导说：若晴，小病房舒服，你就放心住着。小病房里摆满了鲜花和水果，若晴穿着淡蓝色的病号服倚在鲜花丛中，像一泓隐入花丛的湖水。

若晴病了以后，她父母就从老家来到深圳，跟若晴一起住在单人小病房，屋里用着个电饭煲，可以随时给若晴煲点汤水什么的。那时候我工作已经调到广州，一两个星期回深圳一次。每次回去，我都去看望若晴。

若晴住院三个月之后的一天，我去看她，发现她换到了双人病房。电饭煲没有了，鲜花和水果也没有了，病房里多了一位女护工，若晴母亲已经体力不支累病了。我坐在若晴的病床边，没话找话地闲扯。得病后的若晴越来越易怒，我很怕跟她说话。我不敢提起我们那些没心没肺的日子，更不敢提起工作、情感等等话题，几乎所有话题都是雷区。若晴越是这样，我越是感到深深的自责：闺蜜被病魔折磨着，我却只能干看着，而不能做点什么，两位老人照顾病人、应付医院，已经体力透支，无暇顾及汤水之类。而我知道若晴对吃很挑剔，自从发现病房里没有了电饭煲之后，我就在街上买一罐煲好的汤给若晴带过去。但是街上煲的汤总是偷工减料，缺乏营养，若晴不爱喝。后来，我终于想到我唯一会做的一款汤——鸡汤汆丸子。这是我小时候妈妈经常做给我们吃的，妈妈经常说这款汤菜既有营养、又暖胃。而最主要的，这款汤菜操作简便，我可以做出来。于是在一个周末，我回深圳之后，没有去医院，先去市场买来了现成的肉馅和一只宰杀好的老母鸡，回到姐姐家，试验汆丸子。我先把鸡汤炖上，然后在开水锅里练习。丸子高台跳水，溅起的水珠把我的手上、胳膊上，烫出了好几个水泡，但是那些被挤出来的肉馅根本不是想象的圆形，月牙形、三角形、枣核形，反正除了圆形什么形都有。后来我改用双手团搓，这才把肉馅弄成了像样的圆形。鸡汤煲好了，阵阵香味给我壮了胆，我信心满满地捞出那些长得俊秀的小丸子放入鸡汤，放了点盐，特地没放味精，然后就提着去医院了。

到医院后发现，若晴又换了病房。这次是大病房，四张床。医院正是开饭的时候，每个床前都有一个家属，大家端着饭菜边吃边聊。房间里飘荡着油腻腻的饭菜味。我越过人丛寻找若晴，发现她的床在最里边，靠着凉台的位置。一抹夕阳透过凉台，安静地罩在她的床单上，床单被镀了一层淡金的边。距上次见面才几个星期，若晴的身体瘦得吓人，白被单覆盖着的躯体，几乎看不到凸起，跟床形成一个平面。只有那颗脑袋是原来的尺寸，头发像野草一样蓬乱着，显得很突兀。她平躺在床上，歪头向外看着凉台。她的小床像一片飘荡在尘世之外的孤舟，冷漠地保持着沉寂和孤清，对抗着房间里热闹的烟火人气儿。我在门口站了几秒，生生把汹涌到眼眶的泪水逼回去，然后慢慢走近若晴。听到我进来的声音，若晴一动不动，头也不回。

我走到床边，尽量调动欢快的语气说："嗨，看我给你带什么来了？"

我把丸子汤放在床头柜上，打开盖子，一阵香味飘出来。若晴慢慢转过头，目似枯井，她并没有看我，她直接望了一眼那罐丸子汤，眼神换成了厌恶，轻轻说："太油腻了。"说完，她慢慢转过头去，又看着凉台外的夕阳，不再说一句话。隔壁床的大姐看我尴尬，给我解围说："病人吃不下油腻的。你这丸子汤留给老爷子吃吧，老爷子打开水去了，还没吃饭呢。"我感激地看了她一眼，找凳子自己坐下。

过了一会儿，若晴的父亲满头大汗地回来了，他手里提了四个暖水瓶。放下暖水瓶，他就从床下拿出一只脸盆，那里面有半盆凉水，他将打来的热水兑进去，试试水温，然后用一块毛巾沾上热水，给若晴擦手、擦脚。我看着他细致而熟练的动作，一时插不上手。终于等他擦完了坐下，我立刻将丸子汤递给他，说："叔叔，这是我带来的丸子汤。若晴不吃，你趁热吃了吧。"

若晴父亲也不客气，抹了一把汗，接过丸子汤说："正好。你阿姨病了，没人给我送晚饭呢。"看着若晴父亲大口喝着丸子汤，我稍感欣慰，有点成就感地说："这是我自己做的！"

"哦？"若晴父亲停下了送到嘴边的勺子，抬头看我，"扑哧"一声笑了，"真难为你了。若晴早就不能喝鸡汤了，肉丸子更不能吃了，何况你这肉丸子也太肥。"

他用勺子撇开鸡汤上面的油，用行家的口吻说："你这汤里和丸子里都没放姜吧？"

"啊？还要放姜吗？"我傻乎乎地问。

若晴父亲笑了，说："傻丫头，炖汤、做肉馅，都要放姜的。"

　　隔壁床的大姐也来凑热闹，插嘴说："是啊，不放姜会腥的。"

　　我窘迫得几乎哭了出来。我偷偷瞥了一眼若晴，若晴一直保持着头向外看的姿势，那置身事外的样子让我心如刀割。

　　寒暄一会，我站起来告辞。提着剩下的丸子汤，我走出病房，慢慢走到楼下花坛边上，坐下。这时候黄昏褪尽，所有的花草树木都笼罩在浓重的夜色里，我抬头望向若晴的病房窗口，从那里射出一线昏黄的灯光，我想象这灯光照耀过若晴，现在又弥漫在我的眼睛里。迎着这束灯光我终于哭出声音来。我哭得像个做错事、满心悲伤的无助孩子。我把手里提着的丸子汤倒进花圃，冷却了的鸡汤和丸子，在路灯下泛着点点白光——那是肥猪油凝结成的。这一刻我感到深深的自责和自卑：以前就知道跟着若晴吃吃喝喝，现在她病了，我却只能做出这么一碗不着调的丸子汤。我活了三十多岁，第一次发现自己如此的幼稚、无用。一直以来我活得轻飘飘、软绵绵，就像那丸子汤上面漂浮的猪油，看上去光鲜闪亮，其实毫无用处。我不屑于婚姻的庸俗，更不屑置身于生活的琐碎，我自诩活得超然世外、潇洒、高明，却从没走进过生活的深处，也没有看到过生命严峻的真相，面对灾难，我毫无还手之力。我默默地看着若晴房间的灯光，也不知道自己呆了多久。直到那盏灯光忽悠一下寂灭，我感觉自己沉浸在无边的黑暗里，周身凉意。那一刻我第一次对单身有了深入骨髓的恐惧。

一个星期后，若晴父亲给我电话，说若晴有些书和CD想分送给好朋友，留作纪念。她已经根据每个人的爱好将东西分好，让我有空去拿。一个月后，若晴去世了。她的父母处理完丧事，送骨灰回了老家，从此再没回来。若晴像一缕清风，永远地飘散在五月的天空里。你若不仔细观看，你几乎不能发现有一位爱唱歌、会写散文、懂摄影、脾气有点执拗的女子，在这个海滨城市深深地停驻过。

熟食店

姥姥家住在北京市西城区丰盛胡同。熟悉丰盛胡同的人都知道，在胡同的深处有一个斜斜的小下坡，那就是西斜街。北京的街道基本都是横平竖直、正南正北的，所以有这么一条不直不正的街很少见，干脆就直呼斜街了。

西斜街是几条胡同的交汇处，所以这里集中了一家副食店、一家菜店、一家理发馆、一家粮站，还有一家卖熟食的。我要说的就是这家熟食店。

这家熟食店专卖自己卤制的各种酱肉，除了猪头肉、猪大肠、猪蹄等猪身上的东西，也卖大块的卤牛肉。紧挨着熟食店的是粮站，粮站除了卖粮食之外，早晨卖早点，中午卖切面。我从小学起每年暑假回姥姥家，都免不了每天早晨被派去西斜街粮站买早点，中午去买切面。早点的购买平淡无奇，因为那时候熟食店还没开张。最考验意志的是中午，熟食店正好开张迎来第一批顾客，那些卤制好的各种肉肉，颤巍巍、肥嘟嘟，不怀好意地裸露着诱人的胴体，散发着诱人的

香气儿，排列在一个个长方形的大白瓷盘子里。最可恨是那些下班路过的男人们，他们来到熟食店的摊子前，用筷子在肉肉们中间拨来拨去，香味随着拨弄四处飘散。他们挑好肉往秤盘子里一扔，还不忘洪亮地喊一声：师傅，帮我切喽！我每次都被这种场景弄得神魂颠倒，不是忘了拿找的钱，就是忘了拿切面。

一个暑假过下来，副食店、菜店、粮站我都经常光顾，只有熟食店，简直是咫尺天涯。越是不能亲近，我对她的思念就越发不能自拔。暑假结束，最后要走的那天中午，小舅舅突然从外面回家，进门掏出一个被油渍浸湿的牛皮纸包，打开看，里面是油汪汪棕红透亮的两只胖猪蹄。我眼前一亮，盯着猪蹄问："是西斜街买的吗？"得到肯定的答案后，我才像对待一个思慕已久的美人一样，饱含深情地轻轻撕下一块弹性十足的肉皮，放进嘴里细细咀嚼起来。

九十年代初，我去北京进修，平时住校，周末骑车回姥姥家。那时候我是带薪进修，虽然小城市的工资在北京远谈不上富裕，但毕竟是揣着自己的钱出来混，大有衣锦还乡的架势。有一天黄昏我骑车回姥姥家，路过西斜街时，一股久违的香味冲进我的鼻腔，我四下打望，一眼看到了那家可爱的熟食店。我带着有钱人的好心情来到摊前，一问价钱，又蔫了，敢情我兜里所有的钱只够买一只猪蹄。但是我一眼瞥见在猪蹄和猪头肉之间，有几根颤巍巍、肥嘟嘟的猪尾巴，我立刻指着说：给我来一根！

买根猪尾巴，如果在上海或者广东，是理所应当的，但在北京买一根猪尾巴，就要看一下服务员的脸色了，但为了能吃上美味，忍受点脸色还是必要的。就这样，我吃上了平生第一根猪尾巴，喔，味道相当不错。因为经常摇动的关系，所以肉质分外劲道、柔韧，瘦肉也多，比猪头肉好吃多了。从那以后，我经常在回姥姥家的时候，在西斜街熟食店买一根猪尾巴解馋。姥姥得知我一个女孩经常买猪尾巴吃，认为非常不雅，她吓唬我说，经常吃猪尾巴会得"摇头疯"，意思是猪尾巴经常摇动，所以吃多了猪尾巴，脑袋也会像尾巴一样摇个不停。我害怕了一小下，但觉得姥姥说的也没科学根据，况且怕和馋相比，还是馋占了上风，所以照吃不误。

又过了几年，妈妈来北京，一次我和她散步路过西斜街，妈妈指着熟食店，感慨地说："我小时候最馋这家熟食店的酱肉。那时候家里穷，老是吃菜团子。我每天中午放学回家，正赶上这家熟食店开张卖酱肉，那香味啊，把我馋的！"妈妈说着，边叹气边摇头，一脸神往。我听了她老人家的话却大笑不止。妈妈问我笑什么？我不说。我不想让妈妈知道我宁愿得"摇头疯"也要吃猪尾巴的事情。而且，母女俩都那么馋，也有点不好意思。

九十年代中期我离开北京，很多年没再回去。这期间听说北京城市改造如火如荼，姥姥家也搬进了楼房，老房子被推平了。再后来姥姥去世。直到前几年我再去北京，发现北京城市改造相当成功，它已经面目全非了。别说十几年没回去，你就是十几个月没回去，兴许你都找不到家门。在北京紧张的工作完成后，离开那天晚上，我溜出宾馆，驱车来到西单北大街。我按照大致方位，顺着鳞次栉比的高楼摸索，居然发现了丰盛胡同破旧的蓝牌子。但丰盛胡同只是徒有虚名了，胡同后半截被金融街吞没，前半截到处是尘土飞扬的大工地。我走到西斜街的位置，那条小斜坡居然还在，小斜坡上赫然矗立着几栋房子，那不是我的熟食店吗？我踩着瓦砾跌跌撞撞走近副食店，听到里面传来阵阵笑语。我借着月光仔细观瞧，发现副食店的门窗都被拆走，墙上乱涂着白灰，整个建筑看上去像被挖去眼睛的骷髅头。副食店的里面空空荡荡，没有酱肉摊子，也没有大卤锅，只有一群民工，正守着电视聚精会神地看韩剧。我这才明白副食店之所以没拆，是为了让它做民工的宿舍。副食店的地面上铺满了一床床的铺盖卷。我在铺盖卷之间的水泥地上，赫然发现一片熟悉的黑色油渍，一瞬间我几乎热泪盈眶，我很想冲进去告诉那些陌生的民工：你们知道这些黑色油渍是怎么来的吗？这是那些浓郁芬芳的酱肉汤汁滴落下来形成的啊！你们知道吗？这里曾经是个熟食店！他们家卖的酱猪尾巴是那么好吃，曾经深深打动过一个姑娘的芳心啊。

关银行

张　明

我们就是在美国各地飞来飞去带给别人坏消息的人。

　　飞机清晨六点从达拉斯机场起飞，十一点抵达亚特兰大。下飞机之后我乘轻轨到租车中心，等待我的是一辆白色福特Flex型越野车，手忙脚乱找了半天路，终于沿着二十号州际公路一路向西驶去。

　　这辆Flex车身巨大，好像给皮卡的车斗加了个盖子。车窗外是望不透的密林，隐约可以看见闪出一角的村屋。除了路上的车，见不到人迹。下午一时，我来到公路边某小镇的一间旅馆。走进门问前台的黑人大婶下午要召开的ACT公司会议在哪间屋子，她指给我会议室的位置，却发现门锁上了。一个六旬上下的白发瘦高老者站在门口，我跟他打招呼，你是来参加那个公司的会议的吗？他点头，露出洁白的牙齿，我也会心一笑。我们走到另一间会议室里，他问我有没有吃午饭，竟然来得这么早。我说我是新手，有些吃不准时间。他点头微笑，说他也不喜欢迟到。

过了一会儿，几位胖乎乎的大婶走进来，跟老者打招呼，然后把门打开，十几只大硬壳箱子在角落里静静地等着我。一转眼，人们陆陆续续地走进来，我出去接了个电话，发现这家小旅馆周围已经停满了车。不断开过来的车子上走下一个个风尘仆仆的人，都穿着休闲的便装，但拎的是可以拖拉的公文箱子。两点整，会议开始，那个跟我打招呼的白头发老者出现在会议室正前方，他又是露齿一笑，然后问所有人，有没有不该来这儿却来了的呢？他等我们笑着，顿了一顿又问，有没有新闻界的朋友呢？

所有人当然都知道他们此行的目的。老者说，刚才有人看见酒店前台写的会议提示就跟他说：哦，我知道这家ACT公司，你们不就是那个什么铁路公司嘛。大家哄堂大笑。会议结束后，那十几个还没有打开过的大箱子就被运送上车，我的大白Flex车上也装了几个。一个光头黑人男子是大家的中心，他话语幽默风趣，台风稳健，口若悬河。

2010年3月26日下午六点，佐治亚州首府亚特兰大西部密林深处一个小城镇卡罗顿，有一家存款规模不到两亿美元、名叫麦金托什的银行外来了数名全副武装的州警，两个站在门口检查证件，两个站在二楼CEO的办公室门口，里面正在召开会议。电视台的记者只能站在大门外，面对他们的正是那个光头黑人男子，他穿着咖啡色的西装，打着红色的领带，滔滔不绝。六点过五分的时候，一辆白色丰田汽车载着三个黑人匆忙赶来，他们想从ATM上取款，但为时已晚。因为就在下午六点，这家银行所有的业务全部终止，从那一刻起，它被以白头发老者为首的联邦存款保险公司（FDIC）的执行队伍接管。

次日凌晨，我走出这家银行漂亮的三层小楼，回到酒店，工作刚刚开始。

要说清原委，日程表需要往回拨二十天。那正是个周五下午，我百无聊赖地坐在洛杉矶办公室，作为一名会计事务所内部审计师，我已经两个多月没有接手正经的审计工作了。洛杉矶人给坐在办公室等活干的状态起了个销魂的名字："在沙滩"。直到周五，我的计划表里此后几个月都还是空白，沙滩生活还将继续下去，我已经开始盘算辞职回国。

一个电话打扰了沙滩上这个恍惚的人，对方是公司一位级别非常高的合伙人，她问我愿不愿意下周去达拉斯出差，一个保密项目。

我被告知要去至少三个月，每周往返达拉斯与洛杉矶之间。

但去那儿做什么，她不肯告诉我。"你答应去之后自然会有人告诉你这方面的信息。"她的口气根本不容我商量，而且似乎早已听出我犹豫甚至想偷懒的心思，"我看到你计划表都是空的，现在你大概需要一些有效的工作时间吧，所以这是个好机会。"

我被她击中了，好吧，我以最快的速度订了去达拉斯的机票。但直到我飞抵达拉斯都不知道自己来这儿到底要做什么，我只知道周一早上要去市中心联邦存款保险公司大厦三十六层报到。

临行前我在网上查了所谓联邦存款保险公司FDIC，才知道它们是独立的联邦执法机构，作为上世纪三十年代大萧条的产物，为全美银行里的每一笔存款提供保险，实时监控银行的经营稳定性，在银行无法周转时接管倒闭机构。在次债危机掀起的银行倒闭潮里，它就是美国政府的救火队。

那么我就要成为一名救火队员喽？

在进入项目的头两周，我被分配到存款组。我们九名新加盟的救火队员接受培训，同时等待联邦政府的安全审查结果。我们需要填写大量表格，包括保密协议，以及个人详细信息。因为是外国籍，我必须罗列在美期间所有的活动情况，据说会有人专门去一一核对。培训的内容以数据库为主，兼有各种银行存款产品知识。存款组的工作就是要把银行所有存款信息整理清楚，制作出来各种用途的表格，移交给FDIC。存款组的人占据了半个楼层，六十多名来自公司在全美各个办公室的年轻人坐在这里，紧张地盯着电脑屏幕。在这一层楼的另一半，贷款组还有八十多人坐在那里。仅仅我所在的会计事务所就有二百多人在这里为联邦政府工作。

此时我的心情极为忐忑，看着这个项目里忙碌的人们，它能否挽救我在公司的工作尚属未知，眼下要做的事情我能否承担起来也不得而知。其他几位新人也有同样的感受，他们都是最后一分钟接到通知，也没有人告诉他们要待多久。大家都没有类似的工作经历，在这九个人里我年纪排第二。

第三周我被调到科技组，这个组没有人驻守达拉斯，大家都在破产银行就地工作。直到周三我才等来一个大胡子年轻人，他只有二十三岁，为培训我，专门从佛罗里达飞过来。他用了半天时间跟我描绘迈阿密海滩的美妙场景，然后他告诉我，这份工比存款组的还要辛苦：要在那儿呆至少五天，每天工作十四小时以上，为所有FDIC接管人员提供信息技术支持。早上最早到，晚上最晚走，半夜时常加班，还要对所有的设备负责。

"但是你能攒很多酒店积分，以及航空里程，当然还有不错的伙食补助。"他朝我用力笑了一下。

这基本上就是我到卡罗顿之前知道的全部。

在卡罗顿，我面对的是一些从未接触过的东西，虽然大学本科在国内学通信，但所学皆为皮毛，并无多少动手能力。而在这里，首先要面对的是如何把大箱子里塞满的各种设备拿出来，从头组建一套无线局域网。幸好FDIC从波士顿派来了一名经验丰富的老工程师，带着我们爬上爬下，在周六零时之前完成了网络搭建。为了保密性，FDIC的工作人员只使用自己的网络，而这套网络通过一个外号"阿鲁巴"的大型服务器直接与华盛顿总部连接。

完成网络搭建之后，我们主要的工作就是日常性电脑和网络维护了，为所有人连接网络、打印机、扫描仪。我和带我的印度姑娘两个人大多数时间其实没有什么事情干。在我见到她的第一分钟，她就跟我说：明，你抓紧换到别的组去，这个组的活儿太无聊了。然后她又斩钉截铁地对我说：你知道这份工最重要的事情是什么吗？酒店积分！

印度姑娘在银行二楼的会议室里选择了一个安静的角落，保证没有人能够从后面看到我们的电脑屏幕，她喜欢玩拼字游戏。虽然进项目不超过半年，但她已经关了二十五家银行。在她看来，所有这些都是例行程序，没什么要紧：开会，了解需求，运送设备，其中最关键的是要选好办公地点。

"上一次他们安排我坐在厕所门口，你知道，这种时候你要坚决反击！"她挥舞了一下拳头。

停车的事情成为接下来两天的主题。周日早上我被广播叫到二楼白发老者的办公室，他指着窗外对我说，那个大白车是你的吧？当然是我的，那么显眼，停在正门口的车位上。

"我建议你最好还是把车停到后面的停车场去，把正门的停车位留给银行员工，这样对他们比较方便。你知道，他们刚遭遇一场变故，我们要为他们着想。"白发老者的语气平缓而低沉，他还朝我微笑，我觉得当我转身跑下楼的时候这微笑还停留着。

周一我们集体遇到了停车危机，这一天倒闭的银行要重新开门，欢迎惴惴不安的储户前来取钱。因此，白发老者要求大家把停车场的车位让出来留给周围的老百姓，而我们的车需要停到马路对面的空地上。可是当大家把车停过去的时候才知道，这里属于私人领地，领主是一位老太太和她儿子。她们一开始并不同意，后来经过一番周折才办妥。

有一天我问带队经理，那个老太太为什么开始不同意又为什么同意了。他没有直接回答，只告诉我，这个人口不足万人的小镇今年已经遭遇两次银行倒闭了，这里的人对这种事心理有些脆弱。经理说的脆弱我在离开时感受到了，结束工作那天我跟一个叫做罗德的银行雇员一起搭电梯，这个原银行唯一的工程师整个人表情紧张透了，他刚刚跟买家派来的技术人员交谈过。我知道他在想自己的明天该怎么办。他手脚殷勤得简直过分，抢着趴在地上干活。而当我临走时在门口值班的警察跟我告别："那么，也许不久还会再见哦。"我只好摇摇头说："但愿不要。"

这天早晨，印度姑娘已经提前飞到另一个城市去了，留下我把十四个无线接入点、一台大型阿鲁巴服务器、十六台笔记本电脑、六个路由器、五台扫描仪、八台打印机、几十根双绞线和网线以及若干插线板装箱，贴好邮寄签，给UPS打电话让他们到指定地点取。然后开着大白Flex去亚特兰大赶飞机回洛杉矶的家。

走之前我还跟留在那儿做调查和财产评估的两个老头子核对了一些事情，他们要留下来在这里处置剩余没有交割的资产，短则半年，长则一年。其中一个也是来自加州的大叔翘着白胡子跟我说："回到加州帮我跟我老婆问声好，告诉她我过一个月会把这儿的地址用明信片寄给她。"

从亚特兰大回家不久，我又被派去佛罗里达州的帕拉特卡。

飞机早上七点十五从达拉斯起飞，东部时间十点半到杰克森维尔机场。这个机场白而亮，净得像天鹅的羽毛。门口就有租车行的柜台，排队时遇见了同事，握手寒暄。一个父亲带着两三岁大的小女儿在租车，小姑娘抱着爸爸的腿荡秋千，让我想起树袋熊。

二九五号公路像是一个圆满的怀抱，绕过杰克森维尔市区，路过十号公路时突然想起来，地图上这里是十号公路的最东端，它最西端就是洛杉矶，心绪忽然像被牵连起来。这里距离我曾经居住的路易斯安那州巴吞鲁日市也不算遥远，八九个小时的车程。

拐上十五号国道不久，路边的树丛忽然闪开身，露出一个小码头，里面堆满小船，这就算跟烟波浩渺的圣约翰斯河打过招呼了。再行驶一段，河又不见了，瘦长的树组成碧绿的墙，遮住左右两端的地平线。车子不慌不忙地走着，不时会有水鸟飞过天空，又消失在林子深处。偶尔也有停留在路边的水坑旁啄食的，黑而大，像秃鹫，仔细一看竟慈眉善目。佛罗里达四季如春，西班牙人当初发现这里就以花命名这里，利玛窦翻译作"花之屿"，自然是种花的好地方，路边花农的大棚望不到边，有巨大的十八轮卡车负责运输。

也不知怎的，就晃到了目的地，帕拉特卡，念起来像是印度人的名字。也难怪，佛罗里达过去是印第安人的聚居区，至今尚有不少保留地。1819年西班牙人把佛罗里达割让给了美国，于是华盛顿开始向这里大量移民，白人和印第安人之间经过几场战争，最终取得了控制，但旧的帕拉特卡也被毁掉了。距这里不远有一座叫做圣奥古斯丁的城镇，那是美国历史最久的城市，1565年由西班牙殖民者建立。

把车停在圣约翰斯河边，旁边就是跨河而立的大桥，桥下一排小码头，码头上和河里散着洁白的船，随着波浪轻轻摇动。有心的居民在自家码头上或搭一挂秋千，或建一座凉亭。一对老夫妇坐在船舱里，也不知忙些什么。一个坐在树下钓鱼的人或许用力太猛，把鱼漂甩在树杈上，竟怎么也勾不下来。河边的教堂顶上有人活动，当然不是来偷敲钟的淘气鬼，是维修工人在慢吞吞地干活。等了半天也听不见教堂的钟声敲响，好像时间从来没走过似的。

2010年4月16日下午五时，这个宁静如世外桃源的小城市帕拉特卡，有一家规模两亿美元的北佛罗里达第一银行倒闭，被FDIC和佛罗里达其他两家银行一起打包卖给了加拿大最大的银行TD银行。我有份参与。

帕拉特卡的事情在4月21日晚十一时四十五分结束。4月20日下午把留下来长期工作的调查部切换到使用银行网络办公，21日下午四时，第一箱十台笔记本运走。21日晚六时，打印机和扫描仪装箱。八时，九台无线接入点装箱。十时三十分，另外八台笔记本装箱，并贴好邮递签。十一时，财务部门结束工作。十一时十五分，通知华盛顿关闭服务器。十一时二十分，DSL切断。十一时二十五分，DSL关闭电源。十一时三十分，阿鲁巴服务器关闭电源并装箱完毕。十一时四十五分，财务数据库备份完毕后离开银行大楼。22日凌晨一点十五分，我驱车一百一十公里来到杰克森维尔机场附近的Aloft酒店。22日凌晨五点五十分离开酒店。七点十五分登机，下一个目的地是芝加哥。

早就想来芝加哥，终于来了，果真好。四十一号公路在市区沿密歇根湖蜿蜒，一面是浩荡的湖水，如海洋一般广阔，一面则是巨大的草坪，背后才是高楼丛林。从草地的角度看，这城市仿佛建立在半空中，气势如虹。我想起《圣经》里有天使从天梯上走下的说法，如果有天梯，大约是这模样吧。还是芝加哥，三十年代阿尔·卡彭等人在这里呼风唤雨，我以为它是暗淡的，旮旯拐角挤着阴狠的目光，可它居然如此宏伟美观洁净。

4月22日晚，在芝加哥办公室二十九层会议室里，公司负责全美金融领域的高级合伙人对在座一百多人分析了过去两年来银行倒闭情况，投影仪投出一根猛然在2008年挑起的折线，2008年二十五家，2009年一百四十家，2010年截至4月20日，已经关了七十多家。对于老百姓，金融危机也许是个过去了的话题，但事实上它真正的影响从2009年下半年才开始显现。他说，你们有幸经历这个历史时刻。"历史时刻"这四个字我感受到了，4月23日晚七时，芝加哥地区七家银行同时关闭，我有份参与其中两家。

23日夜里十点半，我在芝加哥南边一百公里外的一个小镇。那个镇小得好像只有几个加油站拼起来的广场，我开着道奇车怎么也找不到要去的银行，就进加油站商店问收银员。她告诉我怎么走，然后忽然想起来什么似的说："呀，刚才电视说那家银行已经关了。你确定你还要去那里么？"这个夜晚我关的那家银行，也就是我关的第三家银行，它小得就像个公共厕所，我们有两个部门的人坐在地下室小厨房里办公。当收银员说那家银行已经关了的时候，我下意识的往腰间摸去，我的FDIC徽章还好已经装进裤兜没有露出来。"不要让周围的居民看到你的身份，要替他们着想，他们的存款、他们的工作以及他们的感受。"这是每一次全员预备会议结束前，负责人都会对在场每一个人仔细强调的话。

而位于芝加哥市区北部的林肯公园储蓄银行，是我关闭的第四家银行。这家银行隔壁有个德国餐馆，有白乎乎的猪蹄和胖胖的啤酒杯，马路对面有一家平民餐厅，早餐里火腿煎蛋棒极了。每天早上开车从酒店去银行，四十一号公路边上的密歇根湖波涛拍岸，晨跑的人就踩着这浪尖。林肯公园绿得发烫，只有在北方才能感受到春天冒尖的绿，真是惹眼，绝不是画布上能有的颜色。北方于我已经久违了，芝加哥的风真大，比北京还大，我对同事说，这风干脆把我吹到西海岸，这样连回家的机票都省了。因为从佛罗里达直接飞过来，身上还穿着短袖短裤，一下飞机我就冲进商场买了件大衣。这件大衣后来在我离开芝加哥前一天又退了回去，全额退款。这么鸡贼的事情成为同事中的笑谈。

到了芝加哥，才能感受到大城市盈满的生活气息。我喜欢看见晨起买早点的人，拎着咖啡杯和面包圈，脸上写着一天的计划。人们可以走路去干洗店取衬衣，走路去邮局，走路去购物，走路去约会。自从我的交通工具从汽车变成飞机之后，我就越发怀念稳定的城市生活。作为每次行动必须有的犒赏，经理请大家周日晚上在汉考克大厦九十五层吃饭，这儿是芝加哥最高点，前菜是金枪鱼和牡蛎，我点了龙虾汤和烤羊羔肉，好吃，窗外是满眼灯火。

走在这浓郁的城市生活气息里，偶尔会想到自己的工作会对这里的人们造成怎样的影响，甚至会矫情地担心自己破坏了这宁静。据经理说，离此不远的另一处倒闭银行就遇到了些麻烦，在关闭时间到来之前大批记者就已经在门口埋伏守候了。那家名叫百老汇的银行主人的儿子是个政治家，同时也是奥巴马竞选总统时的重要支持者，奥巴马当选后空出来一个本州参议员位置，媒体认为此君最有可能上位，用中国话说，他上面有人。我们经理气愤地说，华盛顿从来就没有保守住任何秘密。

相比这样全美各大电视台争相报道的波澜，林肯公园银行遇到的不和谐的声音就太微弱了。周日有一个中年女人在门口扯着嗓子抱怨，FDIC的接管人出去了解情况，发现竟然之前在另一家倒闭的芝加哥银行也见过她。

"你们为啥老关闭我的银行？"

"这要问你为啥老把钱存在问题银行啊。当一个银行莫名其妙把存款利息提高很多时，这可不意味着占便宜的时候到了。"

离开芝加哥时，我遇到了一点麻烦，设备被锁在机房里，拿钥匙的人却下班了。一想到会因此错过晚上回洛杉矶的飞机，我站在机房门口狂叫了两声，引得FDIC财务部的大叔大婶过来安慰。他们这时候已经结束工作要赶飞机去下一站。这些平均年龄在五十岁以上的人，每天工作十二个小时，每个月要换三四个地方。所以他们给我的安慰是："也好，你可以在芝加哥多休息一天啊。"

因为连续工作十几天，我被获准在洛杉矶家中休息了三天，然后又飞到亚利桑那州的菲尼克斯。

菲尼克斯我已经来过很多次了，路过也好，开会也好，培训也好。看来命中有缘，总有重逢时。

Avis租车公司的老经理态度很好，看见我的公司信用卡，就说他女儿也在会计事务所工作过，现在为州政府做审计。我要了一辆丰田的FJ Cruiser，看起来很可爱，马力大，耗油不小，发动机后置，听起来也不习惯。我发现参与FDIC项目还有个好处，就是可以租各种型号的SUV，整个项目下来我租过十几款。

周五，全员预备会在隔壁城市召开，会议室很小，坐满了人。我的带队经理是个印度人，看起来像个二十出头的小伙子，他很高兴别人觉得他年轻，在超市买酒的时候收银员要验他驾照上的年龄，他会兴高采烈地递上去。FDIC的团队经理有几个认识，以前在关芝加哥南部小银行时见过。接收负责人叫吉姆，接收经理也叫吉姆，所以我们管领导叫两个吉姆。大吉姆照例问询媒体是否在场，然后他强调了一下这个银行非常小，没有任何支行，全行一共只有二十四名员工，而我们在场负责接管银行的人超过了一百个，所以在接触银行员工的时候一定要小心，不要伤害他们的感情。我脑子里设想了一下一百个人鱼贯而入的场景，如果我是二十四人之一，我会是怎样的心情。

因此我们不能一下子同时都进去，所有人分六批入场：四点半，接收负责人和买家的CEO先进去，宣布接管，然后五点钟所有经理入场；五点半，调查部、人力部、资产部和法律部入场；五点四十五分，科技部、资产部、负债部、谈判部、资料部以及房产部入场；合同雇员六点入场，还有一些人被要求周六和周日再来。安排妥当后，2010年5月7日晚五时，菲尼克斯一家叫做亚利桑那城镇银行的小银行关闭，我有份参与。

周五，银行关闭一小时后，FDIC在银行大堂开饭，银行员工先吃，他们吃完了轮到买家的人吃，然后是FDIC的人，最后是我们这些合同雇员。银行员工永远是第一位的。这一次的交易模式是全部买下并分担损失，也就是说新买主会包揽破产银行的一切，所以基本上不会有人被炒鱿鱼，他们看起来心平气和，似乎早就想到这一天的来临。

买家的CEO看起来是个蛮和善的红脸蛋老头儿，他们的银行也不大，只有几亿美元的存款，但是这几年他们在图森市扩张得很快，这一次终于把触角伸到了菲尼克斯。所以老头儿看起来很兴奋，脸涨得愈发通红。但是他们的科技部经理有点不友善，板着脸，说话也用词尖刻，充满怀疑。这些人切断了银行原网络的接入，这在关闭的头二十四小时里制造了一点小麻烦。

FDIC的人里也总会遇到几个不和气的人，有的人好像从一开始就一脸不高兴，嘴里嘟嘟囔囔。你小心伺候了，他们才停止，否则就会到处乱宣布，说自己没有得到公平的对待之类。有的人，一旦机器出现一点小毛病，立刻脸色大变，语气很重，好像天要塌下来。有一些FDIC来的科技人员，年纪大，非常倨傲，认为我们这些小年轻什么都不懂，不按规矩来，一脸的不信任，甚至直接走过来问："你在这儿干吗？"这样的工作，总会遇到各种脾气性格的人，也是没法子的。

事情还能较为和谐地进行，这是一家小银行，活儿不多，甚至周六六点就可以下班了。于是全体去一家叫做"呼啸的叉子"的餐厅吃饭，然后去酒店参加泳池派对。

周日大家更放松了，在办公室——其实是银行的厨房里——有说有笑，带队经理的冷幽默让人受不了。另一个见习经理凯伦没有参加我们前晚的饭局，她就是菲尼克斯本地人，家里有两个小孩，而她是单亲妈妈。她说自己总是出差，没有时间陪孩子，现在终于有机会了。这一天是母亲节，难得这位坚强的母亲能跟孩子一起度过。

在菲尼克斯呆了五天，又转向芝加哥，这一次的地点在芝加哥机场附近，离市区有一定距离。

离开芝加哥机场时，我开着一辆白色的圣达菲SUV驶向远处那片钢铁丛林，预备会下午两点在市中心召开。到现在我已经体会到印度姑娘告诉我的事情：一切都是例行公事。我麻木地在机场、酒店和租车公司之间转换，每到一处最焦心的是寻找好餐厅，酒店积分和航空里程飙升，我开始盘算如何在假期里用掉它们。有一天我在飞机上看了乔治·克鲁尼那部《在云端》，我跟他的情况近似，只是没有艳遇，我们都是在美国各地飞来飞去带给别人坏消息的人。在美国，像我们这种工作和生活状态的人很多，我在飞机上还遇到一个三千二百万里程的老头，据说他过去数十年每周往返达拉斯和东京之间。开完会回酒店的时候，我已经困得不行了，几次都要在高速车流里睡着。回酒店睡了一觉才舒服。

接下来，我的日记本很简单地记下这一行字：2010年5月14日下午六时，芝加哥东部的一家规模较大的西北银行倒闭，我有份参与。

事实上，西北银行是我关闭过的最大规模的银行，它有二十多亿美元的存款，三十多亿美元的资产，在芝加哥东北部有二十三家分支机构。但面对它宏伟的大楼，我已面无表情，即便敏锐的记者已堵在门口疯狂地按着快门，我的同事还被他们问了问题——这个印度小伙子满心期待第二天自己的照片登上报纸。

完全没有。没有人在乎这里发生什么，连我自己也不在乎了。银行总部门口有个小池塘，池塘里住着大鹅夫妇和几只小鹅，它们每天横穿马路散步，导致车流拥堵，但大家都耐心等待，没人为它们鸣笛。值班警察居然在一楼大厅里架起了投影仪看电影，大家各忙各的。有一天我遇到了谈判部的胡子大叔，他正准备出门喝杯好喝的咖啡，于是我陪他一起，他跟我讲他的工作：与买家扯皮。

"昨天关闭时银行电梯坏了，你知道，我们叫来了消防队，还有工程师。这笔意外开销是今天一早上争论的焦点，他们不愿意掏这笔钱。"胡子大叔两手一摊，"接下来我们会回到总部，然后继续讨论，开会，发邮件，打电话，最少还需要几个月才能敲定最终的价钱。"他又顿了一顿，"不过这对于FDIC来说实在是一笔小钱，我们已经花掉今年预算的百分之八十了，几百亿。"

接下来我们讨论了记者的事情，显然有人泄密了。"他们正在调查，但是你知道，绝大多数时候这种事情都会不了了之。"他撇撇嘴，"而且这种事要想做到密不透风也很难。上一次在肯塔基，我们联络了当地警察做安保，结果周五下午整个警局的人都跑到银行排队取钱了。"

我帮他挽救了他的私人电脑，因此他为这杯咖啡买单。在科技组我经常做一些杂活儿，上周在菲尼克斯我还为一个老太太修好了眼镜腿儿，她激动坏了。

工作趋于无聊，但工时却越拉越长，我被通知要在这里呆十天。

我开始怀念洛杉矶，开始想念一些人。有一天午饭去一条小街道上吃的披萨饼棒极了，厚厚的奶酪和肉馅，再撒点辣椒粉。大家坐在拼起来的桌子上，能看得见菜单上的字和彼此的脸，不紧不慢地说些扯淡话题，随时可以走神。隔壁桌一群人在聚会，不同肤色的他们看起来好像几年不见，紧紧地拥抱。

而旅行久了，我也想在某地约个老友，紧紧拥抱。那就像是在对生活说十声你好。

在家休了两天，又飞到萨克拉门托。这家银行非常小，在萨克拉门托东边二十公里的罗斯维尔。这是我第一次来萨克拉门托。2000年至2004年的时候，我是萨克拉门托国王队的球迷，韦伯带领的这支队伍，以华丽的进攻横扫NBA。如今我路过阿科球场，仿佛可以听到球迷摇动牛铃的声音。在飞机上看，这里真的是望不到边的大农村。韦伯说他被交易到这里的时候，心里就凉得不行，吵着要回底特律。

此时我已经接到存款组的通知，下周到达拉斯报到，心情瞬间轻松起来，我已经受够了科技组的工作。2010年5月28日下午五时，存款不足一亿美元的格兰奈特湾社区银行倒闭，我有份参与。

回到达拉斯以后，首先迎接我的是高强度的业务学习。在科技组打杂了两个多月，并没有学到多少东西，而在这里，我将足不出户从早到晚面对屏幕上的一行行数字。这是一个非常严谨的工作，FDIC的误差容忍度是零点零一美元，也就是说，FDIC对最终存款核算数字要求精确到每一分。在存款组，一旦发生关闭现场对不上账，那就意味着巨大的压力。我一个经理曾经绕口令一般描述过这个过程："周日凌晨你会接到一个电话，来自我们公司纽约总部的某个大人物，他会告诉你他接到来自华盛顿的电话，一个非常非常高位置的人。这个人是听了达拉斯FDIC接管部头儿的汇报，而达拉斯的消息来自关闭现场的接管经理。我要告诉你的是，华盛顿和纽约有一帮子人他们的手机二十四小时开着，等着看各种坏消息。所以千万不要让坏消息传出去。如果你遇到麻烦，你可以联系公司每一个人寻求帮助，但你必须保证你知道自己在干什么。"

压力还有可能来自其他方面，比如当FDIC找不到买家的时候，所有人都会面临来自储户的巨大压力。FDIC需要通知所有储户来取钱，如果这位老兄账户上的存款超过二十五万美元，很不幸，他只能得到二十五万美元，其余的钱就将成为金融危机的牺牲品。我见过带着两个膀大腰圆的汉子前来取钱的家伙，他从头到尾只重复一句话："我要拿回我的钱。"他最终和两个汉子被荷枪实弹的国民警卫队员叉了出去，因为他试图用双拳砸烂柜台。

但在此之前，搞清楚这些储户是谁，已经是一种挑战了。存款组的工作最耗费时间的就是整理账户人的姓名和联系方式。美国人喜欢缩写，手写的开户申请书有时候也非常模糊。而关闭一家银行要面对几万甚至几十万的账户，留给你的时间却只有不到二十四小时。这就需要我们提前做好准备，这就是所谓的预关闭：在关闭时间之前一到两个月获取该银行全部账户信息，完成各种数据处理和报表核算，然后带着整理好的模式到现场去。

达拉斯的生活是安定的，朝九晚七，酒店就在办公地点附近，步行上下班。在这里我睡得很好，因为对于过去几个月一周在东部时间，下一周在中部时间，周末又回到西部时间的人来说，严重混乱的时差早就让我的睡眠质量惨不忍睹。达拉斯唯一的问题来自饮食，市中心虽然干净整齐，一到下午五点，像样点的餐厅都关门了，这里的人统统撤退到周边的居民区，那里才有好吃的。可在这儿我不被允许租车，只好天天吃快餐店的三明治、披萨。

这期间听说在芝加哥同事的那个印度小伙出了车祸，幸亏人无大碍。这一次他去了田纳西一个深山里的小镇，那里居然也有一家小银行，居然也倒闭了。我的经理于是绘声绘色地讲起冬天他在密苏里的经历，到处结了冰，他的车基本上是以一种跳圆舞曲的方式在路上前进的。旁边另一个同事也插嘴，讲述他圣诞节那晚在底特律郊区，周围全是没人住的空房子，阴森可怖，走到路上还不时会遇到犯了毒瘾的人，甚至冻僵的流浪汉，大家必须在警察的陪同下十个人一组一起出去吃饭。

"你看，其实出去关银行并不安全，你应该庆幸自己能呆在达拉斯干活,起码不用操心自己的性命。"他说。

因为换组,大多数时间在达拉斯做预关闭工作,我已经有将近两个月没有出现场关银行。在存款组接到第一个任务,竟还是佐治亚,飞亚特兰大的航班上我脑子里一直响起雷·查尔斯的名曲《佐治亚驻我心》。

7月30日下午两点,在亚特兰大北边一家去年被FDIC接收的银行大楼里,我们举行了全体预备会议。在会上见到好几位老面孔,一一握手寒暄致意。大家看起来都还算比较轻松,毕竟,今年已经关了超过一百家,再说这次也不是什么复杂的交易模式。即使是对于买家的银行,这也是今年他们买下的第九家破产银行。所有人轻车熟路。于是美国东部时间2010年7月30日周五下午五时,佐治亚州阿科沃斯市西北信托银行被FDIC关闭,而我作为存款组的成员,整理并移交了这家银行一亿多美元的存款给它的新主人。

周六早上四点三十分起床,从凌晨五点一直工作到晚上八点半,所有的工作都完成了。因为进行得顺利,心情很放松。贷款组的两位同事因为利息不能对上账,压力要大很多,我们晚上九点钟离开的时候他们还在干活。贷款组常抗议我们存款组喜欢炫耀自己能早早完成工作。

这几日走进附近每个商场和超市,都是巨大却空旷,里面很少有人购物,无论是塔吉特百货还是沃尔玛。经理说,这就是经济衰退的表现,佐治亚今年倒闭的银行有几十家了,都是因为商业和营造方面的贷款坏账造成的。在各个城镇穿行,都能感受到那种凋敝的丧气。这一次的带队经理正巧家就住在这附近,周四的饭局上他说他十分不想参与这次行动,因为怕遇见邻居。

在阿克沃斯,我们的大领导维尼给大家讲了几个故事,这是其中最精彩的一个。

德克萨斯州的桑德森是电影《老无所依》的一个外景地,离墨西哥边境只有五英里。这个镇子所在的郡的确在1980年只有一个警长和一个副警长。电影里高速路上抢劫那一段,就发生在这里。

这个镇有两家银行,两年前我们的高级经理维尼关了其中的一家。

当维尼来到这个镇上的时候，发现这个镇只有一条主干道，三个十字路口，有两家小旅馆，一个在进镇的地方，一个在出镇的地方。这两家你在谷歌上根本搜不到，所以，你没法预订。全镇最贵的饭馆不超过十美元一顿，当然你还真得感谢你能接收到手机讯号。

这里只有一个超市，一个酒馆，酒馆名叫宝宝，因为老板娘名叫宝宝。宝宝每天只干一件事，就是擦酒瓶子。维尼每天都去，因为他无处可去。

维尼住的那家旅馆，叫做毒蛇之家。名副其实的是，老板养了很多响尾蛇。老板之所以养响尾蛇，是因为这个镇子上的确有很多响尾蛇，它们经常就在外面爬。老板把自己养的响尾蛇放在笼子里，就摆在旅馆门厅。维尼每天晚上回到旅馆，第一件事是把床垫竖起来拼命地抖，确定里面没有响尾蛇。

桑德森有两家银行，虽然这儿只有两千人口，而这两家银行门对门。令人惊喜的是，FDIC居然为倒闭的那家银行找到了一个买主，只可惜就是对门那家。买家老板非常高兴，他跑到自己新置的产业里，握住每一个FDIC人的手，给他们拍照，然后裱起来挂在自己这边的墙上。他非常喜欢FDIC人做的每一件事，他对所有人的工作都感到好奇和惊讶，因为他真的不知道他们在干什么。有一天他走进大厅，手举巨大一杯威士忌，众目睽睽之下非要维尼喝下去，说你真他妈是个好样的。维尼说，哥们，我还要干活呢，这才上午十点呀。

于是老爷子跟维尼要了车钥匙，维尼巴不得赶紧摆脱老爷子，就给了他。当他晚上下班回到自己的车上时，忽然发现，车里放了两个巨型杯子，里面装满了皇家礼炮。正在这时候，负责保安工作的德州国民警卫队员走过来，一闻味儿，就问他：你难道要边喝边开么？维尼连忙说自己其实是打算回到旅馆再喝的。后来这两巨杯威士忌他跟另外几个同事喝了一礼拜都没喝完。

维尼说，这是他最糟糕的一次经历，也是他最喜欢的一次经历。基本上，他不会再有机会去那个地方了。德克萨斯州的桑德森，一个离墨西哥边界五英里的小镇，曾经有两家银行，如今只有一家。

8月中旬，我被科技组的头儿借调去出现场。这个年纪其实只有二十四岁的小伙子说我欠他一个人情："因为上次我们去关波多黎各的五家银行，人手紧缺，你说你持有外国护照去不了。"这倒是真的，美国是波多黎各的保护国，所以也要保护波多黎各人民的存款。

　　我的目的地是北加州的斯托克顿，飞机上遇到一个身体瘦弱的女人，话很多，自称凯西。她说自己曾经做记者，给电视台、报纸、广播都干过。是广播影评人奖（1995年建立的一个电影奖项）的发起人之一。她干了十二年电影记者，每周在纽约和洛杉矶之间往返，到处赶首映，连轴看片，然后要赶在截止日前写好稿子，准备好材料。然后她说自己认识这一行的人，大多干不动了，身体都完了。自己如今就待在家。她的年纪看起来大约四十多岁吧，也许有五十。我们说到这种空中飞行的生活，她说这是美国梦的一面。

　　"你是说另一面？"我说。

　　"不止，有很多面。"

　　斯托克顿是美国犯罪率第五高的城市，2009年被评为最不适合居住的城市。这里是五号公路的中点，墨西哥的毒贩从南加州的口岸上来，一路向北，这里刚好成了个集散地。全员预备会的主题不是这一家银行的情况，而是个人安全。领导专门强调了车门要关好，不要夜里单独外出，如果遇到抢劫，就把钱给他不要纠缠等等琐碎的事情。

　　头天夜里我依稀听到了几声枪响，但还是睡着了。美国西海岸时间2010年8月20日下午五时，加州斯托克顿市太平洋州立银行关闭，我有份参与。

　　同事娜塔莉的男朋友从香港飞来看她，小伙子去华人超市买了几样东西，在酒店简易的厨房里给我们烧汤做饭。我跟她开玩笑说，遇到这么贴心的男人就嫁吧。娜塔莉与我是老相识，大家都来自洛杉矶办公室，一起进FDIC项目，她一直坚持留在科技组，因为这里的工作足够简单。

　　为银行打扫卫生的工作外包给了一家墨西哥人，一位母亲带着三个子女，每天晚上八点准时过来。我帮助合规部的一名大叔解决了一点小麻烦，他就常过来找我聊天。那天晚上他发现我在观察这一家人打扫卫生。

"他们看起来有些心事。"我说。

"他们在担心银行易主之后丢掉这份合约。"大叔说,别看这家银行规模小,它可能牵动着当地成百上千个工作机会:打扫卫生,送邮件,各种维修、采购,保安,"失业率就是这么上去的。"

但大叔自己也会面临失业的威胁,他跟我一样,是FDIC的合同雇员,来自其他公司。合规部的头儿是个六十多岁的倔老头儿,脾气很大,他经常为了一点小差错冲着对方大吼大叫。那天我听见他冲大叔发脾气的时候声称要给他们领导打电话,取消跟他们公司的合作。我有些担心,过了半小时假装检查打印机跑进他们的办公室。这时候老头儿已经缓和下来,眨着布满皱纹的眼睛对大叔说:"鲍勃,你说你五十四了,对吧?我今年六十二了,你有一个孙子?我有三个孙女。"他说到此处脸上并没有丝毫笑容,看起来非常疲倦,想了几秒钟继续说:"我心脏不好,医生让我少飞点。唉。我不是要故意挑刺,但是如果我们今天完不成这里的事情,他们的这些合约就有可能作废。你希望这么多人失去工作吗?谁都不希望这样。"

名叫鲍勃的大叔一直没有说话。后来我又回到达拉斯,再也没有见过鲍勃。

接下来的两个月,我们的项目变化很快。

先是换了组长,这个讨厌鬼成为所有人背后议论的焦点。人们喜欢比较新组长跟老组长的不同,当然都是负面的:不允许请假,不允许迟到,不允许穿皱巴巴的衬衣,不允许闲聊。人们强烈地怀念过去那种自由、自在的气氛,于是新组长的所有一切都成了靶子:不懂银行业务,瞎指挥,自以为是,爱标榜自己,开会啰唆,抠门,等等。

接着,由于FDIC在截至10月关掉的一百一十家银行上面花掉了全年几乎所有的预算,他们不得不暂缓关闭那些资不抵债的银行。人们当然不希望在这里无所事事,于是越来越多的同事离开达拉斯,回到自己原来的工作岗位。大厦十一层逐渐空旷,有时候只有几个人在这里办公。再后来FDIC引进了新的合作伙伴,他们把我们手里本来就不多的工作量分担了一半。到10月底，FDIC决定存款组不去现场参与关闭，而是远程处理数据。

我也不得不开始考虑自己的去处，几番邮件往来后洛杉矶给我安排了一个客户，一家当地银行的审计工作。这有些讽刺，在处理了八个月银行尸体之后，我终于能面对一家活着的了。11月13日将是我在达拉斯最后的日子。

在达拉斯我一直没有租车，所以对它的印象始终是非常片面的，只有偶尔跟同事到郊区的酒吧餐馆娱乐，至今分不清东南西北。最全面的印象还是在每个礼拜天的晚上从洛杉矶飞过来的时候，从机舱里眺望的景，处处是光亮。曾经飞机上一位住在沃斯堡的老人骄傲地告诉我现在这一大片地区连成一体，有上百万人口了。

之前没想过会在这里做这么久，后来没想到会这么快结束。我刚来的时候组里有六十五个人，现在只剩下十二个。聚散就像飞机下的灯火，此起彼伏，时隐时现。临走前到楼下餐厅吃在达拉斯的最后一顿晚饭，一碗汤，一份烤三文鱼，后来还叫了杯白葡萄酒。貌似第一次来的时候也是坐在同样的位子。人生就是在画圈中前进，好像云手。

要总结一下的话，很有意义的八个月，不止获益良多，也赢得了大家的信赖和喜爱。最后以关闭我的第十一家银行作为终点，倒也不算太差的一句再见。分别时，组长甚至跟我要留twitter，虽然我不喜欢这个人，还是跟他握手道珍重。存款组有个不成文的惯例，每个离开的人都会给大家发一封告别信，开几句玩笑。我在信中说："在这里至少我搞清楚了为什么我的活期账户一点利息都没有，当然我们在这儿的工作的重要性可不止这一点。朋友们，我们在拯救美国经济，以整理银行会计试算表的方式。"

2010年11月12日夜里九时，我走出酒店大门，去不远处的大楼完成我在这里最后一件工作。当晚有达拉斯球队参与的棒球决赛，酒吧里的人们情绪激动。就在几个小时前，远在亚利桑那的一家名叫铜星的银行关闭，作为远程处理这家银行全部一点九亿存款的人，我有份参与。

熟水代茶

孟　晖

宋人的"熟水"，已然不是简单的指煮熟的水，而是
自成一类的饮料类型。

麦门冬熟水

今天的名人博客，能够流传到八九个世纪之后还有人看吗？之所
以浮起这个念头，是因为忽然觉得，大约从白居易的时代起，诗和词
在士大夫手中就成了类似今天博客的东西，随便什么经历和想法，任
何的重大事件，以及生活的琐屑，都能被他们自如地录于笔底。应该
说，诗之于盛唐以后的文人，以及词之于五代以后的文人，实在是掌
握太娴熟的文体，对他们来说就像日常说话一样，甚或，比日常说话
还容易。

话说，有一天，苏轼就以诗体特有的简洁，用毛笔在纸笺上写了

一篇"博客"《睡起，闻米元章冒热到东园，送麦门冬饮子》：

> 一枕清风值万钱，无人肯买北窗眠。
>
> 开心暖胃门冬饮，知是东坡手自煎。

一向有点疯疯癫癫的米芾，在大热天的午后不像正常人一样睡午觉，却顶着一头的暑热跑到当时的著名园林东园里，大约是要欣赏竹影荷香吧。刚刚午睡起来、心情正好的苏轼听说了，对好友非常关心，赶紧派下人给米芾送去"麦门冬饮子"，同时还附上了诗一首，诗中一边善意地调笑这癫子，一边告诉他：此一有益身心的解暑饮料可是我亲手煎出的哦！应该说，"一枕清风值万钱"这首小诗，在其问世的最初一刻，实在更类似于今天的手机短信，只不过这短信是通过人体发送过去的。米芾的洁癖人所共知，所以苏轼在送上解暑饮料的同时，还即兴赋诗一首一起捎上，让他知道：这饮料只经过我的手，没被下人碰过。显然两位朋友之间充满了默契，只要苏轼经手的东西，米芾的洁癖就绝不会发作。

短信发出之后，苏轼又把这首诗加上了简述事情始末的题目，让两位当事者之外的其他人也能明白其中经过，于是就成了一篇很典型的博客文章。博主自己肯定没想到的是，这一挥手而就的温馨幽默小诗，却帮助后人了解到，宋人是如何地享受"不含咖啡因"的热饮，以及这类热饮普及到了什么样的程度。

在《苏轼文集》中，有一则写给友人钱世明的尺牍，其文云：

> 一夜发热不可言，齿间出血如蚯蚓者无数，追晓乃止，惫甚。细察疾状，专是热毒，根源不浅，当专用清凉药。已令用人参、麦门冬、茯苓三味煮浓汁，渴即少啜之，余药皆罢也。……

从信中看得出来，麦门冬饮子很为苏轼青睐，在他看来，这是对付热毒很有效的一种"清凉药"。其制作也很讲究，要用人参、麦门冬和茯苓一起煎成浓汤。苏轼在确信自己中了热毒的情况下，就把这种药汤当作饮料，口渴了就喝它。

由此推测，他在暑天送这种饮子给米芾，自然也是为帮友人去热毒。还可以看到的一个细节是，苏轼自己喝的麦门冬饮子都是由家人或下人代煎，一旦送给米芾时反而要亲手煎制，由此也可见米芾的矫情要赖，和苏轼待人的宽厚亲切。

实际上，用麦门冬与其他草药配在一起煎汤，作为消除热毒的对症药，在此前已有很长的历史。初唐时人孙思邈的《千金方》中即已有若干类似的方子，如《备急千金要方》"解五石毒"中就有"生麦门冬汤"、"麦门冬汤"，都是对付服石之后"散发"时的"烦热"等症状，其中"麦门冬汤"用到生麦门冬和人参，与苏轼的麦门冬饮子相近。广而言之，在传统医书中，有一类"代茶饮子"配方散布各处，都是针对身体的种种不适、种种病状，以相应的草药煎成汤汁，让患者作为茶的替代物，口渴时即饮。

不过，代茶饮子显然并非只在生病时才喝。《千金翼方》"退居·饮食"一节中介绍"食后将息法"：

中食后……啜半升以下人参、茯苓、甘草等饮，觉似少热，即吃麦门冬、竹叶、茅根等饮……秋冬间暖裹腹，腹中微似不安，即服厚朴、生姜等饮。如此将息，必无横疾。

看得出来，在这一节文字当中，麦门冬等草药熬成的汤汁已经被当作了日常随时饮用的饮料。"饮食"一节开宗明义就谈道："所有资身，在药菜而已。料理如法，殊益于人。"提倡通过在日常饮食中正确地利用食品本身内含的药性，而让体质得到增强。显然，今天的草药茶，其传统要远远上溯到唐代甚至更早的时期。

到了东坡居士的时代，《千金方》中提倡的这一养生方法已然发展成为日常风俗的一个自然部分。南宋人陈元靓《事林广记》的日本元禄十二年翻刻本中，有一条所谓"御宣熟水"的信息：

仁宗敕翰林定熟水，以紫苏为上，沉香次之，麦门冬又次之。

北宋仁宗（1010-1063）曾经下令，让专门负责宫廷饮料等事务的翰林司为"熟水"鉴定优劣等级，品鉴的结论是：紫苏熟水"能下胸膈滞气，功效最大"，因此为最上品，沉香熟水次之，麦门冬熟水又次之，也就是说，这三种熟水被认为是在口感与保健性能等方面最优的饮品。由这一条资料可知，麦门冬饮子并不是苏轼个人的爱好，而是那个时代最流行也最重要的饮料之一。将苏诗与这条资料相对照，足以让我们对于宋人的日常饮料建立一个初步的清晰印象。

紫苏熟水

苏轼说得清楚，他所喝的麦门冬饮子是"煎"成的。有意思的是，在北京大学图书馆藏、至元六年郑氏积诚堂刻本的《事林广记》中，明确记有"造熟水法"：

夏月几（凡）造熟水，先倾百煎衮（滚）汤在瓶器内，然后将所用之物投入，密封瓶口，则香焙矣。若以汤泡之则不甚香。若用隔年木犀或紫苏之属，须略向火上炙过，方可用，不尔则不香。

非常明显的，饮用的水应该事先经过煮沸，在宋人当中是取得了共识的卫生观念。不仅如此，熟水还要浸、煎以各种天然花、叶等材料，一来让熟水带有沁鼻的香气、灿舌的滋味，二来则是使其具有滋补、养生、保健的功能。

实际上，应该认识到，《事林广记》的这一段文字显示，宋人所说的"熟水"，已然不是简单的指煮熟的水，而是自成一类的饮料类型，大致相当于今天小资们喜欢的"花草茶"。只要对宋代文献稍加留意，就不难看出，在那个时代，"熟水"是个非常强大的概念。比如宋人会流传这样的八卦段子：

仁宗尝春日步苑中，屡回顾，皆莫测圣意。及还宫中，顾嫔御曰："渴甚，可速进熟水。"嫔御进水，且曰："大家何不外面取水，而致久渴耶？"仁宗曰："吾屡顾，不见镣子，苟问之，即有抵罪者。故忍渴而归。"左右皆稽颡动容，呼万岁者久之。圣性仁恕如此。（宋魏泰《东轩笔录》）

故事的用意是在歌颂宋仁宗的圣德，不过，从中可以看出，在那个时代，茶水之外，"熟水"也是不可或缺的一类日常饮料，随时供人口渴时饮用。据说在仁宗时代被定为第一的"紫苏熟水"，在南宋临安的当街饮料摊上处处有售，是市面上常见的饮料之一，称为"紫苏饮"（《武林旧事》卷六）。同样是在至元六年郑氏积诚堂刻本的《事林广记》中，有着关于紫苏熟水的具体做法：

紫苏叶不计，须用纸隔焙，不得番（翻）。候香，先炮（泡）一次，急倾了，再泡，留之，食用，大能分气。只宜热用，冷即伤人。

宋人生活的精致与讲究渗透在每一个细节里。紫苏叶因为经过"新摘叶，阴干"（明人宋诩《竹屿山房杂部》"紫苏熟水"条）的加工，属于"若用隔年木犀或紫苏之属，须略向火上炙过，方可用，不尔则不香"的情况，所以要在火上稍微烤一会儿，"逼"出或曰"激活"其所含的香气。然后，还要像今天泡功夫茶一样，把第一次泡出的汤水倒掉，只用第二道泡好的汤。

根据记载来看，随着材料的不同，熟水的制作各有不同的方法。当使用草叶、树叶一类原料的时候，大多采用与"紫苏熟水"相同的程序。如《千金方》里提到的竹叶饮，在宋代也发展成了"竹叶熟水"：

新安郡界中自有一种竹叶……土人以作熟水，极香美可喜。（朱弁《曲洧旧闻》卷四）

而元人所辑的《居家必用事类全集》"熟水类"有一条"丁香熟水"：

丁香五粒。竹叶七片，炙。沸汤，密封片时，用之。

用竹叶做熟水，也一样在火上微烤一下，然后用热水浇烫。只不过在这个具体的方子中还增加了丁香而已。另外，《居家必用事类全集》中有这样一条资料，特别惹人兴趣：

梁秆熟水：故宋京城持瓶卖梁秆熟水。其法，以稻秆心（芯）持择齐整了，用水灌洗干净，晒干，作小把子。如烫熟水时，以火炙少时，先以汤烫两次，然后烫熟水。如以糯稻秆，自可缩小便。

在宋人那里，甚至稻秆都被发展为制作花草茶的材料！取稻秆的中间一段，收拾整齐，洗净再晒干，然后捆成一个个小束。现场制作熟水的时候，拿出一束稻秆，先在火上微炙，让稻秆发出香气，然后用热水烫两次，这两次的水都倒掉。最后将其浸在茶瓶里的滚水中"烫"片刻，才得到一瓶泛着田垄清气的热饮。

明人高濂《遵生八笺》中所记录的"稻叶熟水"、"橘叶熟水"、"桂叶熟水"，应该视为宋代"梁秆熟水"的进一步发展：

稻叶熟水：采禾苗晒干，每用，滚汤入壶中，烧稻叶，带焰投入，盖密。少倾，泻服，香甚。

橘叶熟水：采取晒干，如上法泡服。

桂叶熟水：采取晒干，如上法泡服。

居然是先在水壶中灌好沸烫的白水，然后把晒干的稻叶或者橘叶、桂叶中的一种用火引燃，再将带着火焰的干叶抛入壶内的热水里。盖上壶盖，静置一会儿，就会得到一壶"香甚"的清新热饮。让火焰投身于热水，由此催生赋予人类口腔快感的滋味，这绝对要算一款"魔幻饮料"了。

最有意思的是，《居家必用事类全集》的记录中特别提到，在宋代的京城，是卖茶人提着茶瓶，沿街叫卖梁秆熟水。《东京梦华录》曾提到，北宋东京夜晚"至三更方有提瓶卖茶者，盖都人公私荣干，夜深方归也"，而翌日天还没亮，就有"煎点汤药者，直至天明"。《梦粱录》里更提到，南宋临安"巷陌街坊，自有提茶瓶往来点茶"，"又有一等街司衙兵百司人，以茶水点送门面铺席，乞觅钱物，谓之'龊茶'"。总之，在那个时代，挑茶担、提茶瓶点茶的卖茶人形象相当活跃。《东京梦华录》、《梦粱录》也都指出，"盖经纪市井之家，往往多于店舍旋买见成饮食，此为快便耳"，无论汴梁还是临安，市民之家往往自己不开火，从街市上直接购买现成饮食。而"梁秆熟水"这条资料透露出，当时那些在两宋首都街巷间游荡的卖茶游击队，其茶担上的货色绝不简单，远不止提供点茶一种服务。面对随时出现的主顾，当场用热水"烫"、"泡"出各种清香的"熟水"，也是"提瓶卖茶者"们擅长的本领之一。

梁秆熟水

在宋代，可归为"花草茶"的饮料其实分为好几大类，熟水只是其中的一个类型，此外尚有"汤"、"渴水"等。何以从各种植物中取材而成的饮料这么发达？最根本的原因很可能是，当时，茶的产量无法满足社会的消费需求，茶水还不能如明清时代那样成为廉价的大众饮料，这就导致"代茶饮子"的发达。

宋代熟水的一大令人惊奇之处，恰在于所倚靠的材料往往价格低廉，方便易得。在这方面，最为极端的例子要算梁秆熟水，居然截取稻秆就能做出香美的热饮。以生活中很容易就能搞到手的植物之果、花、叶、茎为原料，几乎没有成本，这就让普通民众都有能力享用不仅经过煮沸消毒，并且有滋有味的饮品。

不过，"消费不起茶叶"只是造成"花草茶"兴盛的原因之一。另一层原因则是，宋人虽然热衷饮茶，但也充分认识到了饮茶过多的不利之处。宋人赵令時《侯鲭录》中就记载："东坡论茶曰：除烦去腻，世固不可无茶，然暗中损人不少。昔人云：自茗饮盛后，人多患气不患黄，虽损益相半，而消阳助阴，益不偿损也。"熟水等不含咖啡因饮料的盛行，可以让人们避免过度依赖茶饮的生活习惯。

宋代的熟水不仅没有咖啡因的刺激性，而且是药效各异的保健型饮料。麦门冬熟水、紫苏熟水即为佳例，证明随着用材不同，每种名目的熟水可以针对身体情况的不同侧面，加以持续式的、保养式的调理。不过在这个方面尤其令人惊奇的还是梁秆熟水，"如以糯稻秆，自可缩小便"，一旦以糯稻秆制作，便能调理泌尿功能。

须知，以糯稻秆熟水"缩小便"，这一做法并非仅仅来自民间经验，而是与同时代医学的实践及理论相一致。宋代官修医书《圣济总录》里便有个"治小便频数及引饮不止糯米餐方"，指出糯稻有"缩水"的功能，也就是能让人小便减少，还能消除口渴之感、减少饮水量，并举例说，有个患有严重口渴病症的病人，针对他的病情：

有人用糯稻秆及根，斩去穗，取中心，净器中烧作灰，每用一合许，汤一碗沃，浸良久，澄去其滓，尝味如薄灰汁，乘渴令顿饮之，是夜减饮水七八升，此亦糯稻缩水之一验也。

把切去穗部的糯稻秆烧成灰，用滚水浸泡，其汁液有极好的对症疗效。到了明初编撰的《普济方》中更将"糯稻秆灰"的功能直接列为"治渴"，并说明："取中一尺烧，淋汁饮。或不烧，便煎服亦妙。"结合这两条医书中的资料，我们就可明白宋代日常饮料与医学临床治疗之间活跃而灵活的关系——糯稻被认为有治便频、治口渴的功能，当这一"药材"被用于治愈病状严重的患者的时候，是烧成灰，再向灰上淋热水，其味道如"薄灰汁"，肯定很难喝。于是，提供给普通人的保健型饮料则不用烧灰的方式，改为用热水烫泡小束稻秆，让饮者在消解渴感、减少身体水分流失（"缩小便"）的同时，还品尝到稻秆独有的香气。

相比起来，如今现代城市各种餐饮场所提供的不含咖啡因与酒精的所谓"软饮"，实在都是有百弊而无一利的、似乎是纯粹想要害人早死的、太拙劣的货色。

豆蔻熟水

制作方法简单，同样可列为宋代熟水的优点之一。比如"豆蔻熟水"，《事林广记》至元六年郑氏积诚堂刻本中记曰：

白豆蔻壳择净，投入沸汤瓶中，密封片时。用之极妙。每次用七个足矣，不可多用，多则香浊。

这种熟水的制法，只是把白豆蔻壳投进沸水之中，然后密封瓶口，泡片刻之后就可以喝。

李清照有一首《摊破浣溪沙》，也是写了一个没有任何意义的时刻，或者说，她故意就是在展现某个人生时刻的特别没意义：

病起萧萧两鬓华，卧看残月上窗纱。豆蔻连梢煎熟水，莫分茶。

枕上诗书闲处好，门前风景雨来佳。终日向人多蕴藉，木犀花。

（《花草粹编》）

女词人刚刚生过一场病，注意到自己两鬓出现了白发，深感青春不再的失落。体弱的状态下，她只能卧床休息，静看夜晚降临，残月的影子渐渐映现在窗纱上。感到有些口渴，便指点丫鬟在地火炉上煮熟了一瓶清水，不过，"莫分茶"，不是用于点茶。那是做什么呢？丫鬟刚刚从庭院中剪来了带枝的新鲜豆蔻果，因此，把水煮开，乃是为了制作"豆蔻熟水"。由此可见，宋人制作熟水实在是方便，自家的庭院里就种植着花木，供人摘撷。

不知道是不是因为豆蔻熟水喝下之后，起到了提神的作用，抑或这种熟水的沁息滋味就足以让人心情愉快起来，到了词的下半阕，作者的情绪明显好转，忽然换了一副目光打量平淡生活——就这么读读诗书，不正是难得的悠闲吗？下雨也是给门前的景色添了韵趣啊，更何况，还有桂花终日对人绽放笑靥。

柚花熟水

看得出来，用植物的叶和果制作熟水，都是采用当场烫泡的形式，如紫苏熟水、豆蔻熟水均为这一方法。但是，熟水中的另一大类"香花熟水"的做法则与之不同：

取夏月有香、无毒之花，摘半开者，冷熟水浸一宿，密封。次日早，去花，以汤浸香水用之。（《事林广记》至元六年郑氏积诚堂刻本）

原来，宋人喜欢用夏天里开放的各种鲜花泡制熟水。近年白领女性们也时兴"喝花"，但不过是把干玫瑰花之类放在壶里，用热水一冲。在宋人看来，这样粗鲁的做法在效果上非常之差，正如"造熟水法"一条所说："夏月几（凡）造熟水，先倾百煎衮（滚）汤在瓶器内，然后将所用之物投入，密封瓶口，则香焙矣。若以汤泡之则不甚香。"不过，在宋代，该规律似乎只应用在香花熟水上——用晾凉之后的熟水慢慢浸泡鲜花，能让花中的香精释放得更充分；用热水猛浇到花朵上，则只会破坏其中原有的香素。于是，宋人所喝的鲜花泡的热饮，就要在前一天晚上开始制作，现采来半开的鲜花，在冷熟水中泡整整一个通宵。第二天把花朵取出，用热水与浸透了香气的冷水直接兑和在一起，由此制出花气袭人的热饮。这条线索顺便透露，不一味贪凉，通过喝热饮的方式来出汗消暑，在当时也已是社会上下一致普及的习惯。

知道了这一条规律，我们才好理解杨万里的一篇"博客"《晨炊光口砦》是什么意思：

泊船光口荐晨炊，野饭匆匆不整齐。

新摘柚花薰熟水，旋捞莴苣渫生虀。

尽教坡老食无肉，未害山公醉似泥。

过了真阳到清远，好山自足乐人饥。

因为旅途上暂时泊船在陌生的地方，只能因陋就简地做一顿饭，所以伙食质量就没法保证了。怎么证明这顿饭不如人意呢？杨万里举出的例子之一就是，只能上岸摘点柚花，一清早现泡香花熟水。显然的，宋时的人一念这诗句，就明白他在抱怨些什么。

从我们的角度，恐怕还要羡慕杨万里所生活的环境。对那时的人来说，身周围永远是草木茂郁，四季花开，要做个花草茶，走出去几步采些枝头的花啊叶啊果啊，然后就可以烧水了。可是，对宋人来说，隔宿慢浸而成的柚花熟水，与现用热水随便烫成的柚花熟水，在滋味上，那可是会呈现出天上地下的区别。

有什么办法呢，宋人的舌头就像他们的鼻子一样，像他们所有的感官一样，因为见识广，所以远比我们灵敏得多。